초등문해력

1 권

초등 **2~3**학년

이 책을 쓰신 분들

원정화 세종시다정초등학교
하근희 대구포산초등학교
이승모 서울교육대학교부설초등학교
윤혜원 서울대명초등학교

초판 4쇄	2024년 8월 19일
초판 1쇄	2022년 8월 19일
펴낸곳	메가스터디(주)
펴낸이	손은진
개발 책임	김문주
개발	양수진, 최란경, 최성아, 조지현
그림	이은미
디자인	이정숙, 주희연
마케팅	엄재욱, 김상민
제작	이성재, 장병미
사진 제공	픽스타, 한국은행
주소	서울시 서초구 효령로 304(서초동) 국제전자센터 24층
대표전화	1661-5431
홈페이지	http://www.megastudybooks.com
출판사 신고 번호	제 2015-000159호
출간제안/원고투고	메가스터디북스 홈페이지 <투고 문의>에 등록

· 발간 이후 발견되는 오류 사항은 '홈페이지 〉 자료실 〉 정오표'를 통해 알려 드립니다.

일러두기
· 맞춤법과 띄어쓰기는 국립국어원에서 펴낸 《표준국어대사전》을 기준으로 삼되, 초등학교 교과서의 표기를 참고했습니다.
· 외국의 인명과 지명은 국립국어원에서 펴낸 《외래어 표기법》을 따랐습니다.
· 본 저작물은 공공누리 제1유형에 따라 공공 저작물을 이용하였습니다.

메가스터디BOOKS

'메가스터디북스'는 메가스터디㈜의 교육, 학습 전문 출판 브랜드입니다.
초중고 참고서는 물론, 어린이/청소년 교양서, 성인 학습서까지 다양한 도서를 출간하고 있습니다.

·**제품명** 초등 문해력 어휘 활용의 힘 1권
·**제조자명** 메가스터디㈜ ·**제조년월** 판권에 별도 표기 ·**제조국명** 대한민국 ·**사용연령** 3세 이상
·**주소 및 전화번호** 서울시 서초구 효령로 304(서초동) 국제전자센터 24층 / 1661-5431

단어의 뜻을 정확히 알면 문제를 쉽게 풀 수 있다

어휘력, 문해력 부족이 성적 저하로 이어지고 있다

초등 3학년부터 학력 격차가 생기는 시기!

우리 아이 문해력, 괜찮을까요?

초등 문해력이 우리 아이 평생 성적을 좌우한다는 것 알고 계시죠? 문해력의 가장 기초가 되는 건 바로 어휘력! 어휘를 많이 알고, 정확히 활용할 수 있어야 문해력이 향상됩니다. 많은 교사와 전문가들이 '요즘 초등학생들이 단어를 몰라 수업이 안 된다'고 이야기합니다. 교과서를 이해하려면 초등 시기 어휘부터 제대로 잡는 것이 중요합니다.

초등학생 문해력 수준 분포도

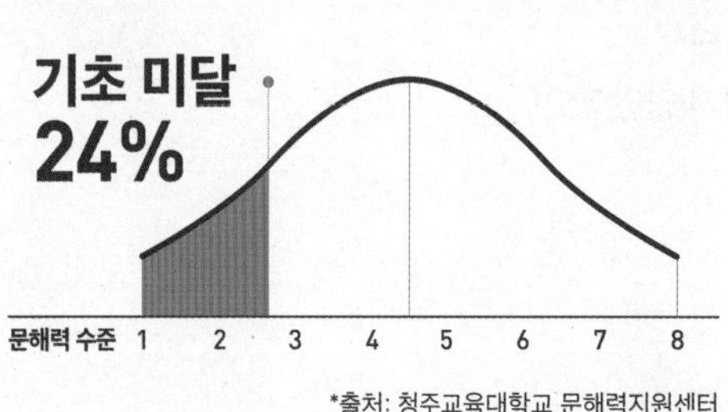

*출처: 청주교육대학교 문해력지원센터

특히 학력 격차가 크게 벌어지기 시작하는 초등 3학년부터 제대로 된 학습이 필요합니다.

" 이 책은 어휘의 힘을 길러 학교 수업과 실생활에서 제대로 활용할 수 있도록 설계하였습니다.
어휘력, 이제 <초등 문해력 어휘 활용의 힘>의 5단계 학습법으로 길러 주세요! "

학습의 흐름

「초등 문해력 어휘 활용의 힘」은 '어휘 학습 → 어휘 이해 → 어휘 적용 → 어휘 활용 → 어휘 완성'의 체계적인 5단계 학습으로 구성되어 탄탄한 어휘 실력을 쌓을 수 있도록 도와줍니다. 1~4단계에서는 어휘를 교과 및 실생활 예문으로 학습하고 다양한 문제로 풀어 보며, 마지막 5단계에서는 특별 부록인 「나만의 어휘 활용 노트」로 어휘 활용의 힘을 완성합니다.

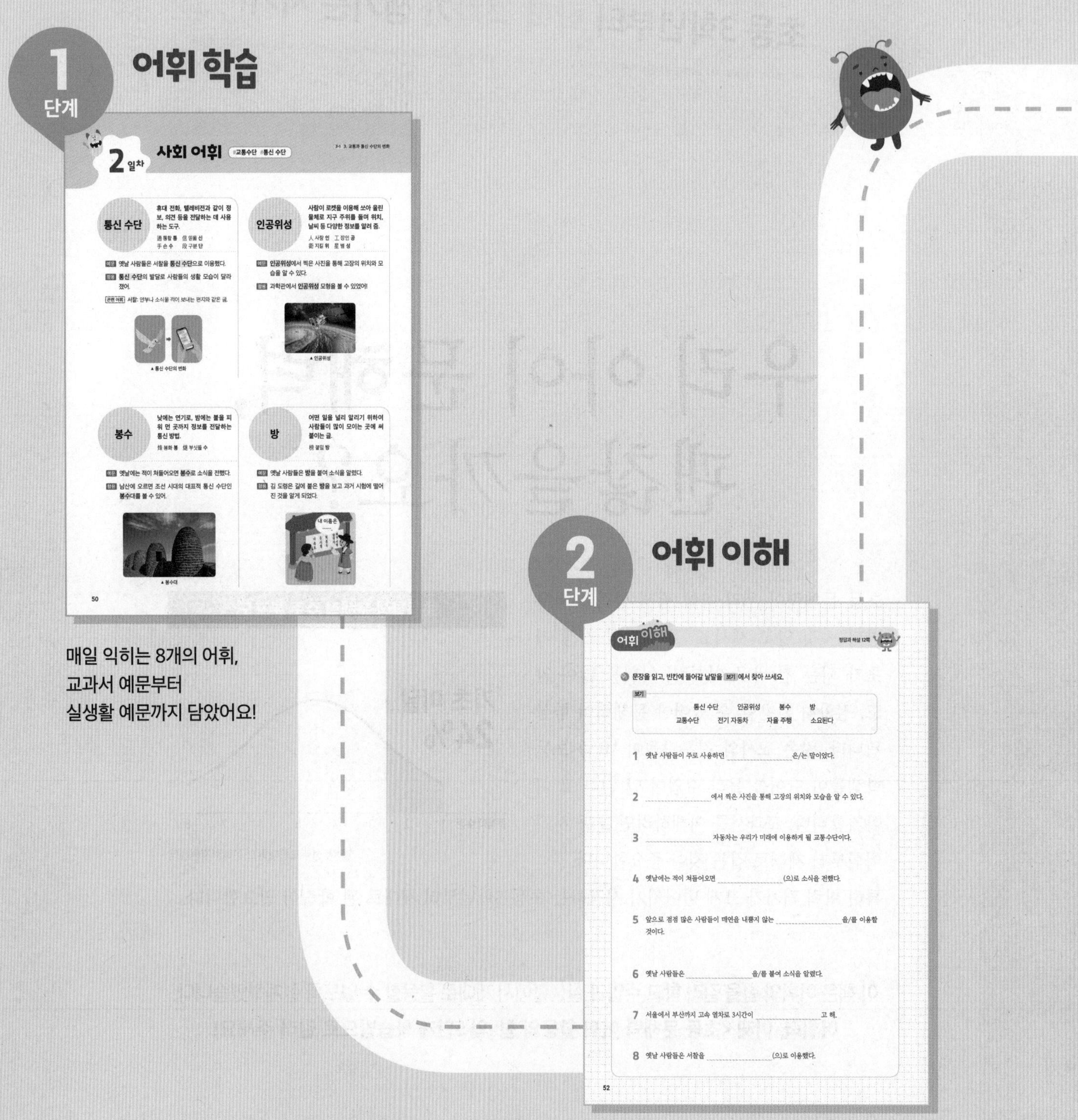

1단계 어휘 학습

2일차 사회 어휘 #교통수단 #통신 수단

3-1 3. 교통과 통신 수단의 변화

통신 수단 휴대 전화, 텔레비전과 같이 정보, 의견 등을 전달하는 데 사용하는 도구.
通 통할 통 信 믿을 신 手 손 수 段 구분 단

예문 옛날 사람들은 서찰을 **통신 수단**으로 이용했다.

활용 **통신 수단**의 발달로 사람들의 생활 모습이 달라졌어.

관련 어휘 서찰: 안부나 소식을 적어 보내는 편지와 같은 글.

▲ 통신 수단의 변화

인공위성 사람이 로켓을 이용해 쏘아 올린 물체로 지구 주위를 돌며 위치, 날씨 등 다양한 정보를 알려 줌.
人 사람 인 工 장인 공 衛 지킬 위 星 별 성

예문 **인공위성**에서 찍은 사진을 통해 고장의 위치와 모습을 알 수 있다.

활용 과학관에서 **인공위성** 모형을 볼 수 있었어!

▲ 인공위성

봉수 낮에는 연기로, 밤에는 불을 피워 먼 곳까지 정보를 전달하는 통신 방법.
烽 봉화 봉 燧 부싯돌 수

예문 옛날에는 적이 쳐들어오면 **봉수**로 소식을 전했다.

활용 남산에 오르면 조선 시대의 대표적 통신 수단인 **봉수**대를 볼 수 있어.

▲ 봉수대

방 어떤 일을 널리 알리기 위하여 사람들이 많이 모이는 곳에 써 붙이는 글.
榜 붙일 방

예문 옛날 사람들은 **방**을 붙여 소식을 알렸다.

활용 김 도령은 길에 붙은 **방**을 보고 과거 시험에 떨어진 것을 알게 되었다.

50

매일 익히는 8개의 어휘,
교과서 예문부터
실생활 예문까지 담았어요!

2단계 어휘 이해

어휘 이해

정답과 해설 12쪽

문장을 읽고, 빈칸에 들어갈 낱말을 보기 에서 찾아 쓰세요.

보기
통신 수단 인공위성 봉수 방
교통수단 전기 자동차 자율 주행 소요된다

1 옛날 사람들이 주로 사용하던 ______ 은/는 말이었다.

2 ______ 에서 찍은 사진을 통해 고장의 위치와 모습을 알 수 있다.

3 ______ 자동차는 우리가 미래에 이용하게 될 교통수단이다.

4 옛날에는 적이 쳐들어오면 ______ (으)로 소식을 전했다.

5 앞으로 점점 많은 사람들이 매연을 내뿜지 않는 ______ 을/를 이용할 것이다.

6 옛날 사람들은 ______ 을/를 붙여 소식을 알렸다.

7 서울에서 부산까지 고속 열차로 3시간이 ______ 고 해.

8 옛날 사람들은 서찰을 ______ (으)로 이용했다.

52

문장 속 빈칸 채우기로 학습한 어휘를 떠올려요!

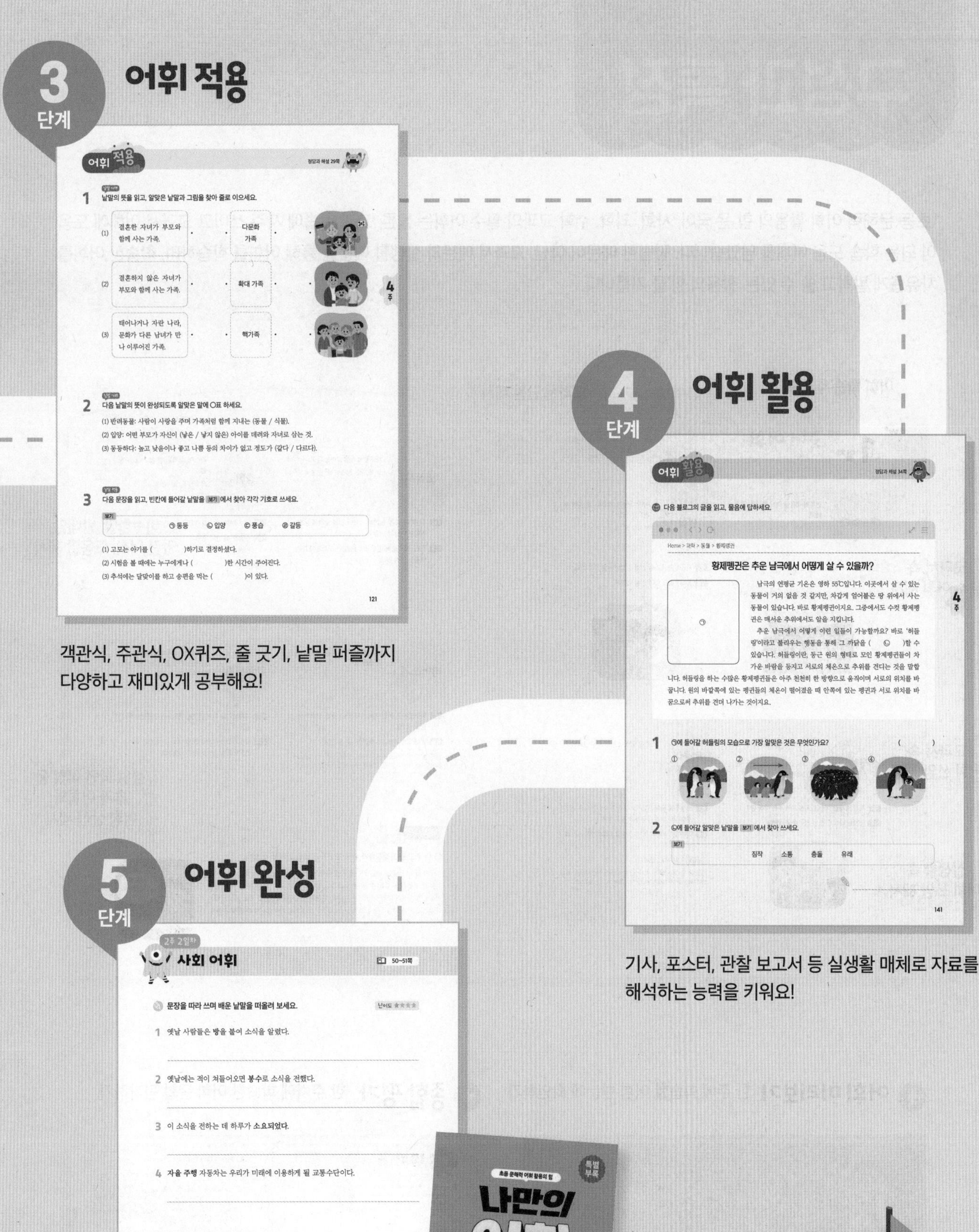

3단계 어휘 적용

객관식, 주관식, OX퀴즈, 줄 긋기, 낱말 퍼즐까지
다양하고 재미있게 공부해요!

4단계 어휘 활용

기사, 포스터, 관찰 보고서 등 실생활 매체로 자료를
해석하는 능력을 키워요!

5단계 어휘 완성

특별 부록으로 제공되는 「나만의 어휘 활용 노트」에
직접 문장을 만들어 쓰며 어휘 활용의 힘을 완성해요!

구성과 특징

「초등 문해력 어휘 활용의 힘」은 국어, 사회, 과학, 수학 교과의 필수 어휘는 물론, 교과 학습에 자주 쓰이고 교과서 이해에 도움이 되는 학습 도움 어휘를 담았습니다. 평범한 예문이 아닌, 교과서 예문과 실생활 예문을 통해 어휘를 학습하며, 학습한 어휘를 자유롭게 말하고 쓸 수 있는 '활용의 힘'을 기릅니다.

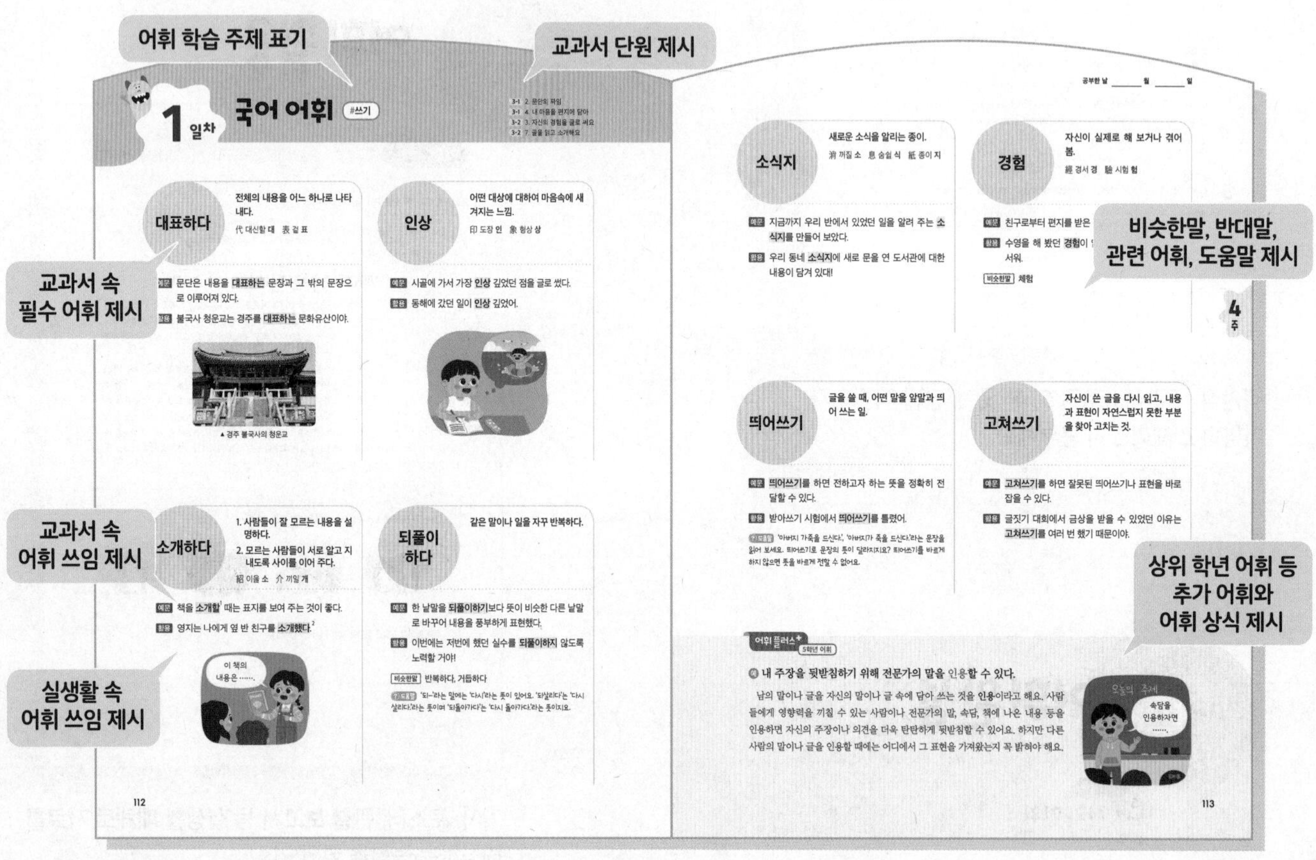

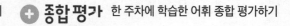

어휘 미리보기 한 주에 학습할 어휘 한눈에 확인하기

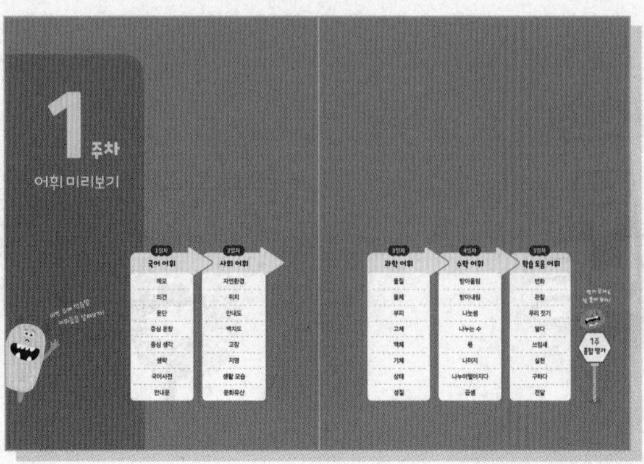

종합 평가 한 주차에 학습한 어휘 종합 평가하기

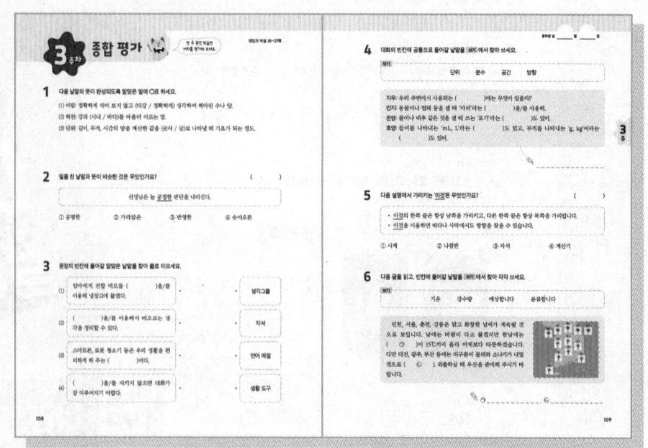

특별 부록 나만의 어휘 활용 노트

「나만의 어휘 활용 노트」는 복습 효과와 어휘 활용의 힘을 극대화합니다. 난이도별 활동을 통해 어휘 활용 능력을 점진적으로 늘려 갈 수 있습니다. 또한 핸디북 크기로 가벼우며 언제 어디서나 가지고 다닐 수 있어 학습 공간의 제약을 뛰어넘습니다. 아래 2가지의 방법 중 원하는 방법을 선택하여 사용합니다.

난이도별 활동

1. 난이도 ★★★★ 문장 따라 쓰기
2. 난이도 ★★★★ 어울리는 문장 쓰기
3. 난이도 ★★★★ 자유 문장 쓰기
4. 난이도 ★★★★ 답변 문장 쓰기

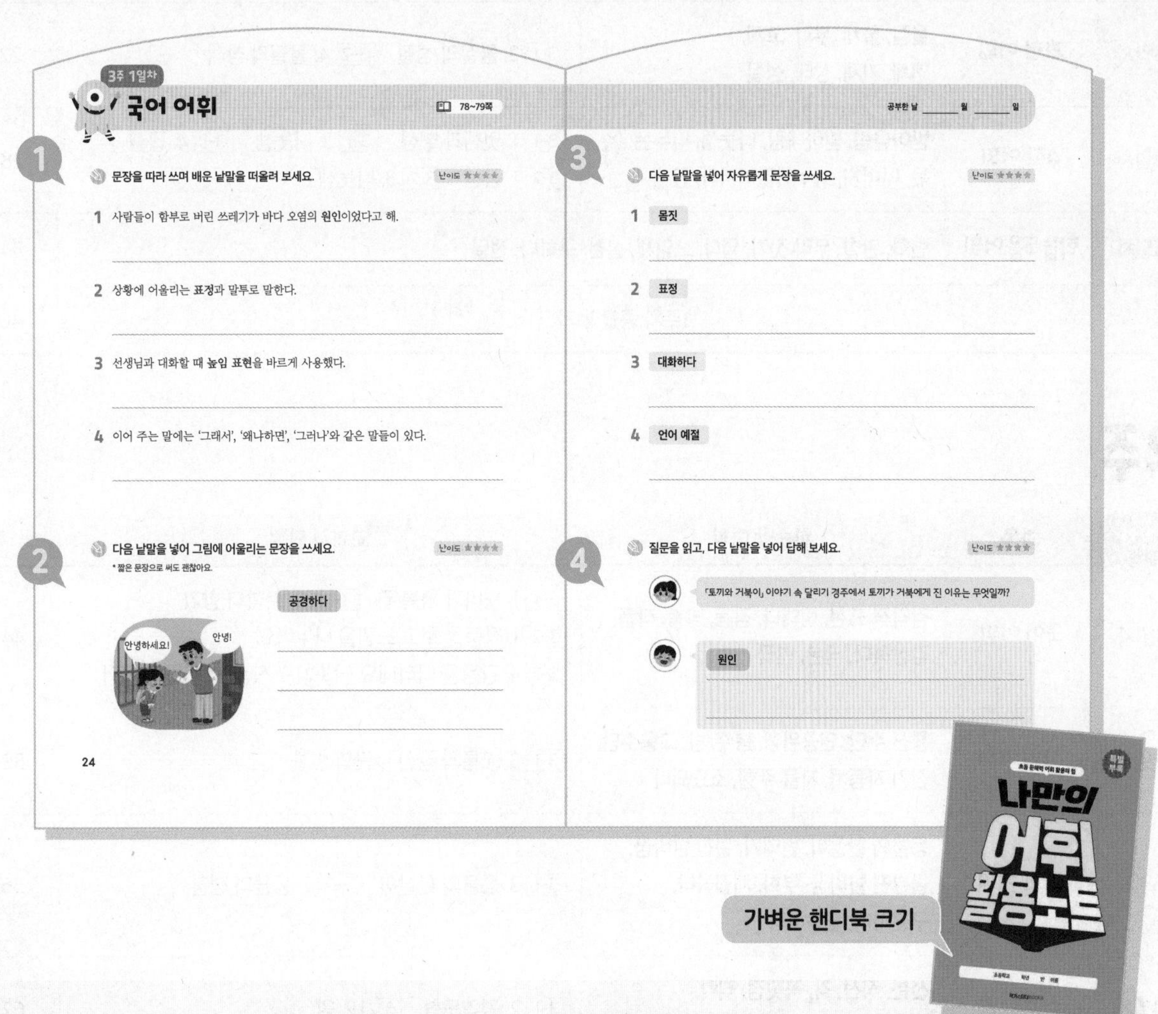

3주 1일차
국어 어휘
78~79쪽
공부한 날 월 일
1
문장을 따라 쓰며 배운 낱말을 떠올려 보세요.
1 사람들이 함부로 버린 쓰레기가 바다 오염의 원인이었다고 해.
2 상황에 어울리는 표정과 말투로 말한다.
3 선생님과 대화할 때 높임 표현을 바르게 사용했다.
4 이어 주는 말에는 '그래서', '왜냐하면', '그러나'와 같은 말들이 있다.
2
다음 낱말을 넣어 그림에 어울리는 문장을 쓰세요.
공경하다
안녕하세요!
안녕!
24
3
다음 낱말을 넣어 자유롭게 문장을 쓰세요.
1 몸짓
2 표정
3 대화하다
4 언어 예절
4
질문을 읽고, 다음 낱말을 넣어 답해 보세요.
「토끼와 거북이」 이야기 속 달리기 경주에서 토끼가 거북에게 진 이유는 무엇일까?
원인
나만의 어휘 활용노트
가벼운 핸디북 크기

나만의 어휘 활용 노트 2가지 활용법

활용 1 하루 학습을 끝내고 바로 활용하면 학습한 어휘를 오래 기억할 수 있어요!

활용 2 하루 학습을 끝내고 다음 날 학습 시작 전에 활용하면 복습 효과를 높일 수 있어요!

1주

2주

3주

일차	과목	학습할 어휘	교과서 단원	쪽
1일차	국어 어휘	높임 표현, 언어 예절, 공경하다, 대화하다, 원인, 이어 주는 말, 표정, 몸짓	3-1 3. 알맞은 높임 표현 3-1 6. 일이 일어난 까닭 3-2 1. 작품을 보고 느낌을 나누어요	78~83
2일차	사회 어휘	인문 환경, 기온, 강수량, 하천, 여가 생활, 의식주, 생활 도구, 세시 풍속	3-2 1. 환경에 따라 다른 삶의 모습 3-2 2. 시대마다 다른 삶의 모습	84~89
3일차	과학 어휘	자석, 극, 끌어당기다, 나침반, 소음, 소리의 세기, 소리의 높낮이, 소리의 반사	3-1 4. 자석의 이용 3-2 5. 소리의 성질	90~95
4일차	수학 어휘	단위, 들이, 어림, 그림그래프, 수집하다, 조사하다, 예상하다, 확인하다	3-2 5. 들이와 무게 3-2 6. 자료의 정리	96~101
5일차	학습 도움 어휘	본뜨다, 공평, 뜨다, 반영, 발달, 생각그물, 관계, 공간		102~107
3주차 종합 평가				108~109

4주

일차	과목	학습할 어휘	교과서 단원	쪽
1일차	국어 어휘	대표하다, 인상, 소개하다, 되풀이하다, 소식지, 경험, 띄어쓰기, 고쳐쓰기	3-1 2. 문단의 짜임 3-1 4. 내 마음을 편지에 담아 3-2 3. 자신의 경험을 글로 써요 3-2 7. 글을 읽고 소개해요	112~117
2일차	사회 어휘	확대 가족, 다문화 가족, 입양, 반려동물, 혼인, 동등하다, 갈등, 풍습	3-2 3. 가족의 형태와 역할 변화	118~123
3일차	과학 어휘	지표, 지형, 퇴적 작용, 침식 작용, 표면, 부식물, 상류, 갯벌	3-1 5. 지구의 모습 3-2 3. 지표의 변화	124~129
4일차	수학 어휘	자연수, 분수, 분자, 분모, 진분수, 단위 분수, 대분수, 소수	3-2 4. 분수	130~135
5일차	학습 도움 어휘	충돌, 추리, 이루다, 나타내다, 까닭, 유래, 짐작하다, 의사소통		136~141
4주차 종합 평가				142~143

1주차

어휘 미리보기

1일차 국어 어휘	2일차 사회 어휘
메모	자연환경
의견	위치
문단	안내도
중심 문장	백지도
중심 생각	고장
생략	지명
국어사전	생활 모습
안내문	문화유산

3일차

과학 어휘

- 물질
- 물체
- 부피
- 고체
- 액체
- 기체
- 상태
- 성질

4일차

수학 어휘

- 받아올림
- 받아내림
- 나눗셈
- 나누는 수
- 몫
- 나머지
- 나누어떨어지다
- 곱셈

5일차

학습 도움 어휘

- 변화
- 관찰
- 무리 짓기
- 덜다
- 쓰임새
- 실천
- 구하다
- 전달

평가 문제도
잘 풀어 보자!

1주
종합 평가

1일차 국어 어휘 #읽기 #문법

3-1 2. 문단의 짜임
3-1 5. 중요한 내용을 적어요
3-1 7. 반갑다, 국어사전
3-1 8. 의견이 있어요
3-1 9. 어떤 내용일까
3-2 2. 중심 생각을 찾아요

메모

다른 사람에게 말을 전하거나 자신이 기억한 것을 잊지 않으려고 짧게 쓴 글.

예문 중요한 내용을 **메모**하며 이야기를 들었다.

활용 친구와의 약속을 잊지 않으려고 **메모**를 했어.

비슷한말 기록

수연이와 수학 숙제하기

- 날짜 : 9월 3일 오후 4시
- 장소 : 수연이네 집
- 준비물 : 수학 공책, 각도기

의견

어떤 문제나 인물, 또는 일에 대하여 가지는 생각.

意 뜻 **의** 見 볼 **견**

예문 글쓴이가 글을 쓴 목적을 생각해 보면 글쓴이의 **의견**을 알 수 있다.

활용 학급 회의에서 내가 낸 **의견**이 받아들여졌어.

비슷한말 생각, 목소리

도움말 의견을 쓸 때는 그 의견을 뒷받침하는 내용도 써야 해요.

문단

몇 개의 문장이 모여 이루어진 글의 한 부분.

文 글월 **문** 段 구분 **단**

예문 몇 개의 **문단**이 모여서 한 편의 글이 된다.

활용 **문단**을 시작할 때는 한 칸을 들여 써야 합니다.

도움말 한 문단이 끝나면 줄을 바꾸어서 새로운 문단으로 시작하고, 들여 쓰기를 해요.

들여 쓰기

장승은 나무나 돌에 사람 얼굴 모습을 조각해 만들었습니다. 할아버지처럼 친근한 얼굴도 있고 …….

중심 문장

문단 내용을 대표하는 문장.

中 가운데 **중** 心 마음 **심**
文 글월 **문** 章 글월 **장**

예문 **중심 문장**은 문단에서 가장 중요한 내용을 담고 있는 문장이다.

활용 이 기사는 **중심 문장**이 첫 부분에 나와 있어 중요한 내용을 쉽게 파악할 수 있어.

관련 어휘 **뒷받침 문장**: 덧붙여 설명하거나 예를 드는 방법으로 중심 문장의 내용을 자세히 설명해 주는 문장.

중심 생각

글을 통하여 글쓴이가 전하려고 하는 생각.

中 가운데 **중** 心 마음 **심**

예문 글의 제목을 보고 **중심 생각**을 찾을 수 있다.

활용 이 글의 **중심 생각**은 환경을 위해 일회용품을 적게 써야 한다는 거야.

도움말 각 문단의 중심 내용을 찾으면 글 전체의 중심 생각을 찾을 수 있어요.

생략

전체에서 일부를 줄이거나 뺌.

省 덜 **생** 略 간략할 **략**

예문 「반딧불이」의 일부분을 읽고 **생략**된 내용을 짐작해 보았다.

활용 줄거리가 너무 많이 **생략**되어 전체 내용을 이해하기 어려웠어.

비슷한말 중략

국어사전

낱말을 모아 정해진 순서대로 늘어놓고 낱말의 뜻과 쓰임새 등을 풀이한 책.

國 나라 **국** 語 말씀 **어**
辭 말씀 **사** 典 법 **전**

예문 **국어사전**에 낱말의 뜻이 정확하게 적혀 있다.

활용 책을 읽다가 모르는 낱말이 나와 **국어사전**을 찾아보았어.

안내문

어떤 내용을 소개하여 알려 주는 글.

案 책상 **안** 內 안 **내** 文 글월 **문**

예문 **안내문**을 읽고 지진이 났을 때 대피하는 방법을 알게 되었다.

활용 식당 앞에 마스크를 써 달라는 **안내문**이 붙어 있었어.

어휘 플러스+ 6학년 어휘

예 추리 소설을 읽을 때, 글에 나타난 단서를 살펴보면 주인공이 겪은 일이나 상황을 추론할 수 있다.

단서는 어떤 일이나 사건이 일어난 까닭을 풀 수 있는 실마리를 말해요. 예를 들어 추리 소설에서 탐정은 범인이 남기고 간 단서를 통해 범인을 밝혀내거나 사건을 해결해요.

추론은 이미 알려진 정보를 바탕으로 하여 다른 판단을 이끌어 내는 것을 말해요. 추론할 때는 자신의 배경지식이나 여러 단서들을 활용할 수 있어요. 추론하는 과정을 거치면 글의 내용을 좀 더 깊고 넓게 이해할 수 있어요.

어휘 이해

정답과 해설 2쪽

문장을 읽고, 빈칸에 들어갈 낱말을 보기 에서 찾아 쓰세요.

보기

메모 의견 문단 중심 문장
중심 생각 생략 국어사전 안내문

1 책을 읽다가 모르는 낱말이 나와 ____________ 을/를 찾아보았어.

2 ____________ 을/를 읽고 지진이 났을 때 대피하는 방법을 알게 되었다.

3 줄거리가 너무 많이 ____________ 되어 전체 내용을 이해하기 어려웠어.

4 학급 회의에서 내가 낸 ____________ 이/가 받아들여졌어.

5 중요한 내용을 ____________ 하며 이야기를 들었다.

6 글의 제목을 보고 ____________ 을/를 찾을 수 있다.

7 ____________ 은/는 문단에서 가장 중요한 내용을 담고 있는 문장이다.

8 몇 개의 ____________ 이/가 모여서 한 편의 글이 된다.

낱말 이해

1 낱말의 뜻과 초성을 보고, 알맞은 낱말을 쓰세요.

(1) 글을 통하여 글쓴이가 전하려고 하는 생각. (ㅈㅅ ㅅㄱ) ____________

(2) 문단 내용을 대표하는 문장. (ㅈㅅ ㅁㅈ) ____________

(3) 몇 개의 문장이 모여 이루어진 글의 한 부분. (ㅁㄷ) ____________

낱말 적용

2 다음 문장의 빈칸에 공통으로 들어갈 낱말을 보기 에서 찾아 쓰세요.

보기

메모 의견 생각 문단

은수: 한 (   )이/가 끝나면 줄을 바꿔요.

준영: (   )을/를 시작할 때 한 칸을 들여 써요.

____

낱말 이해

3 다음 낱말의 뜻이 완성되도록 알맞은 말에 ○표 하세요.

(1) 생략: 전체에서 일부를 줄이거나 (뺌 / 더함).

(2) 국어사전: (낱말 / 문장)을 모아 정해진 순서대로 늘어놓고 낱말의 뜻과 쓰임새 등을 풀이한 책.

(3) 메모: 다른 사람에게 말을 전하거나 자신이 (기억 / 주장)한 것을 잊지 않으려고 짧게 쓴 글.

낱말 이해

4 초성을 보고, 문장의 빈칸에 들어갈 낱말의 뜻을 찾아 줄로 이으세요.

	문장		뜻
(1)	(ㅇㄴㅁ)을 읽고 지진 대피 요령을 알게 되었다.	• •	어떤 문제나 인물, 또는 일에 대하여 가지는 생각.
(2)	(ㅅㄹ)된 내용을 짐작해 가며 글을 읽어 보았다.	• •	전체에서 일부를 줄이거나 뺌.
(3)	영주는 그 일에 대해 반대하는 (ㅇㄱ)을 냈다.	• •	어떤 내용을 소개하여 알려 주는 글.

낱말 쓰임

5 밑줄 친 낱말의 쓰임이 바르지 않은 것은 무엇인가요? (　　　)

① 동윤이는 글을 읽고, 전체 글의 중심 생각을 찾아보았다.

② 뒷받침 문장은 문단에서 가장 중요한 내용을 담고 있는 문장이다.

③ 채은이는 첫 문단의 중심 문장에 밑줄을 그었다.

④ 이 글은 3개의 문단으로 이루어졌다.

낱말 적용

6 다음 대화의 빈칸에 들어갈 알맞은 낱말로 짝 지어진 것은 무엇인가요? (　　　)

> 영지: 이 글의 제목을 살펴보니 환경을 보호하자는 글쓴이의 (㉠)을/를 알 수 있어.
> 호준: 맞아. 글 전체의 (㉡)은 '환경 보호의 중요성'이라는 것을 알 수 있지.

	㉠	㉡
①	메모	중심 생각
②	의견	뒷받침 문장
③	의견	중심 생각
④	메모	뒷받침 문장

다음 국립 공원 안내문을 읽고, 물음에 답하세요.

국립 공원 ㉠안내문

국립 공원은 우리나라를 대표할 만한 아름다운 자연환경을 보전하기 위해 나라에서 직접 관리하는 지역입니다. 후손들에게 원래의 자연 상태를 보존하여 물려줄 수 있도록 다음 주의 사항을 꼭 지켜 주시기 바랍니다.

※ 밤 8시부터 국립 공원에 들어갈 수 없습니다.
※ 쓰레기는 버리지 말고 가져가 주시기 바랍니다.
※ 국립 공원의 야생 동물들에게 함부로 먹이를 주지 마십시오.
※ 국립 공원을 더욱 깨끗이 보존하기 위한 좋은 ㉡생각이 있으신 분은 OOO-OOOO으로 연락 바랍니다.

1 ㉠의 뜻을 바르게 말한 친구에 ○표 하세요.

민지	마음을 전하기 위해 쓰는 글이야.	( )
은솔	어떤 내용을 소개하여 알려 주는 글이야.	( )
혜영	역사적인 인물의 삶을 통해 교훈을 주는 글이야.	( )
진주	책을 읽고 느낀 점이나 생각을 표현하는 글이야.	( )

2 ㉡과 바꾸어 쓸 수 있는 알맞은 낱말을 보기 에서 찾아 쓰세요.

보기
메모 문단 의견 줄거리

✎ ________________

사회 어휘 #고장 #문화유산

자연환경

산, 들, 하천, 바다, 눈, 비 등 자연 그대로의 환경.

自 스스로 **자** 然 그럴 **연**
環 고리 **환** 境 지경 **경**

예문 여러 고장의 이름을 살펴보면 **자연환경**과 관련된 이름들이 많다.

활용 후손들에게 물려줄 소중한 **자연환경**을 아끼고 보존해야 해.

▲ 자연환경

위치

정해진 곳에 자리를 차지함. 또는 그 자리.

位 자리 **위** 置 둘 **치**

예문 디지털 영상 지도를 이용하면 장소의 **위치**를 정확하게 알 수 있다.

활용 약속 장소의 **위치**가 집에서 너무 멀어.

관련 어휘 **디지털 영상 지도**: 인공위성이나 비행기에서 찍은 사진을 디지털 기기로 이용할 수 있도록 만든 지도.

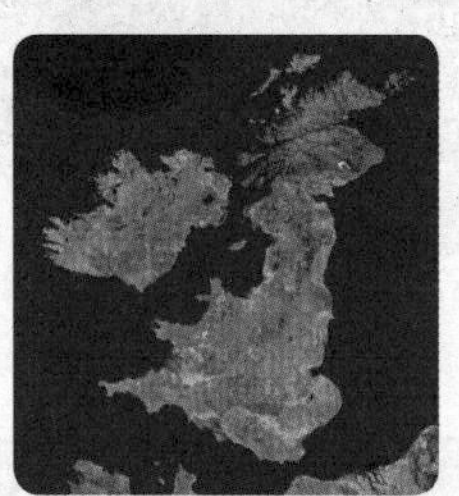

▲ 디지털 영상 지도

안내도

알려 주려고 하는 내용을 그린 그림.

案 책상 **안** 內 안 **내** 圖 그림 **도**

예문 부산시 **안내도**를 살펴보면 기차역, 공원과 같은 주요 장소를 알 수 있다.

활용 도서관을 찾는 사람들을 위해서 입구에 **안내도**가 걸려 있다.

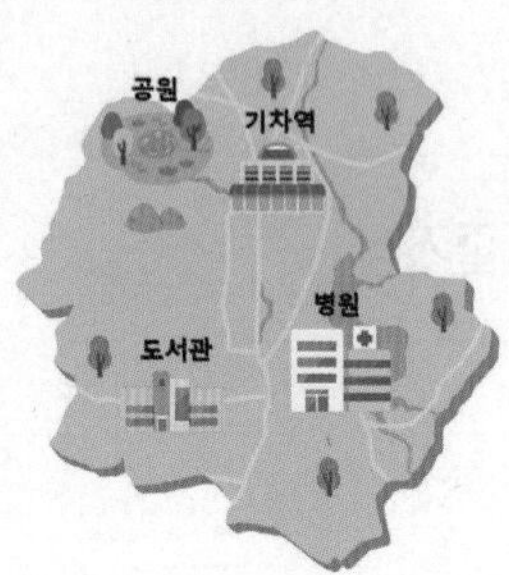

▲ 안내도

백지도

산, 강, 큰길 등의 밑그림만 그려져 있는 지도.

白 흰 **백** 地 땅 **지** 圖 그림 **도**

예문 우리 고장의 주요 장소를 **백지도**에 나타냈다.

관련 어휘 **지도**: 우리가 사는 곳을 작게 줄여 알기 쉽게 나타낸 그림.

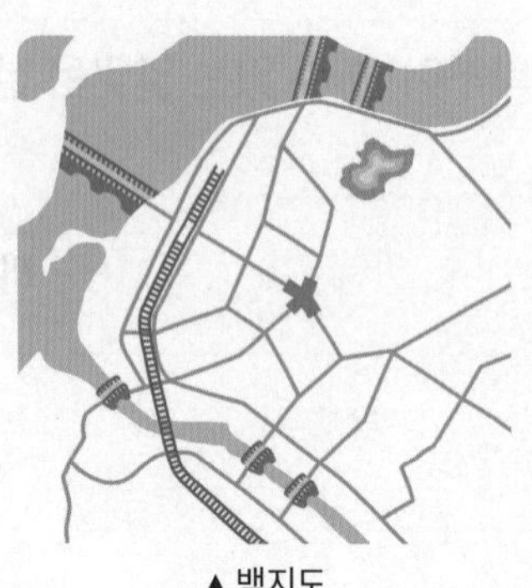

▲ 백지도

고장

사람들이 모여 사는 곳.

예문 우리 **고장**은 아름다운 자연환경으로 둘러싸여 있다.

활용 친구에게 우리 **고장**의 대표적인 장소를 소개했어.

비슷한말 지방, 지역

도움말 기구나 기계가 제대로 움직이지 못하게 될 때는 발음은 같지만 뜻이 다른 '고장(故障)'이라는 말을 써요.

지명

장소나 땅의 이름.

地 땅 **지** 名 이름 **명**

예문 바다 위로 솟아 있는 모습이 촛대와 비슷해 '촛대 바위'라는 **지명**이 붙여졌다.

▲ 촛대 바위

생활 모습

사람이나 동물이 살아가는 모습.

生 날 **생** 活 살 **활**

예문 고장의 옛이야기를 통해 옛날 사람들의 **생활 모습**을 알 수 있다.

활용 영상을 통해 다른 나라 사람들의 **생활 모습**을 볼 수 있었다.

문화유산

조상 대대로 전해 내려온 문화 중에서 후손에게 물려줄 만한 가치가 있는 것.

文 글월 **문** 化 될 **화**
遺 남길 **유** 産 낳을 **산**

예문 고장의 **문화유산**을 살펴보면 고장의 역사와 특징을 알 수 있다.

활용 일반적인 유물, 유적 외에 생활 도구나 마을 축제 등도 **문화유산**이라고 할 수 있어요.

어휘 플러스+ 5학년 어휘

예 우리나라는 반도이기 때문에 대륙과 해양으로 뻗어 나가기 유리하다.

반도는 세 개의 면이 바다로 둘러싸이고 한 면은 육지로 이어진 땅을 말해요. 우리나라는 서쪽, 남쪽, 동쪽이 바다와 닿아 있고 북쪽은 육지로 이어져 있어 반도에 해당되지요. **대륙**은 아주 크고 넓은 땅을 말해요. 지구에는 아시아, 아프리카, 유럽, 오세아니아, 북아메리카, 남아메리카와 같은 여섯 개의 대륙이 있어요. **해양**은 넓고 큰 바다를 뜻해요. 지구에는 태평양, 대서양, 인도양, 북극해, 남극해와 같은 다섯 개의 해양이 있어요.

어휘 이해

정답과 해설 3쪽

문장을 읽고, 빈칸에 들어갈 낱말을 보기 에서 찾아 쓰세요.

보기

자연환경　위치　안내도　백지도
고장　지명　생활 모습　문화유산

1 우리 ____________ 은/는 아름다운 자연환경으로 둘러싸여 있다.

2 고장의 옛이야기를 통해 옛날 사람들의 ____________ 을/를 알 수 있다.

3 여러 고장의 이름을 살펴보면 ____________ 와/과 관련된 이름들이 많다.

4 일반적인 유물, 유적 외에 생활 도구나 마을 축제 등도 ____________ (이)라고 할 수 있어요.

5 부산시 ____________ 을/를 살펴보면 기차역, 공원과 같은 주요 장소를 알 수 있다.

6 우리 고장의 주요 장소를 ____________ 에 나타냈다.

7 디지털 영상 지도를 이용하면 장소의 ____________ 을/를 정확하게 알 수 있다.

8 바다 위로 솟아 있는 모습이 촛대와 비슷해 '촛대 바위'라는 ____________ 이/가 붙여졌다.

낱말 이해

1 다음 뜻에 알맞은 낱말을 보기 에서 찾아 사다리를 타고 내려간 곳에 쓰세요.

보기

안내도 자연환경 위치 문화유산 지명

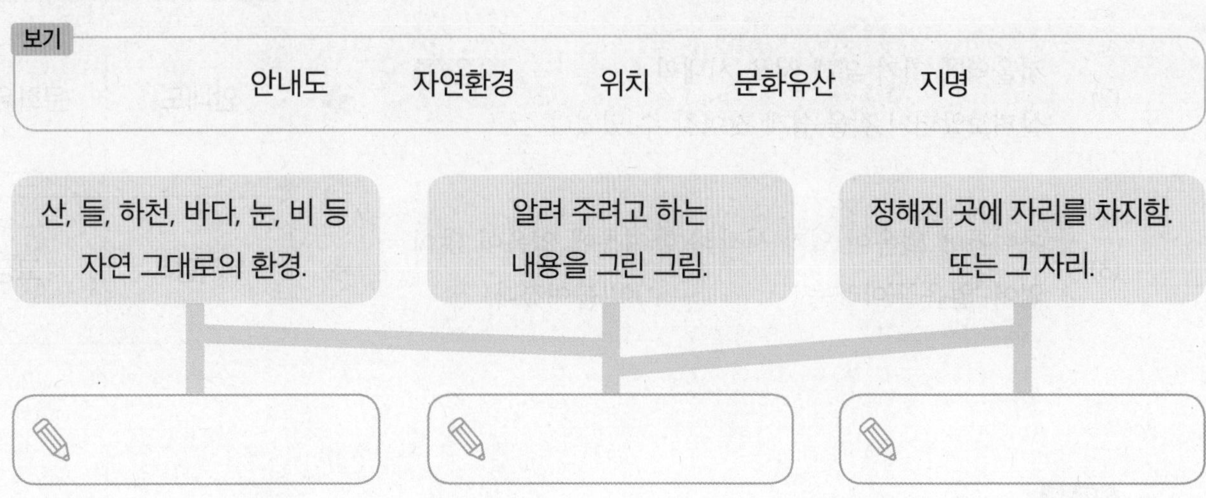

산, 들, 하천, 바다, 눈, 비 등 자연 그대로의 환경.
알려 주려고 하는 내용을 그린 그림.
정해진 곳에 자리를 차지함. 또는 그 자리.

낱말 이해

2 다음 낱말의 뜻과 초성을 보고, 빈칸에 알맞은 낱말을 쓰세요.

가로 열쇠 ❶ 장소나 땅의 이름. (ㅈ ㅁ)

세로 열쇠 ❷ 산, 강, 큰길 등의 밑그림만 그려져 있는 지도. (ㅂ ㅈ ㄷ)

❸ 사람들이 모여 사는 곳. (ㄱ ㅈ)

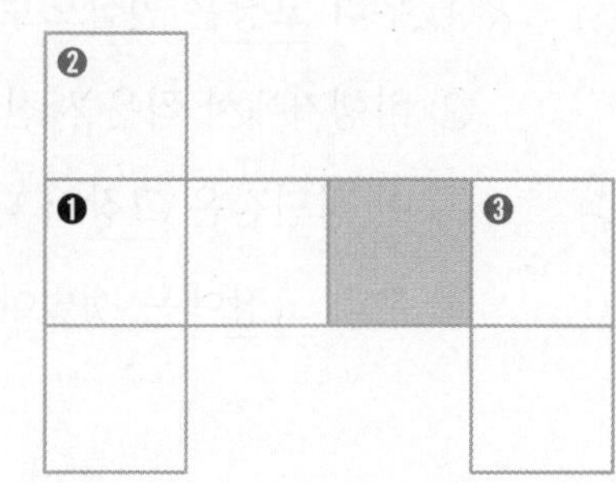

낱말 쓰임

3 다음 중 밑줄 친 낱말을 잘못 활용한 친구에 ×표 하세요.

진주	승호	도현
우리나라에는 '촛대 바위', '얼음골'처럼 자연환경과 관련된 지도가 많아.	우리나라는 산, 강, 바다 등 아름다운 자연환경으로 둘러싸여 있어!	민속 박물관에 전시된 물건들을 보고 옛 조상들의 생활 모습을 알 수 있어.
(　　　)	(　　　)	(　　　)

어휘 적용

낱말 적용

4 다음 문장의 빈칸에 들어갈 알맞은 낱말을 찾아 ○표 하세요.

(1) 휴대 전화로 맛집 지도를 보고 가려고 했던 식당의 (   )을/를 알 수 있었다. → 위치 | 시간

(2) 서울역에 가기 위해 서울 시내의 (   )을/를 살펴보았더니 길을 쉽게 찾아갈 수 있었다. → 안내도 | 문화유산

(3) 초여름에 얼음이 얼기 시작해 한여름에 얼음이 많이 얼어 '얼음골'이라는 (   )이 붙여졌다. → 지명 | 고장

낱말 쓰임

5 밑줄 친 낱말이 보기 의 뜻으로 쓰이지 않은 것은 무엇인가요? (   )

보기

고장: 사람들이 모여 사는 곳.

① 우리 고장은 인삼으로 유명하다.

② 비행기에서 찍은 사진으로 고장의 모습을 한눈에 볼 수 있다.

③ 이 장난감은 고장이 나서 사용하기 어렵다.

④ 우리 고장에는 갯벌이 있어 조개가 많다.

낱말 적용

6 다음 문장의 빈칸에 공통으로 들어갈 낱말은 무엇인가요? (   )

- 친구와 약속한 장소의 (   )이/가 집에서 너무 멀다.
- 인공위성에서 찍은 사진을 보면 학교의 (   )을/를 정확하게 찾을 수 있다.
- 도서관이 (   )한 곳은 우리 학교에서 매우 가깝다.

① 고장

② 위치

③ 생활 모습

④ 자연환경

다음 문화유산 안내문을 읽고, 물음에 답하세요.

우리의 소중한 문화유산, 온돌

겨울철 추위를 막는 온돌은 오래전부터 사용된 우리나라 고유의 난방 장치이다. 방바닥을 데워 추운 겨울을 따뜻하게 보냈던 우리 조상의 지혜가 담긴 (㉠)이기도 하다. 그렇다면 온돌은 어떻게 방을 따뜻하게 만드는 것일까? 아궁이에 불을 지피면 따뜻한 열이 방 아래를 천천히 지나 굴뚝으로 빠져나간다. 그 과정에서 구들장이 따뜻하게 데워져 오랜 시간 동안 방을 따뜻하게 만드는 것이다. 이러한 온돌 문화는 우리 민족의 소중한 문화유산으로 겨울이 몹시 길고 추웠던 (㉮ㅈㅇㅎㄱ)에 지혜롭게 적응하고 살아온 조상들의 (㉡)을/를 엿볼 수 있다는 점에서 그 가치가 높다.

▲ 온돌의 구조와 원리

1 이 글의 빈칸에 들어갈 알맞은 낱말로 짝 지어진 것은 무엇인가요? ( )

	㉠	㉡
①	문화유산	생활 모습
②	자연환경	문화유산
③	자연환경	지명
④	문화유산	위치

2 다음 낱말의 뜻을 읽고, ㉮에 들어갈 알맞은 낱말을 쓰세요.

> 산, 들, 하천, 바다, 눈, 비 등 자연 그대로의 환경.

3일차 과학 어휘 #물질 #성질 #상태

물질

물체를 만드는 재료.

物 만물 **물** 質 바탕 **질**

예문 여러 가지 **물질**로 생활에 필요한 물체를 만든다.

활용 빵을 만들 때 밀가루라는 **물질**이 사용된다.

도움말 물질의 상태는 고체, 액체, 기체로 나눌 수 있어요.

▲ 빵을 만들 때 사용되는 물질인 밀가루

물체

어떤 모양이 있고 공간을 차지하는 것.

物 만물 **물** 體 몸 **체**

예문 교실에서 볼 수 있는 **물체**로 의자, 책상 등이 있다.

활용 바다 위에 둥둥 떠 있는 **물체**는 무엇일까?

비슷한말 물건, 사물

▲ 교실에서 볼 수 있는 물체

부피

물체나 물질이 차지하는 공간의 크기.

예문 **부피**가 변하는 물체와 변하지 않는 물체가 있다.

활용 젖은 이불을 말렸더니 이불의 **부피**가 커졌어.

도움말 액체의 부피를 비교할 때는 모양과 크기가 같은 그릇으로 옮겨 비교해야 해요.

▲ 모양과 크기가 다른 그릇에 담긴 액체

고체

담는 그릇에 따라 모양과 부피가 변하지 않는 물질의 상태.

固 굳을 **고** 體 몸 **체**

예문 나무, 플라스틱은 **고체**이다.

활용 **고체**는 우리 주변에서 쉽게 찾을 수 있어.

도움말 고체는 일정한 모양이 있고 눈으로 볼 수 있어요.

▲ 고체인 나무 블록과 플라스틱 블록

액체

담는 그릇에 따라 모양은 변하지만 부피는 변하지 않는 물질의 상태.

液 진 **액** 體 몸 **체**

예문 컵에 담긴 물과 주스는 **액체**이다.

활용 **액체** 상태의 물이 고체 상태의 얼음이 되었다.

도움말 액체는 일정한 모양이 없지만, 눈으로 볼 수 있어요.

▲ 물이 흐르는 모습

기체

담는 그릇에 따라 모양과 부피가 변하는 물질의 상태.

氣 기운 **기** 體 몸 **체**

예문 공기는 **기체**이고 물은 액체이다.

활용 **기체**는 눈에 보이지 않지만, 우리 주변에 늘 있어.

도움말 기체는 일정한 모양이 없고, 눈으로 볼 수 없어요.

▲ 공기로 가득 찬 열기구

상태

물건이나 물질이 나타내는 모양이나 형편.

狀 형상 **상** 態 모양 **태**

예문 나무, 물, 공기처럼 우리 주변에 있는 물질의 **상태**는 서로 다르다.

활용 창고에서 꺼낸 자전거는 생각보다 **상태**가 좋지 않았다.

비슷한말 모양, 상황

성질

1. 물건이 본래부터 가지고 있는 특성.
2. 사람이 지닌 마음의 본바탕.

性 성품 **성** 質 바탕 **질**

예문 고무는 쉽게 구부러지는 **성질**[1]이 있다.

활용 그 사람은 **성질**[2]이 참 급해.

비슷한말 특성, 바탕

어휘 플러스+ 5학년 어휘

예 불 위에 올려 둔 프라이팬은 열의 전도가 일어나 점점 뜨거워진다.

전도는 열이 온도가 높은 곳에서 낮은 곳으로 전달되는 것을 말해요. 차가웠던 프라이팬을 불 위에 올려 두면 점점 뜨거워지는 것도, 물이 끓는 냄비에 쇠젓가락을 넣으면 젓가락이 뜨거워지는 것도 모두 열의 전도가 일어나기 때문이지요. 하지만 모든 고체에서 열의 전도가 일어나는 것은 아니에요. 금속으로 된 주전자, 냄비, 프라이팬과 같은 물체에서는 열의 전도가 빠르게 일어나지만, 플라스틱이나 고무, 나무로 만들어진 물체에서는 열의 전도가 잘 일어나지 않아요.

문장을 읽고, 빈칸에 들어갈 낱말을 보기 에서 찾아 쓰세요.

보기

물질	물체	부피	고체
액체	기체	상태	성질

1 ______________은/는 담는 그릇에 따라 모양과 부피가 변하지 않는 물질의 상태이다.

2 젖은 이불을 말렸더니 이불의 ______________이/가 커졌어.

3 나무, 물, 공기처럼 우리 주변에 있는 물질의 ______________은/는 서로 다르다.

4 고무는 쉽게 구부러지는 ______________이/가 있다.

5 빵을 만들 때 밀가루라는 ______________이/가 사용된다.

6 교실에서 볼 수 있는 ______________로 의자, 책상 등이 있다.

7 컵에 담긴 물과 주스는 ______________(이)다.

8 ______________은/는 눈에 보이지 않지만, 우리 주변에 늘 있어.

낱말 이해

1 뜻에 알맞은 낱말을 글자판에서 찾아 묶으세요. 낱말은 가로, 세로, 대각선으로 묶을 수 있어요.

❶ 물체를 만드는 재료.

❷ 어떤 모양이 있고 공간을 차지하는 것.

❸ 물건이나 물질이 나타내는 모양이나 형편.

❹ 물체나 물질이 차지하는 공간의 크기.

상	물	체
태	질	스
부	피	액

낱말 이해

2 다음 낱말의 뜻이 완성되도록 알맞은 말에 ○표 하세요.

(1) 고체: 담는 그릇에 따라 모양이 변하지 않고, 부피가 (변하는 / 변하지 않는) 물질의 상태.

(2) 액체: 담는 그릇에 따라 모양이 (변하고 / 변하지 않고), 부피는 변하지 않는 물질의 상태.

(3) 기체: 담는 그릇에 따라 모양과 부피가 (변하는 / 변하지 않는) 물질의 상태.

낱말 관계

3 밑줄 친 낱말과 뜻이 비슷한 것은 무엇인가요? (　　　)

캔, 못과 같은 금속은 차가운 성질을 갖고 있다.

① 특성　　② 무게　　③ 기체　　④ 액체

낱말 적용

4 문장의 빈칸에 들어갈 알맞은 낱말을 찾아 줄로 이으세요.

(1) 간장, 식초는 담는 그릇에 따라 모양은 변하지만, 부피는 변하지 않는 (   ) 상태의 물질이다. •

(2) 풍선은 고무라는 (   )로 만들어졌다. •

(3) 유리로 만든 (   )로 안경, 거울, 창문 등이 있다. •

• 물체

• 물질

• 액체

낱말 쓰임

5 밑줄 친 낱말의 뜻이 나머지와 다른 것은 무엇인가요? (   )

① 고무는 쉽게 구부러지는 성질이 있다.

② 플라스틱은 가볍고 단단한 성질이 있다.

③ 액체는 흘러내리는 성질이 있다.

④ 민주는 성질이 사납고 급하다.

낱말 쓰임

6 다음 중 밑줄 친 낱말을 잘못 활용한 친구에 ×표 하세요.

도현 상자를 서랍에 넣으려고 했지만 부피가 커서 넣지 못했어. (   )

채은 물질의 상태는 고체, 액체, 기체로 나눌 수 있어. (   )

수진 유리는 투명한 액체야. (   )

다음 블로그의 글을 읽고, 물음에 답하세요.

Home > 끄적끄적 > 사고 싶은 물건

어떤 야구 방망이를 살까?

㉠나무로 만든 야구 방망이	㉡알루미늄으로 만든 야구 방망이
• 물푸레나무나 단풍나무로 만든다. • 알루미늄으로 만든 야구 방망이보다 무겁다. • 모양이 뒤틀리거나 갈라질 수 있다. • 프로 야구에서는 나무로 된 방망이를 사용한다.	• 알루미늄이라는 금속으로 만든다. • 나무로 만든 야구 방망이보다 가볍다. • 잘 부러지지 않는다. • 나무로 만든 야구 방망이보다 공이 잘 튄다.

1 ㉠과 ㉡의 상태에 해당하는 낱말에 ○표 하세요.

기체 / 고체

2 초성을 보고, 빈칸에 들어갈 알맞은 낱말을 쓰세요.

나무로 만든 야구 방망이와 알루미늄으로 만든 야구 방망이의 특징을 살펴보니, 알루미늄이라는 금속 (ㅁ ㅈ)로 만들어진 알루미늄 방망이가 더 가볍고 튼튼할 것 같다. 알루미늄 방망이를 사야겠다.

4일차 수학 어휘

#덧셈 #뺄셈 #곱셈 #나눗셈

3-1 1. 덧셈과 뺄셈
3-1 3. 나눗셈
3-1 4. 곱셈
3-2 1. 곱셈
3-2 3. 나눗셈

받아올림

각 자리 숫자끼리 더한 값이 10이거나 10보다 클 때 바로 윗자리로 수를 올리는 것.

예문 일의 자리에서 **받아올림**이 있으면 십의 자리로 수를 올려 계산한다.

도움말 15 + 6 = 21처럼 일의 자리 숫자끼리 더한 값이 10보다 커서 윗자리로 올려 줘야 하는 수를 '올림하는 수'라고 해요.

$$\begin{array}{r} ① \\ 15 \\ +\ 6 \\ \hline 21 \end{array}$$

올림하는 수

받아내림

같은 자리의 수끼리 뺄 수 없을 때 바로 윗자리에서 수를 빌리는 것.

예문 세 자리 수의 뺄셈을 정확하게 하기 위해서는 **받아내림**을 잘해야 한다.

도움말 23에서 7을 뺄 때, 3이 7보다 작으니 십의 자리에서 받아내림을 해서 계산해야 해요.

$$\begin{array}{r} 1\ 10 \\ \not{2}3 \\ -\ 7 \\ \hline 16 \end{array}$$

나눗셈

어떤 수를 다른 수로 나누는 계산 방법.

예문 사탕 6개를 3명이 똑같이 나누어 가지려고 할 때 **나눗셈**을 이용한다.

비슷한말 나누기

도움말 6 ÷ 3 = 2와 같은 식이 나눗셈식이에요.

6 ÷ 3 = 2

$$\begin{array}{r} 2 \\ 3\overline{)\,6} \\ 6 \\ \hline 0 \end{array}$$

▲ 나눗셈식의 가로셈과 세로셈

나누는 수

'몇 ÷ 몇'에서 뒤에 있는 수.

예문 8 ÷ 2 = 4에서 8은 나누어지는 수, 2는 **나누는 수**라고 한다.

관련 어휘 나누어지는 수: '몇 ÷ 몇'에서 앞에 있는 '몇'에 해당하는 수.

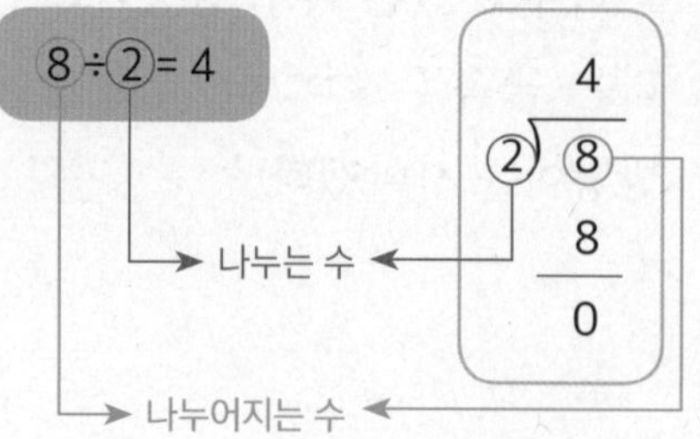

몫

1. 나눗셈에서 어떤 수를 나누어 얻은 수.
2. 여럿으로 나누어 가지는 각 부분.

예문 10을 2로 나누면 몫[1]은 5이다.

활용 여기 남은 피자 조각은 영수의 몫[2]이야.

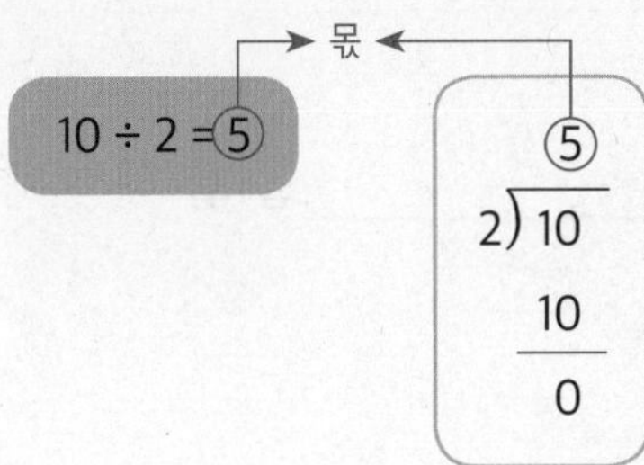

나머지

1. 나눗셈에서 나누고 난 뒤에 남는 수.
2. 어떤 일을 하다가 마치지 못한 부분.

예문 자석 7개를 2개씩 나누면 나머지[1]는 1개가 된다.

활용 오늘 끝내지 못한 숙제의 나머지[2]는 내일 해야지.

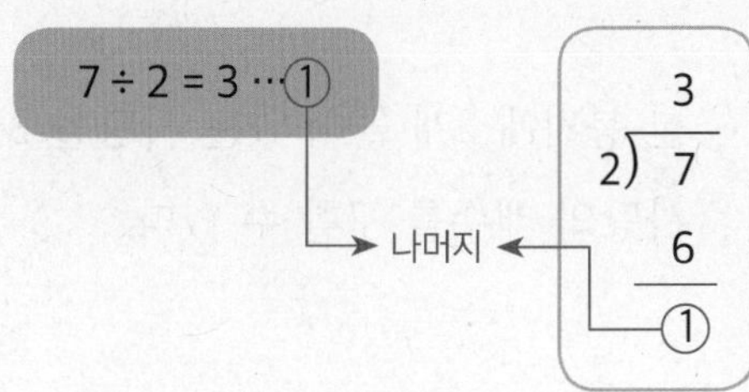

나누어떨어지다

나눗셈식에서 나머지가 0이 되도록 나누어지다.

예문 21 나누기 3은 7로 나누어떨어진다.

활용 나누는 수가 3, 몫이 5로 나누어떨어지는 수는 15이다.

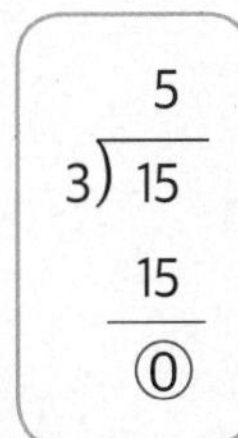

곱셈

몇 개의 수나 식을 곱하는 계산 방법.

예문 한 봉지에 2개 들어 있는 사탕을 3봉지 샀을 때 곱셈을 해 전체 사탕의 개수를 구할 수 있다.

비슷한말 곱하기

도움말 2 × 3 = 6과 같은 식이 곱셈식이에요.

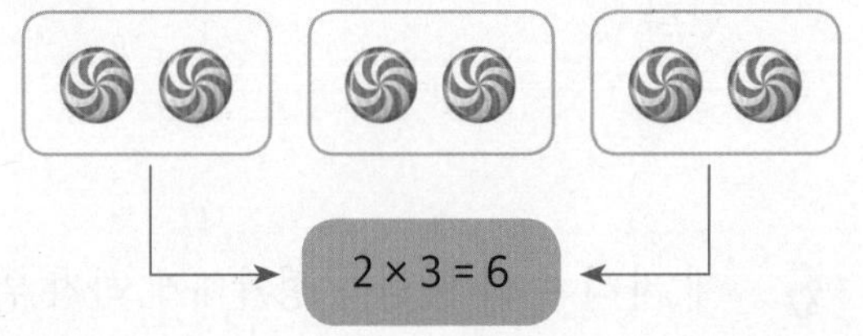

어휘 플러스+ 4학년 어휘

예 나눗셈의 검산은 곱셈과 덧셈을 이용해 할 수 있다.

검산은 계산 결과가 옳은지 옳지 않은지 알아보는 방법이에요. 나눗셈식을 예로 들어 볼까요? 7 나누기 2를 했을 때, 몫은 3, 나머지는 1이 나와요. 이렇게 계산한 값이 옳은지 확인하기 위해 검산을 할 수 있지요. 검산식은 '나누는 수×몫+나머지=나누어지는 수'와 같아요.

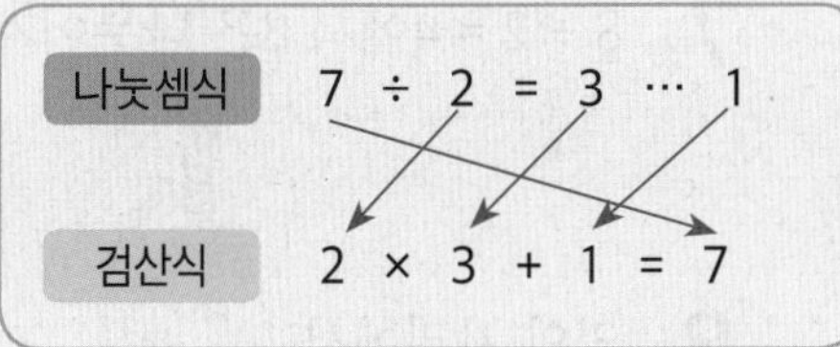

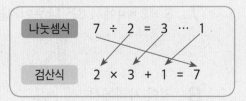

어휘 이해

정답과 해설 6쪽

문장을 읽고, 빈칸에 들어갈 낱말을 보기 에서 찾아 쓰세요.

보기

받아올림 받아내림 나눗셈 나누는 수

몫 나머지 나누어떨어진다 곱셈

1 한 봉지에 2개 들어 있는 사탕을 3봉지 샀을 때 __________을/를 해 전체 사탕의 개수를 구할 수 있다.

2 여기 남은 피자 조각은 영수의 __________(이)야.

3 21 나누기 3은 7로 __________.

4 자석 7개를 2개씩 나누면 __________은/는 1개가 된다.

5 사탕 6개를 3명이 똑같이 나누어 가지려고 할 때 __________을/를 이용한다.

6 세 자리 수의 뺄셈을 정확하게 하기 위해서는 __________을/를 잘해야 한다.

7 $8 \div 2 = 4$에서 8은 나누어지는 수, 2는 __________(이)라고 한다.

8 일의 자리에서 __________이/가 있으면 십의 자리로 수를 올려 계산한다.

정답과 해설 6~7쪽

낱말 이해

1 낱말의 뜻을 읽고, 보기 에서 글자 카드를 찾아 빈칸에 알맞은 낱말을 쓰세요.

보기

곱 눗 셈 나 셈

(1) 몇 개의 수나 식을 곱하는 계산 방법.

(2) 어떤 수를 다른 수로 나누는 계산 방법.

낱말 적용

2 다음 문장의 빈칸에 들어갈 알맞은 낱말을 찾아 ○표 하세요.

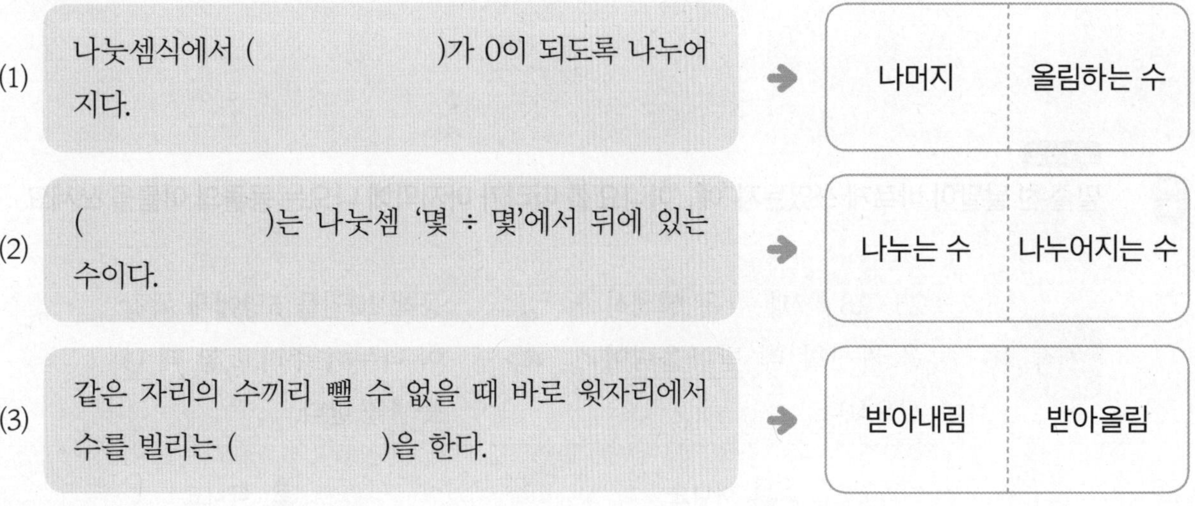

(1) 나눗셈식에서 (   )가 0이 되도록 나누어지다. → 나머지 / 올림하는 수

(2) (   )는 나눗셈 '몇 ÷ 몇'에서 뒤에 있는 수이다. → 나누는 수 / 나누어지는 수

(3) 같은 자리의 수끼리 뺄 수 없을 때 바로 윗자리에서 수를 빌리는 (   )을 한다. → 받아내림 / 받아올림

낱말 적용

3 다음 글을 읽고, 빈칸에 들어갈 알맞은 낱말을 쓰세요.

오늘 대회에 한 모둠당 5명씩 총 7모둠이 참여하였다. 총 학생 수를 계산하기 위해 (   )을 해 보니 35명이 나왔다.

어휘
적용

낱말 이해

4 덧셈식의 내용을 바르게 이해하지 못한 친구에 ×표 하세요.

```
  ①
  15
+  7
────
  22
```

영수	십의 자리인 1 위에 작게 쓰인 1은 올림하는 수라고 해.	(　　　)
지후	일의 자리에서 받아내림을 해서 정답이 22가 되었어.	(　　　)
정희	이 덧셈식에서 받아올림이 사용되었어.	(　　　)

낱말 이해

5 다음 식에서 밑줄 친 숫자를 뜻하는 낱말은 무엇인가요? (　　　)

15 ÷ 3 = <u>5</u>

① 몫　② 나머지　③ 나누는 수　④ 받아내림

낱말 쓰임

6 밑줄 친 낱말이 바르게 쓰였는지 '예', '아니요'를 따라가 마지막에 나오는 동물의 이름을 쓰세요.

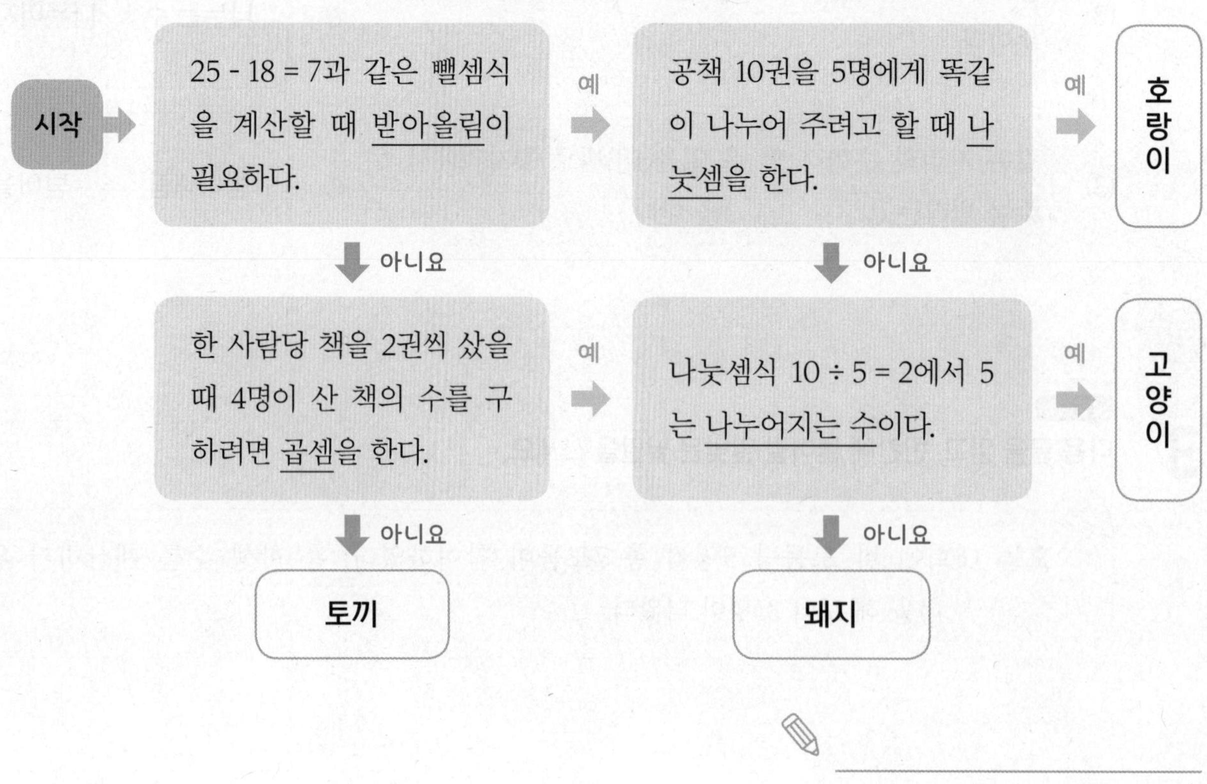

시작
25 - 18 = 7과 같은 뺄셈식을 계산할 때 받아올림이 필요하다.
예
공책 10권을 5명에게 똑같이 나누어 주려고 할 때 나눗셈을 한다.
예
호랑이
아니요
아니요
한 사람당 책을 2권씩 샀을 때 4명이 산 책의 수를 구하려면 곱셈을 한다.
예
나눗셈식 10 ÷ 5 = 2에서 5는 나누어지는 수이다.
예
고양이
아니요
아니요
토끼
돼지

다음 만화를 읽고, 물음에 답하세요.

1 ㉠의 뜻과 같은 말을 한 친구에게 ○표 하세요.

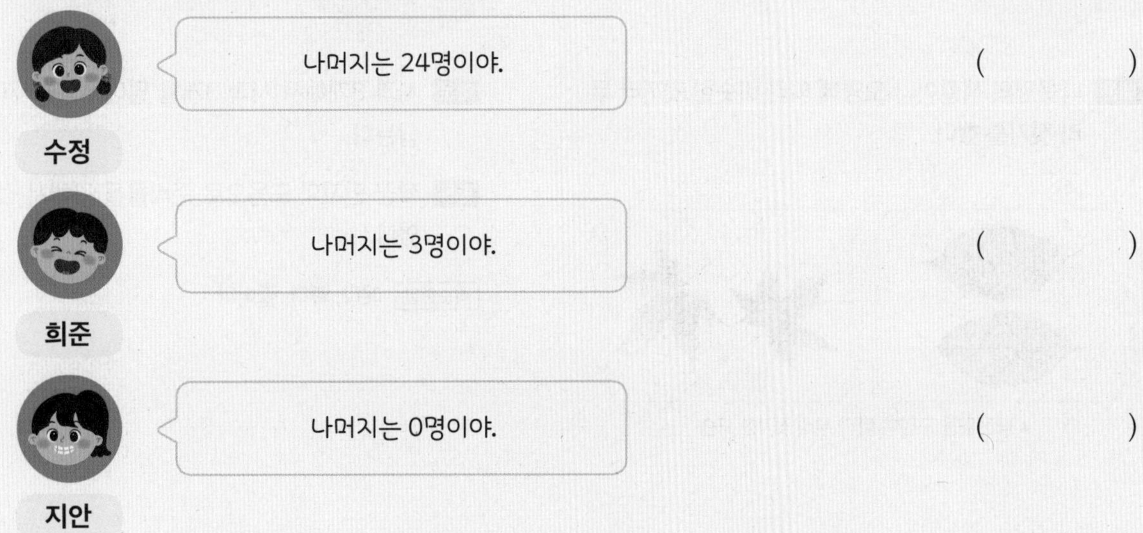

5일차 학습 도움 어휘

변화

사물의 성질, 모양, 상태 따위가 바뀌어 달라짐.

變 변할 **변** 化 될 **화**

예문 미래에는 새로운 통신 수단이 등장하여 우리의 생활을 **변화**시킬 것이다.

활용 자연환경의 **변화**로 생태계가 파괴되고 있어!

비슷한말 변동, 움직임

▲ 지구 온난화로 인한 환경의 변화

관찰

탐구하려는 대상의 특징을 자세히 살펴봄.

觀 볼 **관** 察 살필 **찰**

예문 물이 끓을 때 나타나는 변화를 **관찰**했다.

활용 좋은 작가가 되려면 주변을 자세히 **관찰**하는 것을 게을리해서는 안 된다.

비슷한말 조사, 관측

▲ 식물을 관찰하는 모습

무리 짓기

사람이나 짐승, 사물 등이 모여서 한데 뭉치는 것.

예문 나뭇잎의 색깔이나 모양에 따라 비슷한 것끼리 **무리 짓기**를 했다.

▲ 나뭇잎을 모양에 따라 무리 짓기한 모습

덜다

1. 원래 있었던 양이나 정도에서 얼마를 떼어 적게 만들다.
2. 어떤 상태를 적게 하다.

예문 사과 8개에서 사과 3개를 **덜어**[1] 내면 사과 5개가 남는다.

활용 짝꿍 민지의 도움으로 준비물을 구해서 걱정을 **덜었다**.[2]

비슷한말 떼다, 빼다, 줄이다

쓰임새

쓰임의 정도나 쓰이는 바.

예문 일상생활에서 자석의 **쓰임새**를 찾아보았다.

활용 나무는 단단한 정도에 따라 그 **쓰임새**가 다르다고 해.

비슷한말 쓸모, 용도

실천

생각한 바를 실제로 행동에 옮김.

實 열매 **실** 踐 밟을 **천**

예문 소중한 자연환경을 지키려면 절약을 **실천**해야 한다.

활용 윤호는 올해 초 계획했던 봉사 활동을 내일 **실천**하기로 했다.

비슷한말 실행, 실시

구하다

1. 필요한 것을 찾거나 얻다.
2. 상대편이 어떻게 해 주기를 청하다.

예문 상자에 들어 있는 탁구공의 개수를 **구해**[1] 보았다.

활용 노인은 한 청년에게 도움을 **구했다**.[2]

비슷한말 찾다, 얻다

전달

물건, 신호, 명령 등을 다른 사람이나 기관에 전함.

傳 전할 **전** 達 통할 **달**

예문 옛날에는 나라의 중요한 일을 종이에 적어 사람을 통해 **전달**했다.

활용 어머니께 편지를 **전달**해 드렸다.

비슷한말 전송

어휘 플러스+ 속담

예 '구슬이 서 말이라도 꿰어야 보배'라는 말은 노력과 실천의 중요성을 담은 말이에요.

구슬이 서 말이라도 꿰어야 보배라는 속담은 구슬이 아무리 많아도, 꿰어서 목걸이를 만들지 않으면 구슬의 쓰임새나 가치가 적다는 뜻이에요. 아무리 훌륭하고 좋은 것이라고 해도 쓸모 있는 것으로 만들어야 가치가 있다는 말이지요. 이 속담은 사람이 가진 능력이나 재능도 노력과 실천을 통해 꾸준히 갈고 닦아야 한다는 것을 비유적으로 나타내기도 해요.

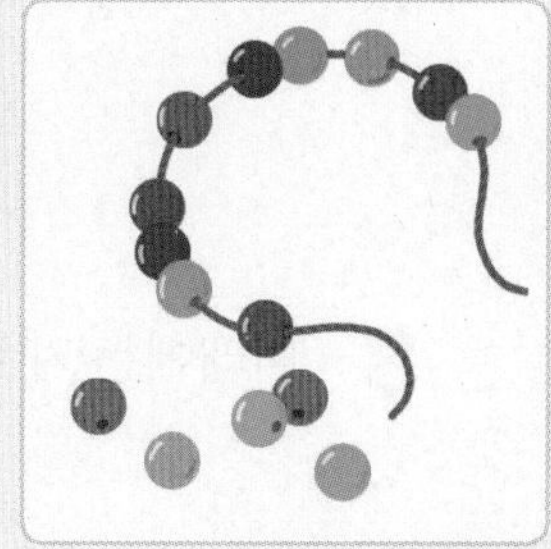

정답과 해설 8쪽

문장을 읽고, 빈칸에 들어갈 낱말을 보기 에서 찾아 쓰세요.

보기

변화 관찰 무리 짓기 덜어
쓰임새 실천 구했다 전달

1 윤호는 올해 초 계획했던 봉사 활동을 내일 ________하기로 했다.

2 노인은 한 청년에게 도움을 ________.

3 나뭇잎의 색깔이나 모양에 따라 비슷한 것끼리 ________을/를 했다.

4 나무는 단단한 정도에 따라 그 ________이/가 다르다고 해.

5 옛날에는 나라의 중요한 일을 종이에 적어 사람을 통해 ________했다.

6 좋은 작가가 되려면 주변을 자세히 ________하는 것을 게을리해서는 안 된다.

7 사과 8개에서 사과 3개를 ________내면 사과 5개가 남는다.

8 미래에는 새로운 통신 수단이 등장하여 우리의 생활을 ________시킬 것이다.

정답과 해설 8쪽

낱말 적용

1 문장의 빈칸에 들어갈 알맞은 낱말을 찾아 줄로 이으세요.

(1) 주전자에서 보글보글 끓는 물의 모습을 (   )했다. • • 관찰

(2) 과학의 발달로 우리 생활은 매우 빠르게 (   )되고 있다. • • 실천

(3) 환경을 보호하기 위해 오늘부터 쓰레기 줍기를 (   )해야겠다. • • 변화

낱말 적용

2 초성을 보고, 빈칸에 들어갈 알맞은 낱말을 쓰세요.

잎의 모양이 둥근 것과 길쭉한 것으로 (ㅁ ㄹ ㅈ ㄱ)를 해 봅시다.

둥근 잎

길쭉한 잎

✎ ____________________

낱말 쓰임

3 밑줄 친 낱말의 쓰임이 바른 것에 ○표, 바르지 않은 것에 ×표 하세요.

(1) 문제를 읽고 답을 구했다. (   )

(2) 가방은 쓰임새에 따라 여러 가지 모양이 있다. (   )

(3) 양동이에 물이 가득 찰 때까지 물을 덜었다. (   )

(4) 택배 기사님께서 물건을 우리 집까지 전달해 주셨다. (   )

어휘 적용

낱말 쓰임

4 다음 보기 의 밑줄 친 낱말과 같은 뜻으로 쓰인 문장에 ○표 하세요.

보기

아픔을 덜기 위해 쓴 약을 계속 먹어야 했다.

(1) 어머니는 상자에서 사과 몇 개를 덜어 내고 남은 사과를 정리하셨다. (　　　)

(2) 친구와 대화한 후 그동안 가지고 있었던 고민을 덜어 내었다. (　　　)

낱말 관계

5 밑줄 친 낱말과 뜻이 비슷한 것은 무엇인가요? (　　　)

오늘은 이 막대기를 용도에 따라 어떻게 이용할 수 있는지 알아보자.

① 전달　② 변화　③ 관찰　④ 쓰임새

낱말 적용

6 다음 글의 빈칸에 공통으로 들어갈 낱말은 무엇인가요? (　　　)

어제 눈이 펑펑 내렸다. 밖으로 나가 눈을 뭉쳐서 커다란 눈덩이를 만들었다. 눈덩이가 너무 무거워서 언니의 도움을 (　　　). 눈사람의 몸통을 다 만든 후에 눈, 코, 입, 팔을 만들기 위해서 나뭇가지, 작은 돌멩이, 낡은 목도리와 장갑을 (　　　). 드디어 멋진 눈사람이 완성되었다.

① 전달했다　② 구했다　③ 구분했다　④ 변화했다

다음 문자 대화를 읽고, 물음에 답하세요.

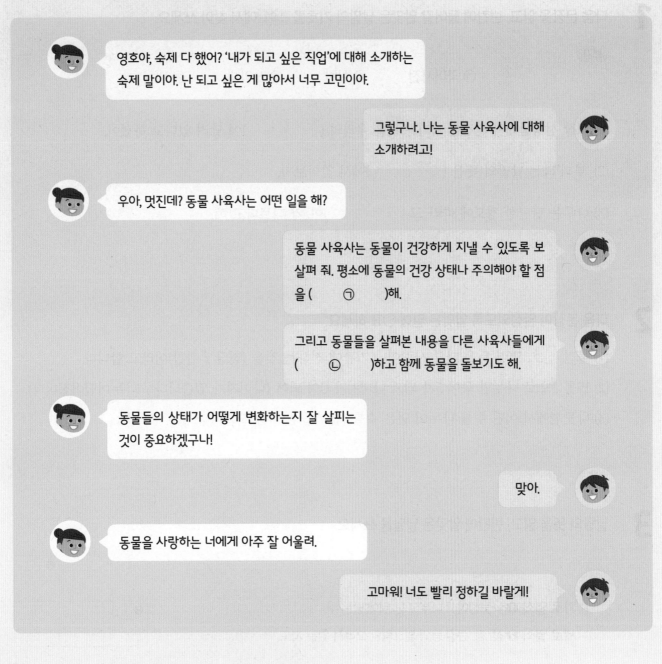

영호야, 숙제 다 했어? '내가 되고 싶은 직업'에 대해 소개하는 숙제 말이야. 난 되고 싶은 게 많아서 너무 고민이야.

그렇구나. 나는 동물 사육사에 대해 소개하려고!

우아, 멋진데? 동물 사육사는 어떤 일을 해?

동물 사육사는 동물이 건강하게 지낼 수 있도록 보살펴 줘. 평소에 동물의 건강 상태나 주의해야 할 점을 (㉠)해.

그리고 동물들을 살펴본 내용을 다른 사육사들에게 (㉡)하고 함께 동물을 돌보기도 해.

동물들의 상태가 어떻게 변화하는지 잘 살피는 것이 중요하겠구나!

맞아.

동물을 사랑하는 너에게 아주 잘 어울려.

고마워! 너도 빨리 정하길 바랄게!

1 대화의 빈칸에 들어갈 알맞은 낱말로 짝 지어진 것은 무엇인가요? (　　　)

	㉠	㉡
①	관찰	변화
②	관찰	전달
③	변화	쓰임새
④	실천	전달

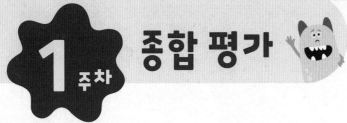

종합 평가

한 주 동안 학습한 어휘를 평가해 보세요.

정답과 해설 9~10쪽

1 다음 문장을 읽고, 빈칸에 들어갈 알맞은 낱말의 기호를 보기 에서 찾아 쓰세요.

보기

㉠ 국어사전 ㉡ 실천 ㉢ 쓰임새 ㉣ 위치

(1) 교장 선생님께서 환경을 지키는 것은 우리의 (　　　　　)에 달려 있다고 하셨어.

(2) '부피'라는 낱말의 뜻을 (　　　　　)에서 찾아보자.

(3) 나무는 단단한 정도에 따라 그 (　　　　　)이/가 다르다고 해.

2 다음 문장이 완성되도록 알맞은 말에 ○표 하세요.

(1) 물건, 신호, 명령 등을 다른 사람이나 기관에 전하는 것을 (전달 / 관찰)이라고 합니다.

(2) 15를 3으로 나누면 몫이 5가 되고 나머지가 0이 되어 (나머지가 있습니다 / 나누어떨어집니다).

(3) 나눗셈에서 어떤 수를 나누어 얻은 수를 (몫 / 곱셈)이라고 합니다.

3 낱말의 뜻을 읽고, 빈칸에 알맞은 낱말을 쓰세요.

(1)
가로 열쇠 ❶ 나눗셈에서 나누고 난 뒤에 남는 수.
세로 열쇠 ❷ 산, 강, 큰길 등의 밑그림만 그려져 있는 지도.

(2)
가로 열쇠 ❶ 문단 내용을 대표하는 문장.
세로 열쇠 ❷ 어떤 내용을 소개하여 알려 주는 글.

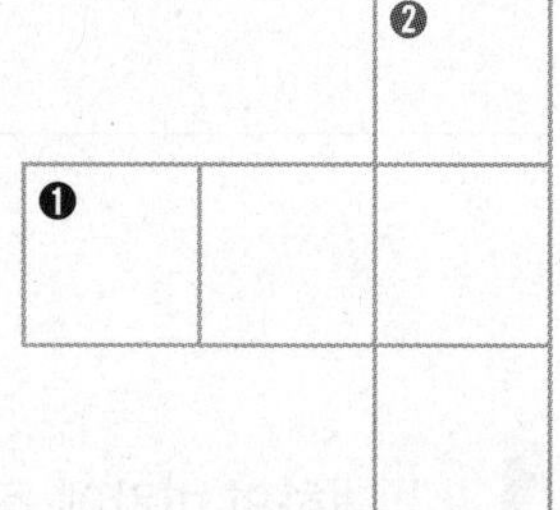

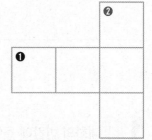

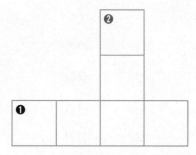

4 다음 설명에서 가리키는 '이것'이 무엇인지 보기 에서 찾아 쓰세요.

보기

중심 문장　　뒷받침 문장　　문단　　메모

- 이것은 짧게 쓴 글입니다.
- 이것은 다른 사람에게 말을 전하거나 자신이 기억한 것을 잊지 않으려고 씁니다.

____

5 다음 중 밑줄 친 낱말을 잘못 활용한 친구는 누구인가요? (　　　)

① 우영: 부피는 물체나 물질이 차지하는 무게를 말해.

② 진희: 여러 가지 모양의 상자에 돌을 넣었을 때 돌의 모양과 부피가 변하지 않았으니 돌은 고체야.

③ 혜윤: 탐구하려는 대상의 특징을 자세히 살펴보는 것을 관찰이라고 해.

④ 대영: 담는 그릇에 따라 부피가 변하는 것을 보니 공기는 기체야.

6 다음 대화의 빈칸에 들어갈 알맞은 낱말로 짝 지어진 것은 무엇인가요? (　　　)

주희: 오래전 우리 고장 사람들이 어떤 일을 하며 생활했는지 하나씩 말해 볼까?
소영: 바다로 둘러싸인 (　㉠　)을/를 갖추고 있으니 물고기를 잡으며 생활했을 것 같아.
호석: 맞아. 옛날에 해녀들이 많이 살았다는 이야기도 들었어.
경희: 지금은 해녀들이 많지 않아서 '해녀 문화'를 (　㉡　)으로 정했다고 해.

	㉠	㉡
①	자연환경	문화유산
②	위치	자연환경
③	몫	자연환경
④	쓰임새	문화유산

2 주차

어휘 미리보기

이번 주에 학습할 어휘들을 살펴보자!

1일차 국어 어휘	2일차 사회 어휘
감각적 표현	통신 수단
빗대다	인공위성
감동	봉수
낭송	방
작품	교통수단
감상하다	전기 자동차
극본	자율 주행
연극	소요되다

3일차	4일차	5일차
과학 어휘	**수학 어휘**	**학습 도움 어휘**
동물의 한살이	선분	특징
번데기	직선	분류
완전 탈바꿈	각	예시
불완전 탈바꿈	꼭짓점	장면
부화	직각	관련
채집하다	직사각형	상대
구분하다	원	차지하다
활용하다	지름	세우다

평가 문제도 잘 풀어 보자!

2주 종합 평가

1일차 국어 어휘 #문학

3-1 1. 재미가 톡톡톡
3-1 10. 문학의 향기
3-2 1. 작품을 보고 느낌을 나누어요
3-2 4. 감동을 나타내요
3-2 9. 작품 속 인물이 되어

감각적 표현

사물에 대한 느낌을 보거나 만지는 것처럼 생생하게 나타낸 표현.

感 느낄 **감** 覺 깨달을 **각** 的 과녁 **적** 表 겉 **표** 現 나타날 **현**

예문 친구가 말한 **감각적 표현** 가운데 기억에 남는 표현을 써 보았다.

활용 그 노래의 가사에는 **감각적 표현**이 많아.

도움말 '새싹의 초록빛 발차기'라는 말은 새싹이 땅을 뚫고 나오는 모습을 '발차기'라는 움직임에 비유한 감각적 표현이에요.

▲ 새싹의 모습

빗대다

곧바로 말하지 아니하고 빙 둘러서 말하다.

예문 '밤송이처럼 생긴 고슴도치'는 고슴도치를 밤송이에 **빗대어** 표현한 말이다.

활용 사람들은 부모님의 사랑을 하늘이나 바다에 **빗대어** 표현하곤 한다.

비슷한말 비유하다

▲ 고슴도치와 밤송이

감동

크게 느끼어 마음이 움직임.

感 느낄 **감** 動 움직일 **동**

예문 재미있게 읽었거나 **감동**을 받은 책을 친구에게 소개하는 시간을 가졌다.

활용 편지를 읽고 **감동**을 받아 눈물을 흘렸다.

비슷한말 감격, 감명

낭송

크게 소리를 내어 글을 읽거나 외움.

朗 밝을 **낭** 誦 외울 **송**

예문 감각적 표현을 잘 살려 시를 **낭송**했다.

활용 사람들 앞에서 결혼을 축하하는 시를 **낭송**했다.

비슷한말 낭독

작품

예술 활동을 통해 만들어지는 시, 이야기, 그림 등.

作 지을 **작** 品 물건 **품**

예문 은지는 **작품** 속 상황과 인물의 성격에 어울리게 목소리를 조절하며 책을 읽었다.

활용 미술 **작품**을 보고, 나도 화가가 되고 싶다는 생각이 들었어!

감상하다

주로 예술 작품을 이해하여 즐기고 평가하다.

鑑 거울 **감** 賞 상줄 **상**

예문 인물의 말과 행동을 살펴보며 만화 영화를 **감상하는** 것이 좋다.

활용 미술관에서 다양한 예술 작품을 **감상했어**!

비슷한말 보다, 구경하다

극본

연극이나 영화를 만들기 위하여 쓴 글.

劇 연극 **극** 本 근본 **본**

예문 **극본**에는 표정, 몸짓, 말투를 직접 알려 주는 부분이 있다.

활용 도서관에서 『로미오와 줄리엣』 **극본**을 찾아 읽었는데 정말 재미있었어.

비슷한말 대본, 각본

연극

배우가 극본에 따라 어떤 사건이나 인물을 말과 동작으로 관객에게 보여 주는 예술.

演 펼 **연** 劇 연극 **극**

예문 친구들과 함께 『토끼의 재판』 **연극** 발표회를 준비했다.

활용 **연극**이 끝나고 배우들이 인사하자 관객들은 의자에서 일어나 박수를 쳤다.

어휘 플러스+ 중학교 어휘

예 이 시에는 함축적인 표현과 청각적 심상이 잘 드러난다.

함축적은 시에 쓰인 말이 여러 가지 뜻을 담고 있음을 뜻해요. 예를 들어, 시에 쓰인 '나비'라는 말은 팔랑팔랑 날아다니는 곤충인 나비를 뜻하기도 하지만, '자유'나 '꽃을 사랑하는 사람'을 뜻하기도 해요.

심상이란 시를 읽을 때 마음속에 떠오르는 구체적이고 생생한 모습이나 느낌을 말해요. 예를 들어 '바다'를 다룬 내용의 시를 읽으면 철썩이는 파도 소리나 바다의 짭조름한 소금 냄새가 떠오르는 것도 모두 심상이지요.

어휘 이해

정답과 해설 10쪽

문장을 읽고, 빈칸에 들어갈 낱말을 보기 에서 찾아 쓰세요.

보기

감각적 표현　빗대어　감동　낭송
작품　감상하는　극본　연극

1 감각적 표현을 잘 살려 시를 ________________했다.

2 ________________이/가 끝나고 배우들이 인사하자 관객들은 의자에서 일어나 박수를 쳤다.

3 인물의 말과 행동을 살펴보며 만화 영화를 ________________ 것이 좋다.

4 사람들은 부모님의 사랑을 하늘이나 바다에 ________________ 표현하곤 한다.

5 ________________에는 표정, 몸짓, 말투를 직접 알려 주는 부분이 있다.

6 그 노래의 가사에는 ________________이/가 많아.

7 편지를 읽고 ________________을/를 받아 눈물을 흘렸다.

8 미술 ________________을/를 보고, 나도 화가가 되고 싶다는 생각이 들었어!

정답과 해설 10~11쪽

낱말 이해

1 다음 뜻에 알맞은 낱말의 기호를 보기 에서 찾아 각각 쓰세요.

보기

㉠ 감동 ㉡ 빗대다 ㉢ 감상하다 ㉣ 작품

(1) 곧바로 말하지 아니하고 빙 둘러서 말하다. ( )

(2) 예술 활동을 통해 만들어지는 시, 이야기, 그림 등. ( )

(3) 크게 느끼어 마음이 움직임. ( )

낱말 적용

2 문장의 빈칸에 들어갈 알맞은 낱말을 찾아 줄로 이으세요.

(1) 빗방울을 콩에 빗댄 ( )이 특히 재미있었다. •

(2) 오늘 무대에서 본 ( )의 대사는 꽤 오랫동안 기억에 남을 것 같다. •

(3) 수아는 시를 아름다운 목소리로 ( ) 했다. •

• 낭송

• 감각적 표현

• 연극

낱말 쓰임

3 다음 중 낱말을 잘못 활용한 친구에 ×표 하세요.

은수 아기의 동그란 얼굴을 해님에 빗대어 표현했어. ( )

보라 전학 간 친구가 선물을 보내 주어서 너무 낭송했어. ( )

진우 예술가들은 그림, 음악 등으로 사람들에게 감동을 줘. ( )

어휘 적용

낱말 적용

4 다음 문장을 읽고, 빈칸에 공통으로 들어갈 낱말을 보기 에서 찾아 쓰세요.

보기

감동 연극 낭송 극본

- 이 작품은 영화로도, ( )으로도 만들어졌다.
- 오늘 본 ( )의 주인공은 8살짜리 아이였다.
- 많은 관객들이 자리에 앉아 ( )을 관람하고 있었다.

낱말 관계

5 밑줄 친 낱말과 뜻이 비슷한 것에 ○표 하세요.

영미는 전시된 그림들을 보았다.

감동했다 감상했다 빗대었다 연기했다

낱말 적용

6 다음 대화의 빈칸에 들어갈 알맞은 낱말로 짝 지어진 것은 무엇인가요? ( )

승훈: 이 시를 읽으니 비 오는 날 물방울이 톡톡 떨어지는 것 같은 느낌이 들어.
영지: 특히 (㉠)을 사용해서 비 오는 느낌을 생생하게 표현했지.
승훈: 비를 맞는 친구들의 모습을 달팽이에 (㉡) 표현한 부분도 기억에 남아.
영지: 이 시는 정말 재미있어서 집에 가서 부모님께 낭송해 드려야겠어.

	㉠	㉡
①	작품	감상하여
②	감각적 표현	빗대어
③	감각적 표현	구경하여
④	작품	빗대어

다음 안내문을 읽고, 물음에 답하세요.

가을밤, 시(詩) 낭송 대회에 초대합니다

날 짜	2000년 10월 13일
장 소	○○ 어린이 도서관
행사 내용	시 ㉠낭송 대회
낭송 시	가을을 주제로 한 시 두 편
신청 자격	초등학생
신청 방법	누리집을 통해 신청 (www.nurinuri000.co.kr)
시상 계획	최우수상(1명), 우수상(5명), 장려상(10명)

그 밖의 행사

시가 [㉮]으로 다시 태어나다

한국인이 좋아하는 시를 [㉮]으로 만나는 시간,
감동의 시를 무대 위에서 [㉮]으로 감상할 수 있는 시간,
시에 담긴 감정을 배우들의 살아 있는 연기를 통해 느껴 보세요!

극본: 이창수　　연출: 박은지　　출연: 최진주, 조수영, 김호린

1 ㉠의 뜻을 바르게 말한 친구에 ○표 하세요.

- **영지** 크게 소리를 내어 글을 읽거나 외우는 것을 말해. (　　)
- **은주** 소리를 내지 않고 속으로 글을 읽는 것을 말해. (　　)
- **보라** 시를 보지 않고 외워서 읊는 것을 말해. (　　)

2 ㉮에 공통으로 들어갈 낱말을 쓰세요.

2일차 사회 어휘 #교통수단 #통신 수단

통신 수단

휴대 전화, 텔레비전과 같이 정보, 의견 등을 전달하는 데 사용하는 도구.

通 통할 **통** 信 믿을 **신**
手 손 **수** 段 구분 **단**

예문 옛날 사람들은 서찰을 **통신 수단**으로 이용했다.

활용 **통신 수단**의 발달로 사람들의 생활 모습이 달라졌어.

관련 어휘 **서찰**: 안부나 소식을 적어 보내는 편지와 같은 글.

▲ 통신 수단의 변화

인공위성

사람이 로켓을 이용해 쏘아 올린 물체로 지구 주위를 돌며 위치, 날씨 등 다양한 정보를 알려 줌.

人 사람 **인** 工 장인 **공**
衛 지킬 **위** 星 별 **성**

예문 **인공위성**에서 찍은 사진을 통해 고장의 위치와 모습을 알 수 있다.

활용 과학관에서 **인공위성** 모형을 볼 수 있었어!

▲ 인공위성

봉수

낮에는 연기로, 밤에는 불을 피워 먼 곳까지 정보를 전달하는 통신 방법.

烽 봉화 **봉** 燧 부싯돌 **수**

예문 옛날에는 적이 쳐들어오면 **봉수**로 소식을 전했다.

활용 남산에 오르면 조선 시대의 대표적 통신 수단인 **봉수**대를 볼 수 있어.

▲ 봉수대

방

어떤 일을 널리 알리기 위하여 사람들이 많이 모이는 곳에 써 붙이는 글.

榜 붙일 **방**

예문 옛날 사람들은 **방**을 붙여 소식을 알렸다.

활용 김 도령은 길에 붙은 **방**을 보고 과거 시험에 떨어진 것을 알게 되었다.

교통수단

기차, 비행기와 같이 이동하거나 물건을 옮기는 데 쓰는 방법이나 도구.

交 오고 갈 **교** 通 통할 **통**
手 손 **수** 段 구분 **단**

예문 옛날 사람들이 주로 사용하던 **교통수단**은 말이었다.

활용 **교통수단** 중에서도 비행기가 제일 빠르지!

▲ 비행기

전기 자동차

전기의 힘으로 움직이는 자동차.

電 전기 **전** 氣 기운 **기**
自 스스로 **자** 動 움직일 **동** 車 수레 **차**

예문 앞으로 점점 많은 사람들이 매연을 내뿜지 않는 **전기 자동차**를 이용할 것이다.

활용 **전기 자동차**는 소음이 작다는 장점이 있어.

▲ 전기 자동차

자율 주행

운전자가 직접 운전하지 않아도 교통수단 스스로 움직이는 시스템.

自 스스로 **자** 律 법 **율**
走 달릴 **주** 行 다닐 **행**

예문 **자율 주행** 자동차는 우리가 미래에 이용하게 될 교통수단이다.

활용 **자율 주행** 자동차를 타면 직접 운전하지 않아도 되니까 편히 쉴 수 있을 거야.

소요되다

어떤 것을 하는 데 있어 돈, 시간, 물건 따위를 필요로 하다.

所 바 **소** 要 중요할 **요**

예문 이 소식을 전하는 데 하루가 **소요되었다**.

활용 서울에서 부산까지 고속 열차로 3시간이 **소요된다**고 해.

비슷한말 들다, 필요하다

어휘 플러스+ (5학년 어휘)

예 옛날 사람들은 소식을 전하는 데 파발과 역참을 이용했다.

조선 시대의 통신 수단인 봉수는 비가 내리거나 흐린 날씨에는 이용할 수 없었어요. 그리하여 조선 후기에는 파발로 소식을 전했어요. **파발**은 나라의 중요한 일이 적힌 종이를 병사에게 전달하는 거예요. 파발은 걸어서 소식을 전하는 방법인 '보발', 말을 타고 전하는 방법인 '기발'로 나눠지지요. **역참**은 소식을 전달하는 일을 위해 마련된 곳이에요. 소식을 전하는 사람은 역참에서 말을 바꿔 탔어요.

정답과 해설 12쪽

문장을 읽고, 빈칸에 들어갈 낱말을 보기 에서 찾아 쓰세요.

보기

통신 수단 인공위성 봉수 방
교통수단 전기 자동차 자율 주행 소요된다

1 옛날 사람들이 주로 사용하던 ____________ 은/는 말이었다.

2 ____________ 에서 찍은 사진을 통해 고장의 위치와 모습을 알 수 있다.

3 ____________ 자동차는 우리가 미래에 이용하게 될 교통수단이다.

4 옛날에는 적이 쳐들어오면 ____________ (으)로 소식을 전했다.

5 앞으로 점점 많은 사람들이 매연을 내뿜지 않는 ____________ 을/를 이용할 것이다.

6 옛날 사람들은 ____________ 을/를 붙여 소식을 알렸다.

7 서울에서 부산까지 고속 열차로 3시간이 ____________ 고 해.

8 옛날 사람들은 서찰을 ____________ (으)로 이용했다.

정답과 해설 12쪽

낱말 이해

1 다음 낱말의 뜻이 완성되도록 알맞은 말에 ○표 하세요.

(1) 전기 자동차: (빛의 힘 / 전기의 힘)으로 움직이는 자동차.

(2) 자율 주행: 운전자가 직접 (운전하여 / 운전하지 않아도) 교통수단 스스로 움직이는 시스템.

낱말 이해

2 낱말의 뜻을 읽고, 알맞은 낱말을 찾아 줄로 이으세요.

	뜻		낱말
(1)	어떤 일을 널리 알리기 위하여 사람들이 많이 모이는 곳에 써 붙이는 글.	• •	교통수단
(2)	기차, 비행기와 같이 이동하거나 물건을 옮기는 데 쓰는 방법이나 도구.	• •	봉수
(3)	낮에는 연기로, 밤에는 불을 피워 먼 곳까지 정보를 전달하는 통신 방법.	• •	방

낱말 적용

3 다음 문장을 읽고, 빈칸에 공통으로 들어갈 낱말을 쓰세요.

- 과거 시험의 합격자를 알리는 (   )을 보기 위해 사람들이 몰려들었다.
- 최 대감 댁에 든 도둑을 잡는다는 (   )이 붙었다.

 ____________________

낱말 적용

4 다음 대화의 빈칸에 들어갈 알맞은 낱말은 무엇인가요? ( )

선생님: 옛날 사람들은 봉수를 이용해 낮에는 연기로, 밤에는 횃불로 먼 곳까지 소식을 알렸어요. 오늘날 이렇게 소식을 전하는 ( )에는 무엇이 있을까요?
성혁: 휴대 전화가 있어요.
은지: 전자 우편도 있어요.
선생님: 맞아요. 오늘날에는 다양한 방법으로 빠르게 소식이나 정보를 전달할 수 있어요. 하지만 옛날 사람들은 소식을 전할 때 지금보다 훨씬 더 많은 시간이 걸렸답니다.

① 교통수단 ② 자율 주행 ③ 통신 수단 ④ 통신 예절

낱말 이해

5 다음 글에서 설명하는 낱말이 무엇인지 쓰세요.

사람이 로켓을 이용해 쏘아 올린 물체로, 지구 주위를 돌며 위치, 날씨 등 다양한 정보를 알려 준다. 이것에서 찍은 사진을 보면 고장의 위치와 모습도 알 수 있다.

 ______________

낱말 적용

6 다음 문장의 빈칸에 공통으로 들어갈 낱말은 무엇인가요? ( )

- 오늘날에는 소식을 전하는 데 많은 시간이 ( )되지 않는다.
- 도로가 복잡해서 도착하는 데 긴 시간이 ( )된다.
- 이삿짐을 나르는 데 시간이 얼마나 ( )되나요?

① 활용 ② 고요 ③ 통신 ④ 소요

정답과 해설 13쪽

다음 신문 기사를 읽고, 물음에 답하세요.

메가일보 20○○년 9월 3일

전기 자동차 시대 열려

올해 세계 여러 나라에서 새로운 자동차를 만들기 위해 노력하고 있다. 그중 대표적인 예가 ㉠전기 자동차이다. 전기의 힘으로 움직이는 전기 자동차는 매연을 내뿜지 않는다. 일부 전기 자동차는 ㉡자율 주행도 가능할 것으로 보인다.

최근 전기 자동차의 *판매량은 2019년부터 꾸준히 늘어서 2025년에는 1200만 대가 팔릴 것으로 보고 있다. 자율 주행이 가능한 전기 자동차의 시대가 다가오고 있는 것이다. 전기 자동차를 만드는 회사들은 전기를 충전하는 데 ㉢소요되는 시간을 줄이는 연구도 함께 진행하고 있다. 새로운 (㉮ ㄱ ㅌ ㅅ ㄷ)의 발전이 우리 삶을 더욱 편리하게 변화시켜 줄 것으로 기대된다.

연도	2019년	2021년	2023년	2025년
전기 자동차 세계 판매량	약 254만 대	약 440만 대	약 730만 대	약 1200만 대

*판매량 일정한 기간 동안 상품이 팔리는 양.

1 ㉠~㉢의 뜻으로 바르지 않은 것에 ×표 하세요.

㉠ 전기 자동차: 석유와 같은 연료의 힘으로 움직이는 자동차. ( )

㉡ 자율 주행: 운전자가 직접 운전하지 않아도 교통수단 스스로 움직이는 시스템. ( )

㉢ 소요되다: 어떤 것을 하는 데 있어 돈, 시간, 물건 따위를 필요로 하다. ( )

2 ㉮에 들어갈 알맞은 낱말을 쓰세요.

과학 어휘 #동물 #한살이

동물의 한살이

동물이 태어나 자라면서 자손을 남기고 죽을 때까지의 과정.

動 움직일 **동** 物 만물 **물**

예문 닭이 자라는 과정을 통해 **동물의 한살이**를 살펴볼 수 있다.

▲ 닭의 한살이

번데기

애벌레가 어른벌레로 자라기 전의 단계로, 한동안 아무것도 먹지 않고 고치에 가만히 들어가 있는 것.

예문 배추흰나비의 애벌레가 **번데기**가 되면 이동하지 않고 한곳에 붙어 있다.

관련 어휘 **고치**: 애벌레가 번데기로 변할 때 실을 뽑아 제 몸을 둘러싸서 만든 집.

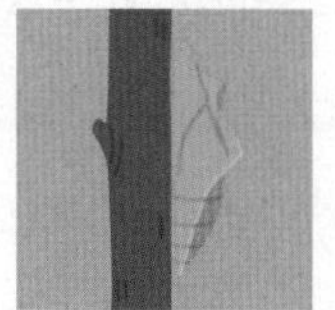

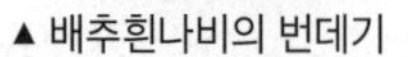

▲ 배추흰나비의 번데기

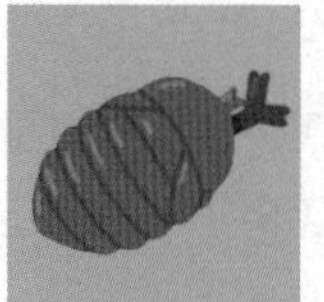

▲ 장수풍뎅이의 번데기

완전 탈바꿈

곤충이 알에서 태어나 번데기 단계를 거쳐 어른벌레로 자라는 과정.

完 완전할 **완** 全 온전할 **전**

예문 배추흰나비는 **완전 탈바꿈**을 하는 곤충이다.

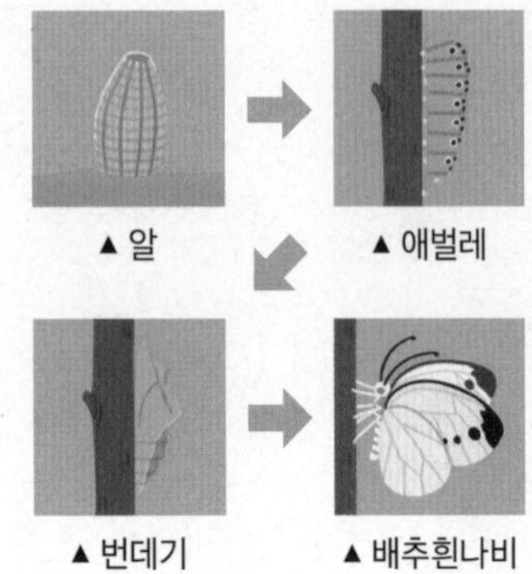

▲ 알 ▲ 애벌레 ▲ 번데기 ▲ 배추흰나비

불완전 탈바꿈

곤충이 알에서 태어나 번데기 단계를 거치지 않고 어른벌레로 자라는 과정.

不 아닐 **불** 完 완전할 **완** 全 온전할 **전**

예문 잠자리는 **불완전 탈바꿈**을 하는 곤충이다.

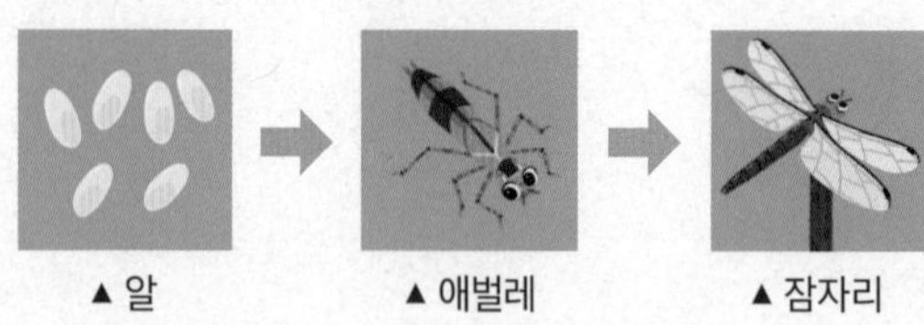

▲ 알 ▲ 애벌레 ▲ 잠자리

부화

동물의 알에서 애벌레나 새끼가 껍데기를 뚫고 밖으로 나오는 것.

孵 알 깔 **부** 化 될 **화**

예문 알에서 **부화**한 병아리가 30일쯤 자라면, 솜털이 깃털로 바뀐다.

활용 둥지를 살펴보니 알에서 **부화**한 새끼들이 옹기종기 모여 있었어.

채집하다

찾아서 얻거나 캐거나 잡아 모으다.

採 캘 **채** 集 모을 **집**

예문 식물의 잎에서 **채집한** 배추흰나비의 알에서 애벌레가 나왔다.

활용 오늘 해녀들이 미역을 **채집하는** 모습을 봤어!

비슷한말 모으다, 수집하다

구분하다

정해진 기준에 따라 전체를 몇 개로 갈라 나누다.

區 구역 **구** 分 나눌 **분**

예문 배추흰나비의 몸은 머리, 가슴, 배로 **구분할** 수 있다.

활용 자전거를 타고 등교하는 친구와 걸어서 등교하는 친구를 **구분하여** 조사했어.

비슷한말 나누다

활용하다

충분히 잘 이용하다.

活 살 **활** 用 쓸 **용**

예문 상어의 특징을 **활용하여** 만든 수영복을 입으면 더 빨리 헤엄칠 수 있다.

활용 지윤이는 쉬는 시간을 **활용해** 그림을 그리곤 해.

비슷한말 사용하다, 쓰다, 이용하다

어휘 플러스+ 5학년 어휘

예 지구의 모든 생물은 먹이 사슬과 먹이 그물로 연결되어 있다.

먹이 사슬은 생태계에서 생물들 사이의 먹고 먹히는 관계가 사슬처럼 연결된 것을 말해요. 벼를 먹는 메뚜기, 메뚜기를 먹는 개구리를 먹이 사슬의 예라고 볼 수 있지요. **먹이 그물**은 여러 개의 먹이 사슬이 그물처럼 복잡하게 얽혀 있는 것을 말해요. 먹이 사슬은 한 방향으로만 연결되지만, 먹이 그물은 여러 방향으로 연결되어 있어요.

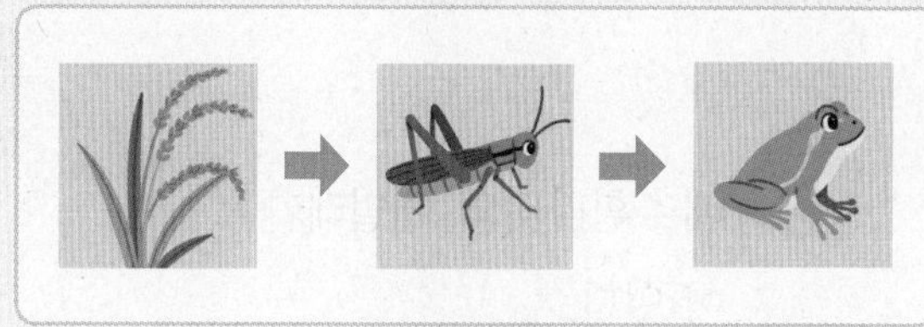

▲ 먹이 사슬의 예

정답과 해설 13쪽

문장을 읽고, 빈칸에 들어갈 낱말을 보기 에서 찾아 쓰세요.

보기

동물의 한살이 번데기 완전 탈바꿈 불완전 탈바꿈
부화 채집하는 구분하여 활용해

1 지윤이는 쉬는 시간을 ______________ 그림을 그리곤 해.

2 오늘 해녀들이 미역을 ______________ 모습을 봤어!

3 자전거를 타고 등교하는 친구와 걸어서 등교하는 친구를 ______________ 조사했어.

4 둥지를 살펴보니 알에서 ______________한 새끼들이 옹기종기 모여 있었어.

5 배추흰나비는 ______________을/를 하는 곤충이다.

6 닭이 자라는 과정을 통해 ______________을/를 살펴볼 수 있다.

7 잠자리는 ______________을/를 하는 곤충이다.

8 배추흰나비의 애벌레가 ______________이/가 되면 이동하지 않고 한곳에 붙어 있다.

정답과 해설 13~14쪽

낱말 이해

1 낱말의 뜻을 읽고, 알맞은 낱말을 찾아 줄로 이으세요.

(1) 동물의 알에서 애벌레나 새끼가 껍데기를 뚫고 밖으로 나오는 것. •

(2) 애벌레가 번데기로 변할 때 실을 뽑아 제 몸을 둘러싸서 만든 집. •

(3) 정해진 기준에 따라 전체를 몇 개로 갈라 나누다. •

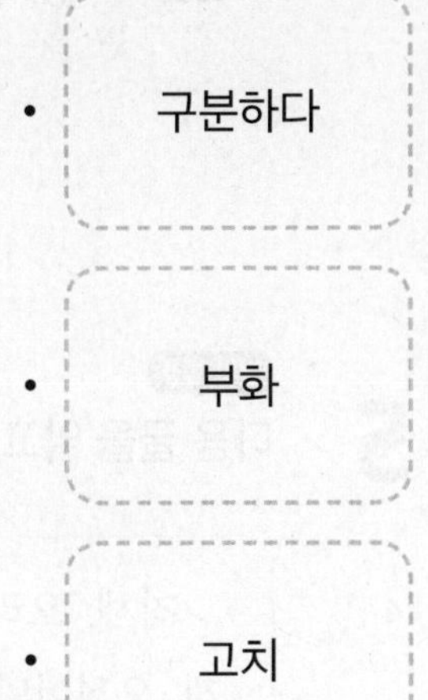

• 구분하다

• 부화

• 고치

낱말 적용

2 다음 문장을 읽고, 빈칸에 들어갈 낱말의 기호를 보기 에서 찾아 각각 쓰세요.

보기

㉠ 번데기　　㉡ 완전 탈바꿈　　㉢ 구분　　㉣ 불완전 탈바꿈

(1) 매미와 메뚜기는 알, 애벌레, 어른벌레가 되는 (　　　　)을/를 하는 곤충이다.

(2) 잠자리는 알로 태어나 애벌레가 되며, (　　　　) 단계를 거치지 않고 어른벌레가 된다.

(3) 배추흰나비의 몸은 머리, 가슴, 배로 (　　　　)되어 있다.

낱말 관계

3 밑줄 친 낱말과 바꾸어 쓸 수 있는 낱말이 아닌 것은 무엇인가요? (　　　　)

예은이는 아침 시간을 활용하여 아빠와 함께 달리기를 한다.

① 이용하여　　② 사용하여　　③ 활동하여　　④ 써서

어휘 적용

낱말 쓰임

4 다음 중 낱말을 잘못 활용한 친구에 ×표 하세요.

현준 공부하는 날과 쉬는 날을 구분해서 계획을 짰어. ( )

나리 불우한 이웃을 돕기 위해 성금을 채집하는 모습을 보았어. ( )

성준 종이를 아끼기 위해 종이의 뒷면도 활용하면 좋아. ( )

낱말 적용

5 다음 글을 읽고, 빈칸에 공통으로 들어갈 낱말을 쓰세요.

참새, 오리너구리와 같은 동물은 알의 안쪽에서 알의 껍데기를 깨뜨려서 밖으로 나온다. 성게, 오징어와 같은 동물들은 알 안쪽을 녹이는 물질을 내뿜어 ( )를 한다. 사람이 기르는 닭, 물고기와 같은 동물은 사람의 힘으로 ( )를 시키기도 한다.

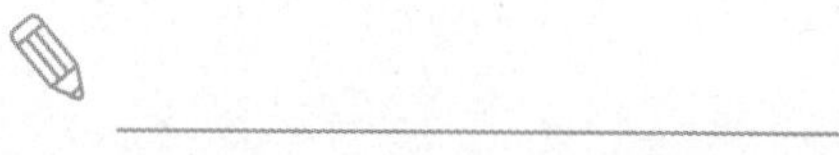

낱말 적용

6 다음 대화의 빈칸에 들어갈 알맞은 낱말로 짝 지어진 것은 무엇인가요? ( )

승아: 아빠, 사마귀가 알을 낳았어요!

아빠: 알에서 부화했던 게 엊그제 같은데 벌써 어른벌레가 되어 알을 낳았구나. 사마귀는 번데기 과정을 거치지 않는 (㉠)을 하는 곤충이라서 어른벌레가 빨리 된 것 같구나.

승아: 사마귀가 어른벌레가 되고 다시 알을 낳는 것을 보니 동물이 태어나 자라면서 자손을 남기고 죽을 때까지의 과정인 (㉡)를 더 잘 알게 되었어요.

	㉠	㉡
①	완전 탈바꿈	동물의 한살이
②	완전 탈바꿈	동물의 부화
③	불완전 탈바꿈	동물의 한살이
④	불완전 탈바꿈	동물의 부화

다음 관찰 보고서를 읽고, 물음에 답하세요.

장수풍뎅이 한살이 관찰 보고서

- 관찰 기간 : 20○○년 ○월 ○일 ~ 20○○년 ○월 ○일

- 관찰 대상 : 완전 탈바꿈을 하는 장수풍뎅이의 한살이

ⓛ

알	애벌레	(㉠)	어른벌레
• 크기는 약 2mm이다. • 흰색이나 연한 노란색을 띈다. • 말랑말랑하다. • 움직이지 않는다.	• 크기는 약 10mm이다. • 20일이 지나자 크기가 3cm까지 자랐다. • 150일이 지나자 크기가 6cm까지 자랐다.	• 크기는 약 7cm이다. • 아무것도 먹지 않는다. • 몸을 거의 움직이지 않는다. • 시간이 지날수록 색이 갈색으로 변한다.	• (㉠)에서 나와 어른벌레가 되었다. • 수컷이라서 뿔이 있다. • 몸은 검은 갈색이고, 다리가 6개이다. • 움직이고 날아다닌다.

1 ㉠에 들어갈 알맞은 낱말을 쓰세요.

2 초성을 보고, ⓛ의 과정을 가리키는 낱말을 이 글에서 찾아 쓰세요.

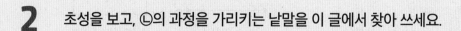

ㅇㅈ ㅌㅂㄲ

4일차 수학 어휘

선분

두 점을 곧게 이은 선.

線 선 **선** 分 나눌 **분**

예문 점 ㄱ과 점 ㄴ을 이은 **선분**을 '선분 ㄱㄴ' 또는 '선분 ㄴㄱ'이라고 한다.

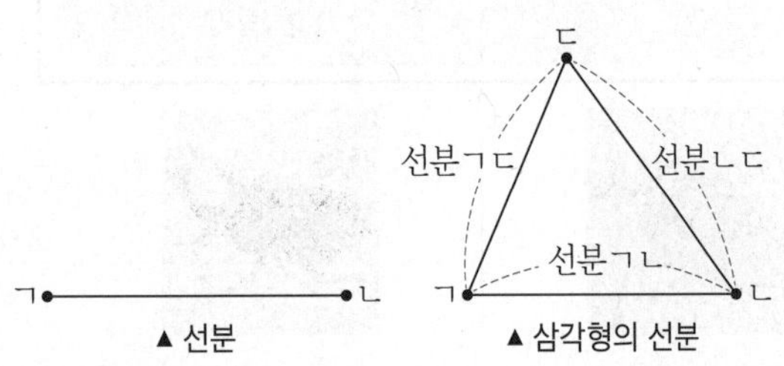

▲ 선분 ▲ 삼각형의 선분

직선

양쪽으로 끝없이 늘인 곧은 선.

直 곧을 **직** 線 선 **선**

예문 점 ㄱ과 점 ㄴ을 지나는 **직선**을 '직선 ㄱㄴ' 또는 '직선 ㄴㄱ'이라고 한다.

관련 어휘 **반직선**: 한 점에서 한쪽으로 끝없이 늘인 곧은 선.

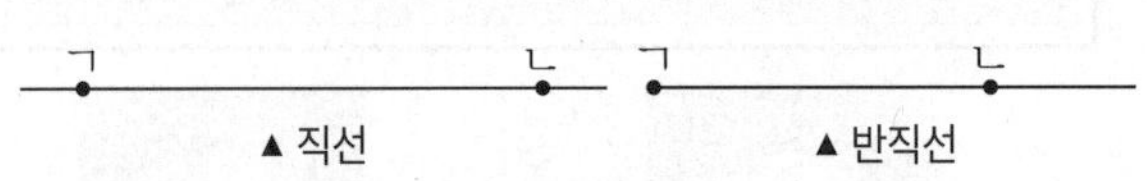

▲ 직선 ▲ 반직선

각

한 점에서 그은 두 반직선으로 이루어진 도형.

角 뿔 **각**

예문 그림의 **각**을 '각 ㄱㄴㄷ' 또는 '각 ㄷㄴㄱ'이라 한다.

예문 **각** ㄱㄴㄷ을 이루는 두 변은 '변 ㄱㄴ'과 '변 ㄴㄷ'이다.

관련 어휘 **변**: 꼭짓점부터 시작하는 반직선. 또는 다각형을 이루는 각 선분.

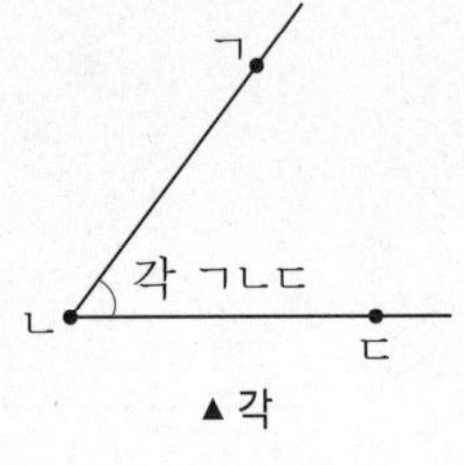

▲ 각

꼭짓점

각을 이루고 있는 두 변이 만나는 점.

예문 점 ㄴ을 **꼭짓점**이라고 한다.

예문 사각형에는 4개의 변과 4개의 **꼭짓점**이 있다.

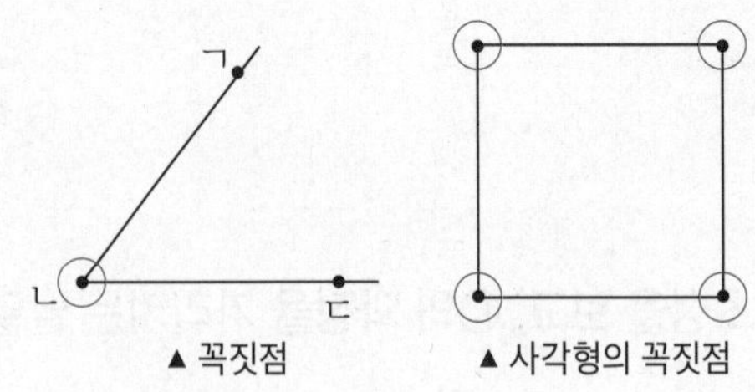

▲ 꼭짓점 ▲ 사각형의 꼭짓점

직각

두 직선이 만나서 이루는 90°의 각.

直 곧을 **직** 角 뿔 **각**

예문 **직각** ㄱㄴㄷ을 나타낼 때에는 꼭짓점 ㄴ에 표시를 한다.

관련 어휘 **직각삼각형**: 한 각이 직각인 삼각형.

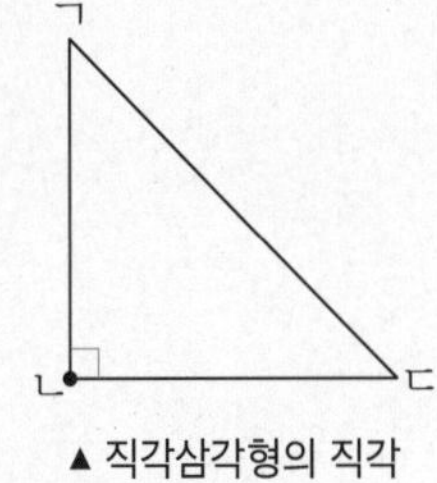

▲ 직각삼각형의 직각

직사각형

네 각이 모두 직각인 사각형.

直 곧을 **직** 四 넉 **사** 角 뿔 **각** 形 모양 **형**

예문 교실의 칠판과 책상에서 **직사각형** 모양을 찾을 수 있다.

관련 어휘 **정사각형**: 네 각이 모두 직각이고 네 변의 길이가 모두 같은 사각형.

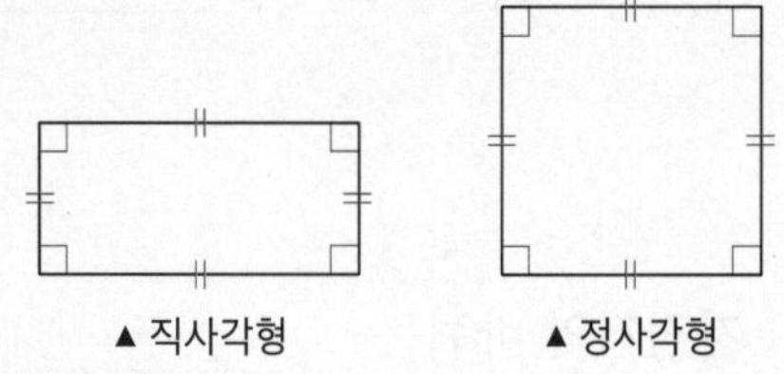

▲ 직사각형 ▲ 정사각형

원

동그라미 모양의 도형.

圓 둥글 **원**

예문 자전거의 바퀴는 **원**의 모양이다.

관련 어휘 **원의 중심**: 원 가운데에 있는 점.

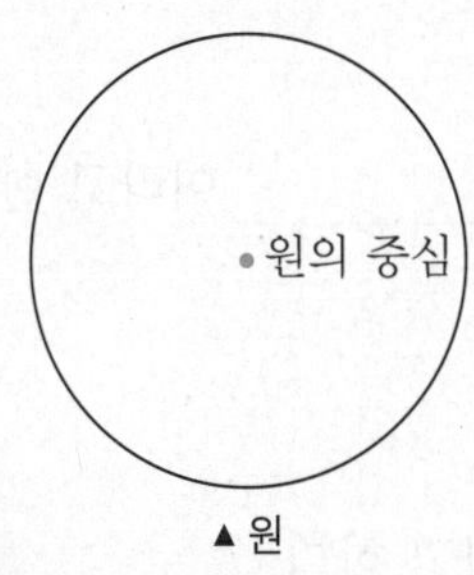

▲ 원

지름

원 위의 두 점을 이을 때 원의 중심을 지나는 선분.

예문 반지름은 **지름**의 절반 길이이다.

관련 어휘 **반지름**: 원의 중심과 원 위의 한 점을 이은 선분.

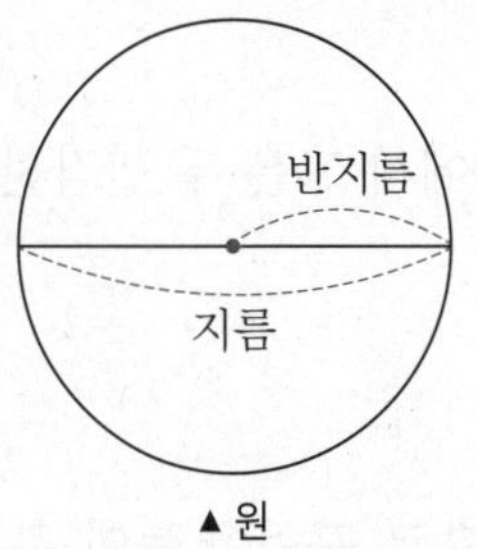

▲ 원

어휘 플러스+ 4학년 어휘

예 **원은 다각형이 아니다.**

다각형은 각이 여러 개인 도형을 뜻해요. 다시 말해 다각형은 3개 이상의 선분으로 둘러싸여 있어요. 3개의 각을 가진 삼각형, 4개의 각을 가진 사각형, 5개의 각을 가진 오각형 등이 모두 다각형이라고 할 수 있지요. 변의 길이가 모두 같고, 각의 크기도 모두 같은 다각형을 정다각형이라고 해요. 원은 동그라미 모양의 도형이기 때문에 각이 없고, 선분으로 둘러싸여 있지 않으므로 다각형이 아니에요.

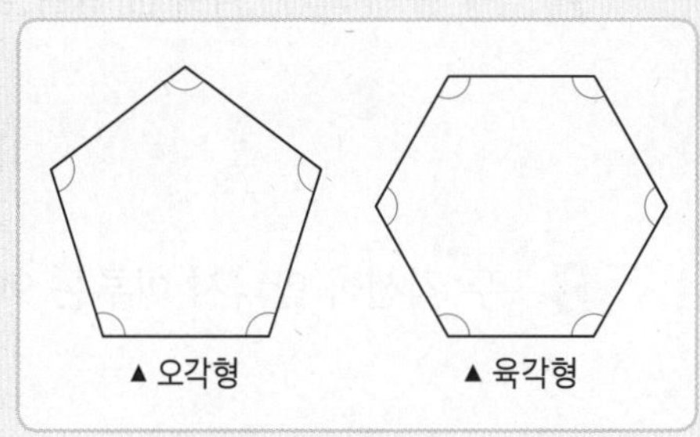

▲ 오각형 ▲ 육각형

정답과 해설 15쪽

문장을 읽고, 빈칸에 들어갈 낱말을 보기 에서 찾아 쓰세요.

보기

선분　직선　각　꼭짓점
직각　직사각형　원　지름

1 두 점을 곧게 이은 선을 ________이라고 한다.

2 자전거의 바퀴는 ________의 모양이다.

3 각을 이루고 있는 두 변이 만나는 점을 ________이라고 한다.

4 반지름은 ________의 절반 길이이다.

5 한 점에서 그은 두 반직선으로 이루어진 도형을 ________이라고 한다.

6 양쪽으로 끝없이 늘인 곧은 선을 ________이라고 한다.

7 네 각이 모두 직각인 사각형을 ________이라고 한다.

8 두 직선이 만나서 이루는 90°의 각을 ________이라고 한다.

정답과 해설 15쪽

2 주

낱말 쓰임

1 다음 밑줄 친 낱말을 잘못 활용한 친구에 ×표 하세요.

은주	두 직선이 만나서 이루는 90°의 각을 원의 중심이라고 해.	( )
현정	원의 중심과 원 위의 한 점을 이은 선분을 반지름이라고 해.	( )
혜민	원의 지름은 반지름 길이의 2배야.	( )

낱말 적용

2 다음 문장을 읽고, 빈칸에 공통으로 들어갈 낱말을 쓰세요.

- 오른쪽 그림의 점 ㄴ은 (　　　　)이다.
- 네모난 공책, 책상에는 모두 (　　　　)이 있다.
- 오각형에는 5개의 (　　　　)이 있다.

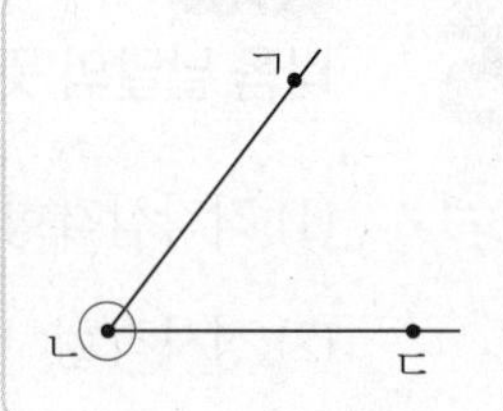

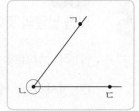

낱말 이해

3 다음 설명에서 가리키는 '이것'은 무엇인가요? ( )

- 삼각형에는 3개, 사각형에는 4개의 이것이 있습니다.
- 원에서는 이것을 찾을 수 없습니다.
- 이것을 이루고 있는 두 변이 만나는 점을 꼭짓점이라고 합니다.

① 변　② 각　③ 선분　④ 직선

낱말 이해

4 낱말의 뜻을 읽고, 알맞은 그림을 찾아 줄로 이으세요.

(1) 양쪽으로 끝없이 늘인 곧은 선. •

(2) 두 점을 곧게 이은 선. •

(3) 한 점에서 그은 두 반직선으로 이루어진 도형. •

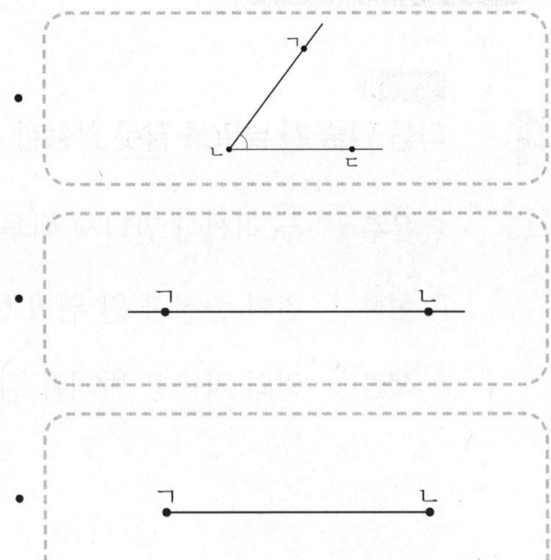

낱말 이해

5 다음 낱말의 뜻이 완성되도록 알맞은 말에 ○표 하세요.

(1) 직각삼각형: (한 / 세) 각이 직각인 삼각형.

(2) 정사각형: 네 각이 모두 직각이고 네 (변 / 직선)의 길이가 모두 같은 사각형.

(3) 직사각형: 네 각이 모두 (직각 / 직선)인 사각형.

낱말 적용

6 다음 문장의 빈칸에 공통으로 들어갈 낱말을 쓰세요.

시곗바늘이 세 시 정각을 가리킬 때 긴바늘과 짧은바늘은 (　　　　　)을 이뤄.

은수

(　　　　　)은 두 직선이 만나서 이루는 90°의 각이야.

준영

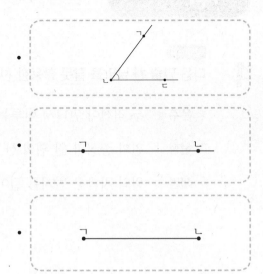

다음 종이접기 설명서를 읽고, 물음에 답하세요.

종이비행기 접기

❶ 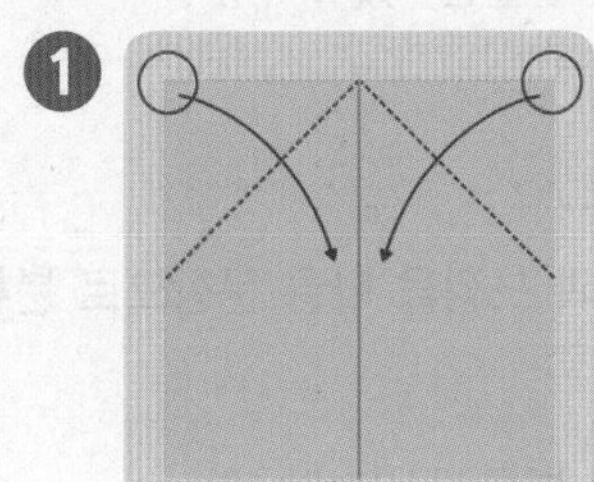

㉠정사각형 색종이를 반으로 접었다 펼칩니다. 동그라미로 표시된 ㉡직각 부분을 빨간 점선을 따라 안쪽으로 접습니다.

❷ 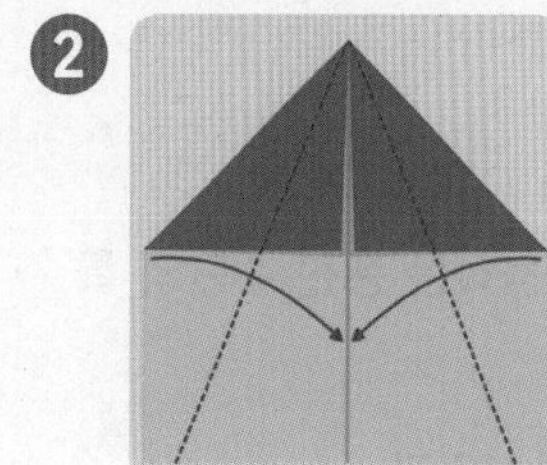

위쪽은 삼각형 모양이 되고 아래쪽은 ㉢직사각형 모양이 되었습니다. 색종이를 가운데 선에 맞춰 빨간 점선을 따라 접습니다.

❸ 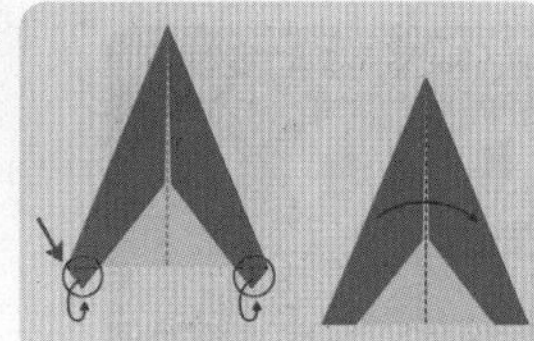

아래의 두 ㉣꼭짓점을 뒤쪽으로 접어 올립니다. 그 다음 빨간색 점선을 따라 종이를 접습니다.

❹  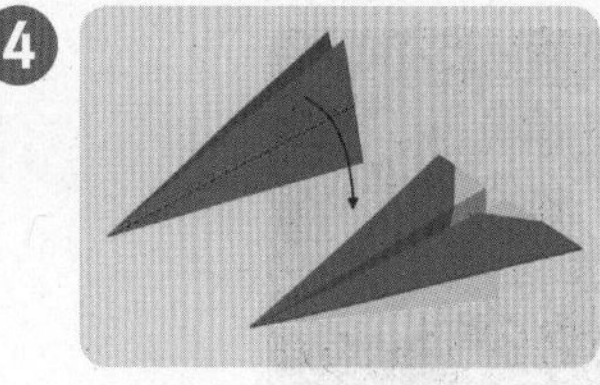

한쪽 날개의 절반을 빨간색 점선을 따라 접습니다. 다른 한쪽도 똑같이 접으면 비행기가 완성됩니다.

1 ㉠~㉣의 뜻을 바르게 말한 친구에 모두 ○표 하세요.

주희: ㉠은 네 각이 모두 직각이고 네 변의 길이가 모두 같은 사각형이야. (　　　)

호석: ㉡은 두 직선이 만나 각을 이룰 때 90°보다 작은 각이야. (　　　)

지혜: ㉢은 네 변의 길이가 모두 같은 사각형이야. (　　　)

동주: ㉣은 각을 이루고 있는 두 변이 만나는 점이야. (　　　)

5 일차 학습 도움 어휘

특징

다른 것에 비하여 특별히 눈에 뜨이는 점.

特 특별할 **특** 徵 부를 **징**

예문 오늘날 사람들이 많이 이용하는 통신 수단의 **특징**을 알아보았다.

활용 수사자의 **특징**을 이야기해 보았다.

비슷한말 특성, 특색

▲ 사자 암컷과 수컷의 모습

분류

공통점과 차이점을 바탕으로 무리 짓는 것.

分 나눌 **분** 類 무리 **류**

예문 사실을 다룬 문장과 느낌을 다룬 문장으로 **분류**해 보았다.

활용 쓰레기는 종류별로 **분류**해 버려야 해.

비슷한말 구별, 구분, 갈래

▲ 쓰레기의 분류

예시

이해를 돕기 위해 자세한 본보기가 되는 예를 들어 보임. 또는 예를 들어 설명하는 방법.

例 법식 **예** 示 보일 **시**

예문 여러 **예시**를 참고하여 책 소개 발표를 준비할 수 있었다.

활용 선생님은 동물의 한살이를 설명하시며 여러 **예시**를 들어 주셨다.

비슷한말 예, 보기

장면

1. 어떤 장소에서 겉으로 드러난 면이나 벌어진 광경.
2. 영화, 연극, 문학 작품에서 보는 광경.

場 마당 **장** 面 얼굴 **면**

예문 학교에서 언어 예절을 잘 지키는 **장면**[1]을 그려 보았다.

활용 영화의 첫 **장면**[2]에서 푸르고 눈부신 바다가 펼쳐졌어.

비슷한말 광경

관련

둘 이상의 사람, 사물, 상태 등이 서로 관계를 맺음.

關 관계할 **관** 聯 연이을 **련**

예문 주장과 **관련** 있는 근거를 제시해야 한다.

활용 세계 곳곳에서 계속되는 폭염은 지구 온난화와 **관련**이 있어!

비슷한말 관계, 상관

상대

1. 마주 보고 이야기를 나누는 사람.
2. 어떤 것을 두고 겨루는 사람.

相 서로 **상** 對 대답할 **대**

예문 누군가와 대화할 때에는 **상대**[1]가 어떤 처지인지 생각하며 말해야 한다.

활용 올림픽 경기에서 우리나라 선수가 **상대**[2]보다 잘 하는 것을 보니 내가 다 뿌듯하더라고!

비슷한말 상대방, 상대편

차지하다

사물이나 공간 따위를 자기 것으로 가지다.

예문 나무 막대나 물처럼 공기도 공간을 **차지한다.**

활용 늘 좋은 것만 **차지하려는** 놀부의 욕심은 끝이 없어!

비슷한말 가지다, 맡다

세우다

1. 계획, 방법 등을 정하거나 짜다.
2. 몸이나 몸의 일부를 곧게 펴거나 일어서게 하다.
3. 큰일이나 훌륭한 일을 해내다.

예문 친구들과 문화유산 답사 계획을 **세웠다.**[1]

예문 노인은 일어나려고 무릎을 **세웠다.**[2]

활용 민주가 달리기 신기록을 **세웠어!**[3]

비슷한말 만들다

어휘 플러스+ 관용 표현

예 **백제는 처음에 고구려와 손잡고 신라에 맞섰다가 나중에 신라와의 전쟁에서 손을 뗐다.**

손을 잡다라는 말은 '손과 손을 마주 잡다.'라는 뜻도 있지만, '서로 힘을 합쳐 무언가를 하다.'라는 뜻도 있어요. 예를 들어 '백제와 고구려가 손잡고 신라와 맞섰다.'라는 말은 두 나라가 힘을 합쳐 신라에 맞섰다는 뜻이에요.

손을 떼다라는 말은 '하던 일을 그만두다.'라는 뜻이에요. '시간이 흐르자 백제는 신라와의 전쟁에서 손을 뗐다.'라는 말은 백제가 신라와의 전쟁을 그만두었다는 뜻이지요.

정답과 해설 16쪽

문장을 읽고, 빈칸에 들어갈 낱말을 보기 에서 찾아 쓰세요.

보기

특징 분류 예시 장면
관련 상대 차지한다 세웠다

1 친구들과 문화유산 답사 계획을 ____________.

2 쓰레기는 종류별로 ____________해 버려야 해.

3 누군가와 대화할 때에는 ____________이/가 어떤 처지인지 생각하며 말해야 한다.

4 선생님은 동물의 한살이를 설명하시며 여러 ____________을/를 들어 주셨다.

5 영화의 첫 ____________에서 푸르고 눈부신 바다가 펼쳐졌어.

6 나무 막대나 물처럼 공기도 공간을 ____________.

7 오늘날 사람들이 많이 이용하는 통신 수단의 ____________을/를 알아보았다.

8 주장과 ____________ 있는 근거를 제시해야 한다.

정답과 해설 16~17쪽

낱말 이해

1 다음 낱말의 뜻이 완성되도록 알맞은 말에 ○표 하세요.

(1) 분류: 공통점과 차이점을 바탕으로 (무리 짓는 것 / 재어 보는 것).

(2) 특징: 다른 것에 비하여 특별히 (눈에 뜨이지 않는 점 / 눈에 뜨이는 점).

낱말 이해

2 낱말의 뜻을 읽고, 알맞은 낱말을 찾아 줄로 이으세요.

(1) 마주 보고 이야기를 나누는 사람. 또는 어떤 것을 두고 겨루는 사람. •

(2) 이해를 돕기 위해 자세한 본보기가 되는 예를 들어 보임. 또는 예를 들어 설명하는 방법. •

(3) 둘 이상의 사람, 사물, 상태 등이 서로 관계를 맺음. •

• 예시

• 상대

• 관련

낱말 쓰임

3 다음 중 낱말을 잘못 활용한 친구에 ×표 하세요.

은영 이해를 돕기 위해 적절한 예상을 들어 설명했어. (　　　)

세정 어떤 곤충을 어떻게 조사할 것인지 계획을 세우자. (　　　)

지연 내가 좋아하는 곤충이 알에서 부화하는 장면을 자세히 관찰할 거야. (　　　)

낱말 쓰임

4 다음 밑줄 친 낱말과 같은 뜻으로 쓰인 것은 무엇인가요? (　　　)

은주는 부산 여행 계획을 <u>세웠다</u>.

① 아기는 일어나려고 무릎을 <u>세웠다</u>.

② 국제 양궁 대회에서 우리나라 선수들이 가장 높은 기록을 <u>세웠다</u>.

③ 홍수를 막기 위한 구체적인 방안을 <u>세웠다</u>.

④ 발레리나는 허리를 반듯이 <u>세웠다</u>.

낱말 관계

5 다음 보기 의 두 낱말의 관계와 비슷한 것은 무엇인가요? (　　　)

보기

차지하다 - 맡다

① 반대하다 - 찬성하다

② 같다 - 다르다

③ 관련 - 관계

④ 공통점 - 차이점

낱말 적용

6 초성을 보고, 빈칸에 들어갈 알맞은 낱말을 쓰세요.

거미는 8개의 다리가 있고 날개와 더듬이가 없으며, 뱀은 다리가 없고 온몸이 비늘로 덮여 있다는 (　ㅌㅈ　)이 있다.

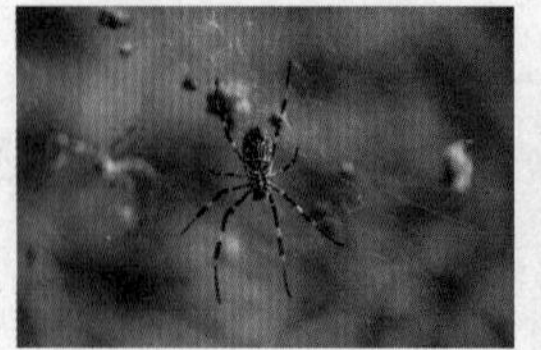
▲ 거미

▲ 뱀

다음 문화유산 소개 계획서를 읽고, 물음에 답하세요.

우리 고장 문화유산 소개 계획서

소개할 문화유산	무령왕릉
소개할 내용	• 무령왕릉이 만들어진 시대 • 무령왕릉이 위치한 장소 • 무령왕릉의 ㉠특징과 다른 문화유산의 특징 ㉡차지하기
소개 방법	• 무령왕릉의 내용을 다룬 신문 만들어 소개하기 • 무령왕릉을 답사한 내용을 중심으로 만든 사진 자료 소개하기
준비물	사진, 색연필, 도화지 등
역할 나누기	• 진주: 답사한 내용을 바탕으로 신문 기사 쓰기 • 하영: 책이나 인터넷에서 사진이나 그림 모으기 • 영환: 무령왕릉과 ㉢관련된 자료를 종류별로 (㉮)하기

1 ㉠~㉢의 낱말 뜻을 읽고, 소개 계획서에서 잘못 쓰인 낱말에 ×표 하세요.

㉠ 특징: 다른 것에 비하여 특별히 눈에 뜨이는 점. ( )

㉡ 차지하다: 사물이나 공간 따위를 자기 것으로 가지다. ( )

㉢ 관련: 둘 이상의 사람, 사물, 상태 등이 서로 관계를 맺음. ( )

2 ㉮에 들어갈 알맞은 낱말을 보기 에서 찾아 쓰세요.

보기

분류 장면 측정 특징

한 주 동안 학습한 어휘를 평가해 보세요.

정답과 해설 18쪽

1 다음 중 낱말의 관계가 다른 하나는 무엇인가요? (　　　)

① 채집하다 - 모으다

② 어둡다 - 밝다

③ 구경하다 - 감상하다

④ 활용하다 - 이용하다

2 다음 설명에서 가리키는 '이것'은 무엇인가요? (　　　)

- 이것은 사물에 대한 느낌을 생생하게 나타낸 표현이다.
- '솜사탕같이 보드라운 병아리의 몸'이라는 문장이 이것의 예라고 볼 수 있다.

① 감동　② 낭송　③ 작품　④ 감각적 표현

3 대화를 읽고, 빈칸에 들어갈 알맞은 낱말을 보기 에서 찾아 각각 쓰세요.

보기

낭송　감동　연극　잔치

태은: 인공위성을 개발한 사람들의 이야기를 그린 극본을 읽었는데, 정말 (　㉠　)받았어.
동주: 나도! 인공위성 발사 장면에서는 눈물이 다 났다니까?
명우: 올해 가을에 이 극본으로 만들어진 (　㉡　)을/를 메가 소극장에서 볼 수 있대.
예준: 정말? 극본의 내용을 배우들의 연기를 통해 볼 수 있다니 정말 기대된다!

㉠ ____________ ㉡ ____________

4 주어진 힌트와 관련 있는 낱말의 기호를 보기 에서 찾아 각각 쓰세요.

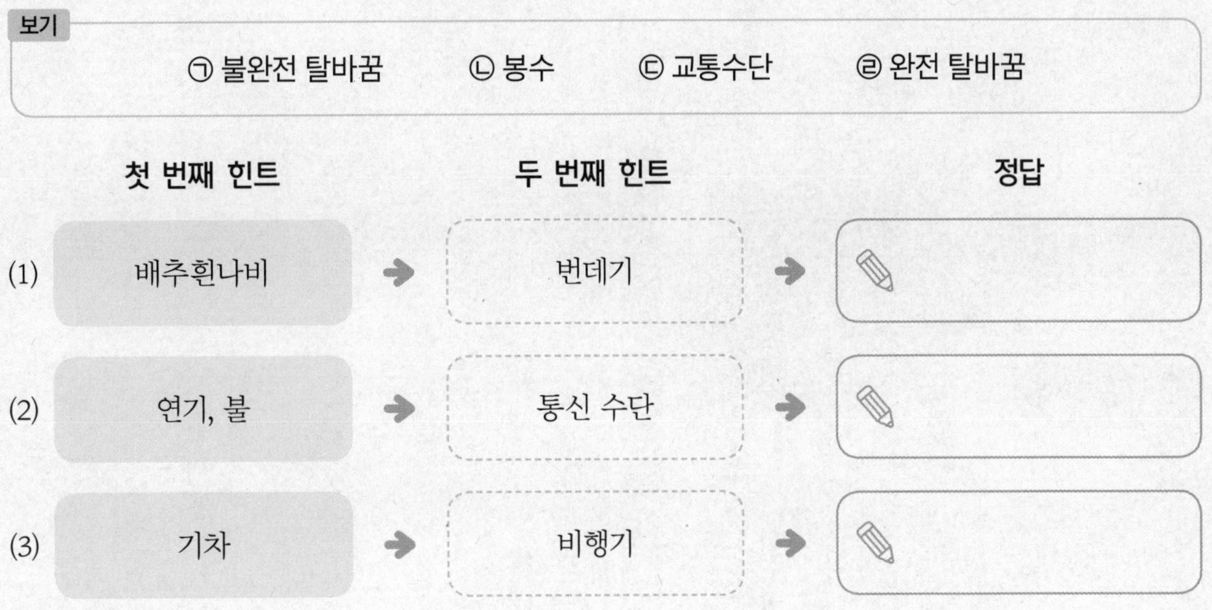

보기
㉠ 불완전 탈바꿈
㉡ 봉수
㉢ 교통수단
㉣ 완전 탈바꿈
첫 번째 힌트
두 번째 힌트
정답
(1) 배추흰나비
번데기
(2) 연기, 불
통신 수단
(3) 기차
비행기

5 다음 문장이 완성되도록 알맞은 낱말에 ○표 하세요.

(1) 완전 탈바꿈과 불완전 탈바꿈은 (애벌레 / 번데기) 단계를 보고 구분할 수 있다.

(2) 직사각형으로 된 액자를 보고 (직각 / 지름)의 개수를 세어 보았다.

(3) (직선 / 선분)은 양쪽으로 끝없이 늘인 곧은 선이다.

6 다음 대화의 빈칸에 들어갈 알맞은 낱말로 짝 지어진 것은 무엇인가요? (　　　　)

은정: 여기에서 선분 ㄱㅇ을 원의 (　　㉠　　)이라고 해.
원의 (　　㉠　　)은 지름 길이의 절반이야.

정수: 점 ㅇ은 원 가운데에 있는 점으로 원의 (　　㉡　　)(이)라고 해.

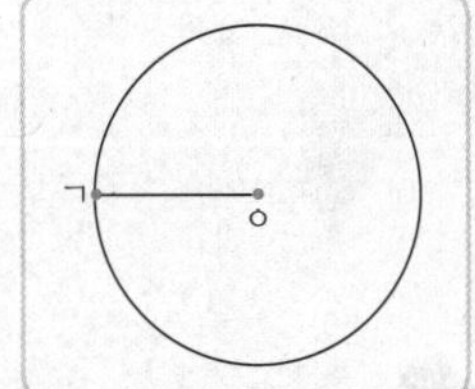

	㉠	㉡
①	중심	지름
②	중심	길이
③	반지름	중심
④	반지름	꼭짓점

3주차

어휘 미리보기

이번 주에 학습할 어휘들을 살펴보자!

1일차 국어 어휘	2일차 사회 어휘
높임 표현	인문 환경
언어 예절	기온
공경하다	강수량
대화하다	하천
원인	여가 생활
이어 주는 말	의식주
표정	생활 도구
몸짓	세시 풍속

3일차

과학 어휘

- 자석
- 극
- 끌어당기다
- 나침반
- 소음
- 소리의 세기
- 소리의 높낮이
- 소리의 반사

4일차

수학 어휘

- 단위
- 들이
- 어림
- 그림그래프
- 수집하다
- 조사하다
- 예상하다
- 확인하다

5일차

학습 도움 어휘

- 본뜨다
- 공평
- 뜨다
- 반영
- 발달
- 생각그물
- 관계
- 공간

3주
종합 평가

1 일차 국어 어휘 #듣기 #말하기

3-1 3. 알맞은 높임 표현
3-1 6. 일이 일어난 까닭
3-2 1. 작품을 보고 느낌을 나누어요

높임 표현

어떤 사람을 높이기 위한 표현.

表 겉 **표** 現 나타날 **현**

예문 선생님과 대화할 때 **높임 표현**을 바르게 사용했다.

활용 외국인들이 우리말을 배울 때 **높임 표현**이 몹시 어렵다고 해.

비슷한말 높임말　　반대말 반말

언어 예절

언어를 사용할 때 상대를 높여 주고 배려하는 마음으로 지켜야 할 예의나 행동.

言 말씀 **언** 語 말씀 **어**
禮 예도 **예** 節 마디 **절**

예문 웃어른과 대화할 때 지켜야 할 **언어 예절**이 무엇인지 생각해 보았다.

활용 가까운 친구 사이라도 **언어 예절**을 서로 지켜야만 기분 좋게 이야기를 나눌 수 있어.

공경하다

공손히 받들어 모시다.

恭 공손할 **공** 敬 공경할 **경**

예문 높임 표현에는 웃어른을 **공경하는** 마음이 담겨 있다.

활용 진호는 어른을 **공경하는** 예의 바른 아이야.

비슷한말 존경하다

대화하다

서로 이야기를 주고받다.

對 대답할 **대** 話 말할 **화**

예문 만화 속 인물에 대해 친구와 **대화했다**.

활용 할머니께서 길에서 만난 외국인과 **대화하는** 데 어려움을 겪었다고 하셨어.

비슷한말 말하다, 이야기하다

원인

어떤 일이 일어난 까닭.

原 근원 **원** 因 인할 **인**

예문 이야기의 **원인**과 결과를 말하면 듣는 사람이 말하는 내용을 쉽게 이해할 수 있다.

활용 사람들이 함부로 버린 쓰레기가 바다 오염의 **원인**이었다고 해.

관련 어휘 결과: 어떤 원인 때문에 일어난 일.

이어 주는 말

문장과 문장의 내용을 연결하여 주는 말.

예문 **이어 주는 말**에는 '그래서', '왜냐하면', '그러나'와 같은 말들이 있다.

활용 이 글이 자연스럽지 못한 것은 **이어 주는 말**이 제대로 사용되지 않았기 때문이야.

표정

마음에 품은 기분이나 생각이 얼굴에 드러남.

表 겉 **표** 情 뜻 **정**

예문 상황에 어울리는 **표정**과 말투로 말한다.

활용 동생이 곰 인형을 찾지 못하자 우는 **표정**으로 터벅터벅 걸어왔어.

비슷한말 안색

몸짓

팔, 다리 등 몸의 한 부분 또는 몸 전체를 움직이는 모양.

예문 연극을 할 때 자연스러운 **몸짓**으로 역할을 표현해야 한다.

활용 팔을 위아래로 움직이는 **몸짓**을 보니 자유롭게 날아가는 새가 떠올랐어.

비슷한말 동작

어휘 플러스+ 4학년 어휘

예 글을 읽을 때 글을 쓴 목적이 무엇인지 살펴본다.

목적이란 실현하고자 하는 일이나 나아가는 방향을 뜻해요. 글을 쓰는 목적은 여러 가지가 있어요. 정보를 전달하기 위해 쓰는 글이 있고, 누군가를 설득하기 위해 쓰는 글이 있어요. 그 외에도 감동을 주기 위해 또는 안부를 전하기 위해 쓰는 글도 있지요. 예를 들어 설명문의 목적은 읽는 이에게 지식이나 정보를 알려 주는 것이에요. 논설문의 목적은 주장이나 의견을 제시하여 글쓴이의 의견을 따르게 하기 위함이지요. 전기문의 목적은 한 인물이 태어나 죽기까지 그 사람의 업적, 일화 등을 소개하여 읽는 이에게 교훈과 감동을 주기 위함이에요.

어휘 이해

정답과 해설 19쪽

문장을 읽고, 빈칸에 들어갈 낱말을 보기 에서 찾아 쓰세요.

보기

높임 표현　　언어 예절　　공경하는　　대화했다

원인　　이어 주는 말　　표정　　몸짓

1 선생님과 대화할 때 ________________을/를 바르게 사용했다.

2 이야기의 ________________와/과 결과를 말하면 듣는 사람이 말하는 내용을 쉽게 이해할 수 있다.

3 동생이 곰 인형을 찾지 못하자 우는 ________________(으)로 터벅터벅 걸어왔어.

4 팔을 위아래로 움직이는 ________________을/를 보니 자유롭게 날아가는 새가 떠올랐어.

5 ________________에는 '그래서', '왜냐하면', '그러나'와 같은 말들이 있다.

6 높임 표현에는 웃어른을 ________________ 마음이 담겨 있다.

7 만화 속 인물에 대해 친구와 ________________.

8 가까운 친구 사이라도 ________________을/를 서로 지켜야만 기분 좋게 이야기를 나눌 수 있어.

정답과 해설 19쪽

낱말 이해

1 다음 뜻에 알맞은 낱말을 찾아 ○표 하세요.

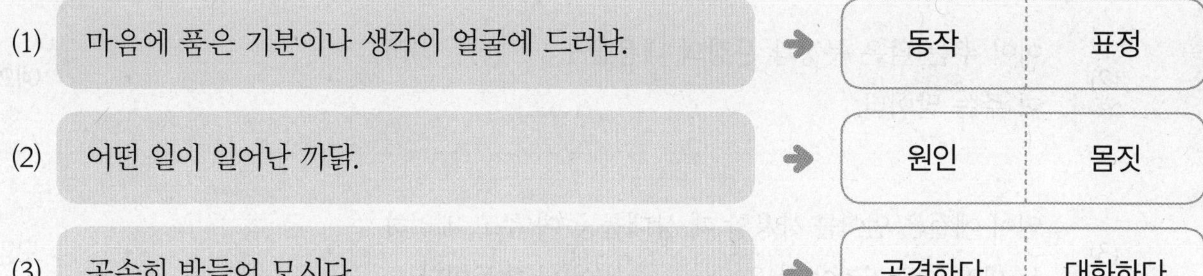

(1) 마음에 품은 기분이나 생각이 얼굴에 드러남. → 동작 | 표정

(2) 어떤 일이 일어난 까닭. → 원인 | 몸짓

(3) 공손히 받들어 모시다. → 공경하다 | 대화하다

낱말 관계

2 밑줄 친 낱말과 뜻이 비슷한 것은 무엇인가요? ( )

영수는 외국인과도 자연스럽게 영어로 <u>대화한다</u>.

① 고려한다 ② 이야기한다 ③ 분류한다 ④ 공경한다

낱말 이해

3 다음 글에서 밑줄 친 낱말이 무엇인지 보기 에서 찾아 쓰세요.

보기

이어 주는 말 높여 주는 말 꾸며 주는 말

내가 오늘 늦잠을 잤어. <u>왜냐하면</u> 지난밤에 숙제를 늦게까지 했거든. <u>그래서</u> 너와의 약속을 지키지 못했어. 정말 미안해.

낱말 이해

4 다음 문장의 빈칸에 들어갈 알맞은 낱말을 찾아 줄로 이으세요.

(1) 몸짓은 팔, 다리 등 몸의 한 부분 또는 몸 전체를 움직이는 ( )(이)다. • • 연결

(2) 이어 주는 말은 문장과 문장의 내용을 ( )하여 주는 말이다. • • 예의

(3) 언어 예절은 언어를 사용할 때 상대를 높여 주고 배려하는 마음으로 지켜야 할 ( )(이)나 행동이다. • • 모양

낱말 쓰임

5 다음 중 낱말을 잘못 활용한 친구에 ×표 하세요.

진우 우리 팀이 진 결과는 경기 중에 서로 협동하지 않았기 때문이야. ( )

보라 동생은 초조한 몸짓으로 엄마를 기다렸어. ( )

은수 동생은 생일 선물을 받고 기쁜 표정을 지었어. ( )

낱말 적용

6 대화의 빈칸에 공통으로 들어갈 낱말은 무엇인가요? ( )

찰스: 할머니, 우체국 어디야?
할머니: 웃어른과 대화할 때는 '어디야?'라고 하지 않고 '어디예요?'처럼 올바른 ( )을 써야 한단다.
찰스: 아, 정말 죄송해요. 웃어른과 대화할 때는 ( )을 잘 사용해야 서로 기분 좋게 이야기할 수 있겠어요.

① 감각적 표현 ② 높임 표현 ③ 시간 표현 ④ 비유적 표현

다음 블로그의 글을 읽고, 물음에 답하세요.

㉠

지난 10월 9일, 한글날을 맞이하여 우리 주변에서 잘못 사용된 (㉡)을 찾아보았습니다. '이 사이즈의 옷은 없으십니다.' '주문한 음료 나오셨습니다.'와 같은 표현은 옷이나 음료와 같은 사물을 높이므로 잘못된 표현입니다. 그래서 '이 사이즈의 옷은 없습니다.', '주문한 음료 나왔습니다.'로 바르게 고쳐서 사용해야 합니다. 언어 예절을 지켜 존중과 배려의 마음이 잘 표현될 수 있도록 올바른 (㉡)을 사용합시다.

1 ㉠에 들어갈 글의 제목으로 가장 알맞은 것은 무엇인가요? (　　)

① 외국인들이 이해하지 못하는 높임 표현을 사용하자
② 잘못된 높임 표현, 이제는 바로잡자
③ 물건을 파는 판매원들에게도 높임 표현을 사용하자
④ 물건을 많이 사는 습관을 버리자

2 ㉡에 들어갈 알맞은 낱말을 쓰세요.

사회 어휘

#환경 #시대 #삶의 모습

인문 환경

과수원, 공장, 도로처럼 사람들이 만든 환경.

人 사람 **인** 文 글월 **문**
環 고리 **환** 境 지경 **경**

예문 학교와 병원, 시장과 공원도 **인문 환경**에 포함된다.

활용 도시의 **인문 환경** 중, 가장 돋보이는 것은 밤 풍경을 아름답게 만들어 주는 조명이 달린 다리이다.

▲ 다리

기온

공기의 온도.

氣 기운 **기** 溫 따뜻할 **온**

예문 우리나라는 여름에 **기온**이 높아 덥고 비가 많이 온다.

활용 오늘 서울의 낮 **기온**이 32℃라더니 가만히 있어도 땀이 흐르네.

강수량

어떤 지역에 일정한 기간 동안 내린 눈, 비 등의 전체 양.

降 내릴 **강** 水 물 **수** 量 헤아릴 **량**

예문 계절에 따라 우리 고장의 기온과 **강수량**이 달라진다.

활용 올해 여름 **강수량**이 작년보다 훨씬 적어 가뭄이 예상된다고 해.

관련 어휘 **강설량**: 어떤 지역에 일정한 기간 동안 내린 눈의 양.
강우량: 어떤 지역에 일정한 기간 동안 내린 비의 양.

하천

강과 시내를 아울러 이르는 말.

河 물 **하** 川 내 **천**

예문 **하천**의 물은 생활용수와 공업용수로 이용된다.

활용 한때 맑았던 **하천**이었지만, 지금은 오염되고 말았어.

비슷한말 강, 시내

관련 어휘 **생활용수**: 일상생활에 쓰이는 물.
공업용수: 공장에서 쓰이는 물.

여가 생활

남는 시간에 즐거움을 얻기 위한 자유로운 활동.

餘 남을 **여** 暇 겨를 **가**
生 날 **생** 活 살 **활**

예문 사람들은 박물관, 영화관 등의 인문 환경을 이용해 **여가 생활**을 한다.

활용 최근 날씨가 따뜻해져 등산, 낚시 등 야외에서 하는 **여가 생활**이 인기를 끌고 있습니다.

의식주

사람이 생활하는 데 있어 가장 기본이 되는 옷, 음식, 집을 가리키는 말.

衣 옷 **의** 食 먹을 **식** 住 살 **주**

예문 환경에 따라 **의식주**와 같은 생활 모습이 서로 다르게 나타난다.

활용 한복, 된장, 한옥과 같은 전통 **의식주**에서 우리 조상들의 지혜를 엿볼 수 있어!

생활 도구

사람들이 생활하는 데 필요한 여러 가지 물건.

生 날 **생** 活 살 **활**
道 길 **도** 具 갖출 **구**

예문 옛날 사람들은 자연에서 얻은 돌과 나무 등을 **생활 도구**로 사용했다.

활용 민속 박물관에 갔더니 조선 시대에 쓰였던 **생활 도구**들이 많았어!

세시 풍속

옛날부터 전해 내려오는, 해마다 돌아오는 명절날에 행해지는 일과 놀이.

歲 해 **세** 時 때 **시**
風 바람 **풍** 俗 풍속 **속**

예문 추석의 **세시 풍속** 중 하나인 강강술래도 하고 달을 보며 소원도 빌어야지!

어휘 플러스⁺ 5학년 어휘

예 농촌의 인구는 도시보다 적은 편이지만, 최근 귀농 인구가 늘어나고 있다.

인구는 일정한 지역에 사는 사람의 수를 뜻해요. 예를 들어 '서울의 인구는 천만 명이다.'라는 말은 '서울에 사는 사람의 수는 천만 명이다.'라는 뜻이지요. '농촌의 인구'라는 표현은 '농촌에서 살고 있는 사람의 수'를 뜻하지요. 귀농은 도시에서 일하던 사람이 농사를 지으려고 농촌으로 돌아가는 것을 말해요. 그래서 **귀농 인구**란 농사를 지으려고 농촌으로 돌아간 사람의 수를 뜻해요.

어휘 이해

정답과 해설 20쪽

문장을 읽고, 빈칸에 들어갈 낱말을 보기 에서 찾아 쓰세요.

보기

인문 환경 기온 강수량 하천
여가 생활 의식주 생활 도구 세시 풍속

1 옛날 사람들은 자연에서 얻은 돌과 나무 등을 ____________(으)로 사용했다.

2 최근 날씨가 따뜻해져 등산, 낚시 등 야외에서 하는 ____________이/가 인기를 끌고 있습니다.

3 환경에 따라 ____________ 와/과 같은 생활 모습이 서로 다르게 나타난다.

4 한때 맑았던 ____________이었지만, 지금은 오염되고 말았어.

5 올해 여름 ____________이/가 작년보다 훨씬 적어 가뭄이 예상된다고 해.

6 학교와 병원, 시장과 공원도 ____________에 포함된다.

7 오늘 서울의 낮 ____________이/가 32℃라더니 가만히 있어도 땀이 흐르네.

8 추석의 ____________ 중 하나인 강강술래도 하고 달을 보며 소원도 빌어야지!

정답과 해설 20~21쪽

낱말 이해

1 낱말의 뜻을 읽고, 알맞은 낱말을 찾아 줄로 이으세요.

(1) 공기의 온도. •　　　　• 강수량

(2) 어떤 지역에 일정한 기간 동안 내린 눈, 비 등의 전체 양. •　　　　• 기온

(3) 강과 시내를 아울러 이르는 말. •　　　　• 하천

낱말 이해

2 다음 낱말의 뜻이 완성되도록 알맞은 말에 ○표 하세요.

(1) 강우량: 어떤 지역에 일정한 기간 동안 내린 (눈 / 비)의 양.

(2) 여가 생활: 남는 시간에 (즐거움 / 경쟁심)을 얻기 위한 자유로운 활동.

(3) 세시 풍속: 옛날부터 전해 내려오는, 해마다 돌아오는 (단옷날 / 명절날)에 행해지는 일과 놀이.

낱말 관계

3 다음 보기 의 두 낱말의 관계와 다른 것은 무엇인가요? (　　　　)

보기

강강술래 - 세시 풍속

① 하천 - 시내　② 옷 - 의식주　③ 추석 - 명절　④ 등산 - 여가 생활

낱말 적용

4 다음 문장의 빈칸에 들어갈 알맞은 낱말을 찾아 ○표 하세요.

(1) 선생님은 경기장, 올림픽 공원과 같은 (　　　　)에 대해 설명하셨다. → 인문 환경 | 자연환경

(2) 박물관에서 조선 시대 사람들의 (　　　　)을/를 살펴보았어. → 의식주 | 강수량

(3) 한국 민속촌에 가서 단오의 (　　　　)을 체험해 봤어. → 통신 수단 | 세시 풍속

낱말 쓰임

5 다음 대화를 읽고, 밑줄 친 낱말을 잘못 활용한 친구의 이름을 쓰세요.

은주: 오늘 기온이 높다고 해서 옷을 가볍게 입어 봤어.
하영: 등산 가기 딱 좋은 옷차림이네. 날씨가 따뜻해지니 사람들이 등산이나 낚시 같은 의식주를 많이 즐기는구나.
은주: 맞아, 작년 여름에 비해 강수량도 줄어서 밖에서 자유롭게 활동할 수 있어.

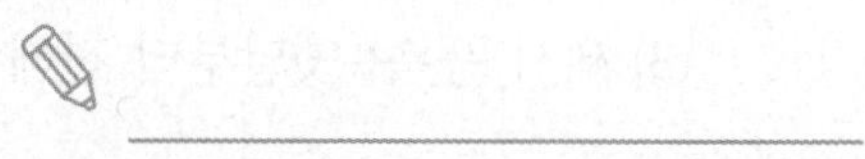

낱말 적용

6 다음 문장의 빈칸에 공통으로 들어갈 낱말은 무엇인가요? (　　　　)

- 계절에 따라 우리 고장의 기온과 (　　　　)이/가 달라진다.
- 올여름 (　　　　)이/가 작년보다 훨씬 적어 가뭄이 예상된다.
- 여름에는 비가 많이 내려 (　　　　)이/가 많다.

① 날씨　　② 생활　　③ 강수량　　④ 강설량

다음 누리집의 글을 읽고, 물음에 답하세요.

Home > 떡 박물관 > 떡

떡 박물관의 떡 이야기

떡은 곡식 가루를 찌거나, 그 찐 것을 치거나 빚어서 만든 음식으로, 생김새와 빛깔이 다양합니다. 우리 조상들은 계절에 따라 다양한 떡을 만들어 먹었습니다.

▲ 송편

봄에는 봄에 피는 꽃인 진달래, 개나리와 같은 꽃잎을 이용하여 화전을 만들어 먹었습니다. 여름에는 ㉠날씨가 덥고 음식이 상하기 쉬워 술을 넣은 증편을 만들어 먹었습니다. 가을, 특히 추석에는 팥, 콩, 밤, 대추 등을 넣고 반달 모양의 송편을 만들어 먹었습니다. 겨울에는 식구들이 건강하고 오래 살기를 바라며 둥글고 긴 모양의 가래떡을 만들어 먹었습니다.

▲ 가래떡

1 ㉠과 뜻이 통하는 표현에 ○표 하세요.

기온이 높고	기온이 낮고

2 이 글의 내용으로 바르지 않은 것은 무엇인가요? (　　)

① 떡은 생김새와 빛깔이 다양하다.
② 우리 조상들은 추석에 송편을 만들어 먹었다.
③ 가을에는 화전을 만들어 먹었다.
④ 겨울에는 둥글고 긴 모양의 가래떡을 만들어 먹었다.

3일차 과학 어휘 #자석 #소리

3-1 4. 자석의 이용
3-2 5. 소리의 성질

자석

철로 된 물체를 끌어당기는 물체.

磁 자석 **자** 石 돌 **석**

예문 클립처럼 철로 된 물체는 **자석**에 붙는다.

활용 이 가방에는 **자석**이 붙어 있어서 열고 닫기가 편리해.

▲ 자석

극

1. 자석에서 철로 된 물체가 많이 붙는 부분.
2. 지구의 양쪽 끝.

極 지극할 **극**

예문 자석의 극에는 N**극**[1]과 S**극**[1]이 있다.

활용 지구의 양쪽 끝에는 북**극**[2]과 남**극**[2]이 있어!

관련 어휘 N극: 북쪽을 가리키는 자석의 극.
S극: 남쪽을 가리키는 자석의 극.

▲ 자석의 극

끌어당기다

1. 끌어서 가까이 오게 하다.
2. 어떤 쪽으로 남의 마음을 기울게 하다.

예문 자석과 철로 된 물체가 약간 떨어져 있어도 자석은 물체를 **끌어당긴다**.[1]

활용 창문으로 바람이 들어와 담요를 어깨까지 **끌어당겼다**.[1]

활용 새로 나온 파란색의 치마가 많은 여성들의 마음을 **끌어당겼다**.[2]

반대말 밀어내다

나침반

자석의 성질을 이용하여 동서남북의 방향을 찾을 수 있는 도구.

羅 그물 **나** 針 바늘 **침** 盤 소반 **반**

예문 **나침반**을 평평한 곳에 놓으면 나침반 바늘은 항상 북쪽과 남쪽을 가리킨다.

활용 바다에서 방향을 찾는 데 **나침반**이 큰 도움이 되었지!

▲ 나침반

소음

사람의 기분을 좋지 않게 만드는 시끄러운 소리.

騷 떠들 소 音 소리 음

예문 우리 주변에는 도로, 공사장 등 다양한 곳에서 들려오는 **소음**이 있다.

활용 아파트에서 생기는 **소음**으로 서로 다투는 일이 생겼다고 해!

비슷한말 잡음

소리의 세기

소리의 크고 작은 정도.

예문 작은 북을 세게 칠 때와 약하게 칠 때 **소리의 세기**가 다르다.

활용 스피커가 고장이 났는지 갑자기 **소리의 세기**가 커졌다 작아졌다 해서 불편하네.

소리의 높낮이

소리의 높고 낮은 정도.

예문 실로폰은 음판의 길이에 따라 **소리의 높낮이**가 다르다.

▲ 실로폰

소리의 반사

소리가 나아가다가 물체에 부딪혀 되돌아오는 성질.

反 돌이킬 반 射 쏠 사

예문 **소리의 반사**는 딱딱한 물체에서 잘 일어난다.

활용 산에서 울려 퍼지는 메아리는 **소리의 반사**로 생겨난 현상이야.

어휘 플러스+ 중학교 어휘

예 자성을 가진 머리핀이 클립을 끌어당겼다.

자석도 아닌 머리핀이 어떻게 클립을 끌어당기는 걸까요? 머리핀의 끝부분을 자석의 어느 한 방향으로 여러 번 문지르면 머리핀도 자성을 가지게 돼요. **자성**은 자석의 성질을 뜻하지요. 그래서 자석이 철로 된 물건을 끌어당기는 것처럼, 자성이 생긴 머리핀도 철로 만들어진 클립을 끌어당기는 거예요. 이러한 자성을 이용하여 나침반, 신용 카드 등 여러 가지 물건들이 만들어진답니다.

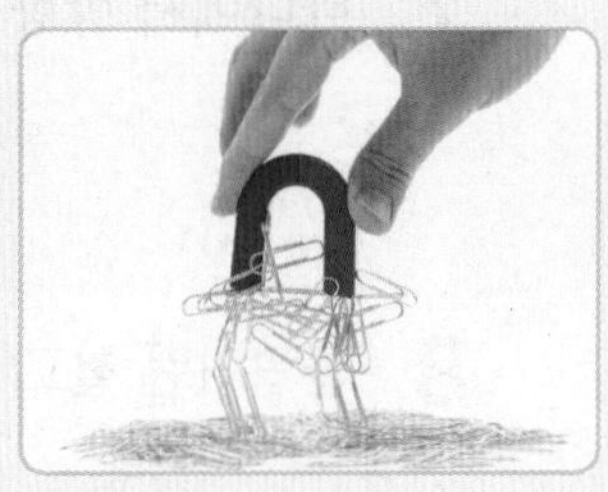

정답과 해설 22쪽

문장을 읽고, 빈칸에 들어갈 낱말을 보기 에서 찾아 쓰세요.

보기

자석　극　끌어당긴다　나침반

소음　소리의 세기　소리의 높낮이　소리의 반사

1 자석과 철로 된 물체가 약간 떨어져 있어도 자석은 물체를 ＿＿＿＿＿＿.

2 작은 북을 세게 칠 때와 약하게 칠 때 ＿＿＿＿＿＿이/가 다르다.

3 산에서 울려 퍼지는 메아리는 ＿＿＿＿＿＿(으)로 생겨난 현상이야.

4 자석의 ＿＿＿＿＿＿에는 N극과 S극이 있다.

5 실로폰은 음판의 길이에 따라 ＿＿＿＿＿＿이/가 다르다.

6 우리 주변에는 도로, 공사장 등 다양한 곳에서 들려오는 ＿＿＿＿＿＿이/가 있다.

7 바다에서 방향을 찾는 데 ＿＿＿＿＿＿이/가 큰 도움이 되었지!

8 클립처럼 철로 된 물체는 ＿＿＿＿＿＿에 붙는다.

낱말 쓰임

1 밑줄 친 낱말과 다른 뜻으로 쓰인 문장은 무엇인가요? (　　　　)

> 자석의 서로 다른 극 사이에는 끌어당기는 힘이 있다.

① 영지는 민수의 팔을 끌어당겼다.

② 책 속의 한 문장이 호영이의 마음을 끌어당겼다.

③ 강아지는 무거운 장난감을 물고 끌어당겼다.

④ 친구들은 줄다리기를 하며 힘차게 줄을 끌어당겼다.

낱말 관계

2 다음 보기 의 두 낱말의 관계와 비슷한 것은 무엇인가요? (　　　　)

> 보기
>
> 끌어당기다 - 밀어내다

① 가득하다 - 많다　② 높다 - 낮다　③ 소음 - 잡음　④ 채집하다 - 잡다

낱말 이해

3 뜻에 알맞은 낱말을 글자판에서 찾아 묶으세요. 낱말은 가로, 세로, 대각선으로 묶을 수 있어요.

❶ 철로 된 물체를 끌어당기는 물체.

❷ 자석의 성질을 이용하여 동서남북의 방향을 찾을 수 있는 도구.

❸ 사람의 기분을 좋지 않게 만드는 시끄러운 소리.

나	침	반
자	소	극
석	이	음

어휘 적용

낱말 이해

4 다음 뜻에 알맞은 낱말을 찾아 ○표 하세요.

(1) 소리의 높고 낮은 정도. → 소리의 높낮이 | 소리의 세기

(2) 소리의 크고 작은 정도. → 소리의 높낮이 | 소리의 세기

(3) 자석에서 철로 된 물체가 많이 붙는 부분. → 극 | 끝

낱말 적용

5 다음 문장을 읽고, 빈칸에 공통으로 들어갈 낱말을 쓰세요.

- (　　　　　)을 평평한 곳에 놓으면 이것의 바늘은 항상 북쪽과 남쪽을 가리킵니다.
- 옛날 사람들이 바다로 항해를 나갈 때 방향을 찾으려고 (　　　　　)을 사용했습니다.
- 이야기 속 주인공이 지도와 (　　　　　)을 이용하여 보물이 있는 곳을 찾습니다.

✎ ____________________

낱말 쓰임

6 다음 중 낱말을 바르게 활용한 친구에 ○표, 잘못 활용한 친구에 ×표 하세요.

영지 조용히 공부를 할 때는 소음이 많이 생기도록 해야 해. (　　　)

현주 자석의 다른 극끼리는 서로 밀어내. (　　　)

성우 피아노 건반의 위치에 따라 소리의 높낮이가 달라져. (　　　)

정답과 해설 23쪽

다음 과학 잡지의 글을 읽고, 물음에 답하세요.

왜 올빼미는 날 때 소리가 나지 않을까?

올빼미는 '밤의 사냥꾼'이라는 별명이 있습니다. 올빼미는 (㉠   )을 내지 않고 깜깜한 밤하늘을 재빠르게 날아 날카로운 발톱으로 먹잇감을 낚아챕니다. 올빼미가 소리 없이 날 수 있는 이유는 날개의 생김새 때문입니다. 올빼미 날개를 살펴보면 깃털이 빗 모양으로 나 있습니다. 또한 날개에 있는 많은 솜털들은 날갯짓을 할 때 나는 소리를 흡수합니다. 그래서 날갯짓을 할 때 내는 (㉠   )을 줄여 줍니다.

▲ 올빼미의 모습

1 ㉠에 들어갈 낱말을 보기 에서 찾아 쓰세요.

보기

화음   소음   무음

2 이 글의 내용으로 알 수 있는 사실은 무엇인가요? (   )

① 올빼미는 작은 소리를 잘 듣지 못한다.

② 올빼미의 날개를 살펴보면 깃털이 빗 모양으로 나 있다.

③ 올빼미는 다리의 구조 때문에 소리 없이 날 수 있다.

④ 올빼미의 날개는 솜털이 매우 적은 편이다.

4일차 수학 어휘 #자료 #단위

3-2 5. 들이와 무게
3-2 6. 자료의 정리

단위

길이, 무게, 시간의 양을 계산한 값을 숫자로 나타낼 때 기초가 되는 정도.

單 홑 **단** 位 자리 **위**

예문 길이의 **단위**인 센티미터(cm)를 사용해 나비의 길이를 나타냈다.

활용 나라마다 신발 크기를 재는 **단위**가 달라.

관련 어휘 길이의 단위: cm, m, km
무게의 단위: g, kg
시간의 단위: 초, 분, 시

들이

그릇 등의 안에 무엇을 넣을 수 있는 공간의 크기.

예문 **들이**의 단위에는 리터(L)와 밀리리터(mL)가 있다.

예문 **들이**를 비교하기 위해 모양과 크기가 같은 그릇에 옮겨 담았다.

어림

정확하게 재어 보지 않고 대강 생각하여 헤아린 수나 양.

예문 입장 할인권이 몇 장 필요한지 **어림**해 보았다.

활용 지우개의 길이를 **어림**잡아 나타내면 약 3cm 정도 될 거야.

도움말 어림하여 나타낼 때 숫자 앞에 '약'이라는 표현을 넣어요.

▲ 길이 약 3cm의 지우개

그림그래프

알고자 하는 수를 그림으로 나타낸 그래프.

예문 조사한 내용을 **그림그래프**로 나타내니 한눈에 알아보기 쉽다.

예문 **그림그래프**를 살펴보면 각 과수원의 사과 생산량을 알 수 있다.

과수원	생산량
가	
나	
다	

▲ 그림그래프

수집하다

취미나 연구를 위하여 여러 가지 물건이나 재료를 찾아 모으다.

蒐 모을 **수** 集 모을 **집**

예문 자료를 **수집하여** 표로 나타낼 수 있다.

활용 그 사람은 게임 카드를 **수집하는** 취미가 있다.

비슷한말 모으다

조사하다

어떤 내용을 확실히 알기 위하여 자세히 살펴보거나 찾아보다.

調 고를 **조** 査 조사할 **사**

예문 학생들이 좋아하는 학교 행사를 **조사하여** 표로 나타내 보았다.

활용 다음 주에 있을 발표를 위해 도서관에 가서 자료를 **조사하려** 해.

비슷한말 살펴보다, 관찰하다

예상하다

어떤 일이 일어나기 전에 미리 생각하여 두다.

豫 미리 **예** 想 생각 **상**

예문 무게가 10kg 정도 되는 물건이 무엇일지 **예상해** 보았다.

활용 비가 올 것을 **예상하고** 우산을 챙겨 나왔어.

비슷한말 예견하다, 추측하다

확인하다

어떤 내용, 사실 등이 정확하게 맞는지 알아보다.

確 굳을 **확** 認 알 **인**

예문 23 ÷ 4를 계산하고 계산 결과가 맞는지 **확인해** 보았다.

활용 학교에 가기 전에 준비물을 챙겼는지 **확인해야지**.

비슷한말 알아보다

어휘 플러스+ 5학년 어휘

예 넓이를 나타내는 단위로 제곱센티미터(cm^2), 제곱미터(m^2)가 있다.

$1cm^2$는 한 변의 길이가 1cm인 정사각형의 넓이를 말하며 '일 제곱센티미터'라고 읽어요. $1m^2$는 한 변의 길이가 1m인 정사각형의 넓이를 말하며 '일 제곱미터'라고 읽지요. 보통 넓이의 단위는 길이의 단위인 cm, m에 제곱을 뜻하는 '2'를 붙여서 나타내요.

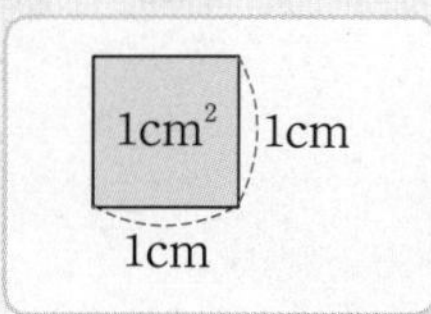

▲ 넓이가 $1cm^2$인 정사각형

정답과 해설 23쪽

문장을 읽고, 빈칸에 들어갈 낱말을 보기 에서 찾아 쓰세요.

보기

단위　들이　어림　그림그래프
수집하는　조사하려　예상하다　확인해

1 조사한 내용을 ______________(으)로 나타내니 한눈에 알아보기 쉽다.

2 길이의 ______________인 센티미터(cm)를 사용해 나비의 길이를 나타냈다.

3 다음 주에 있을 발표를 위해 도서관에 가서 자료를 ______________ 해.

4 지우개의 길이를 ______________잡아 나타내면 약 3cm 정도 될 거야.

5 ______________는 '어떤 일이 일어나기 전에 미리 생각하여 두다.'라는 뜻이다.

6 그 사람은 게임 카드를 ______________ 취미가 있다.

7 23 ÷ 4를 계산하고 계산 결과가 맞는지 ______________보았다.

8 ______________의 단위에는 리터(L)와 밀리리터(mL)가 있다.

정답과 해설 23~24쪽

낱말 이해

1 낱말의 뜻을 읽고, 보기 에서 글자 카드를 찾아 빈칸에 알맞은 낱말을 쓰세요.

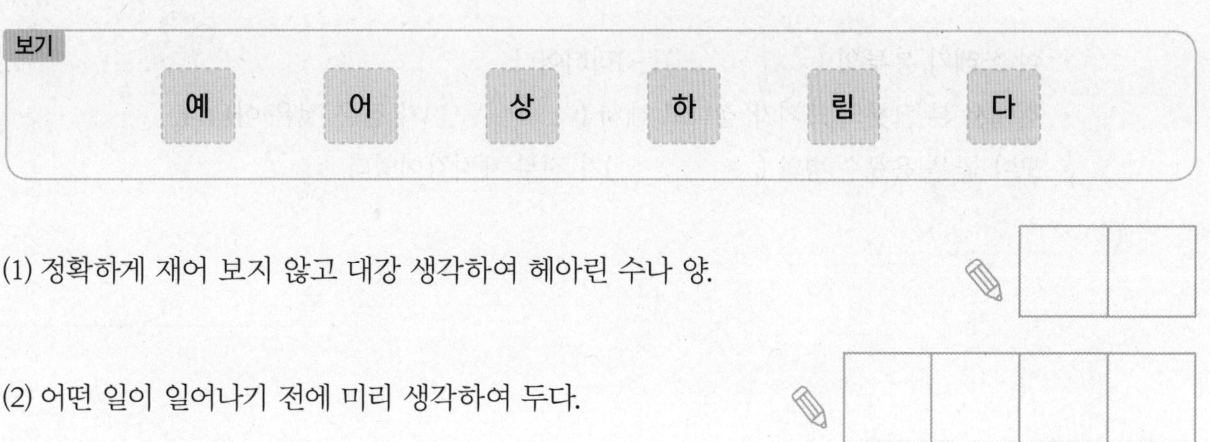

보기

예 어 상 하 림 다

(1) 정확하게 재어 보지 않고 대강 생각하여 헤아린 수나 양.

(2) 어떤 일이 일어나기 전에 미리 생각하여 두다.

낱말 이해

2 다음 낱말의 뜻이 완성되도록 빈칸에 들어갈 알맞은 낱말을 찾아 ○표 하세요.

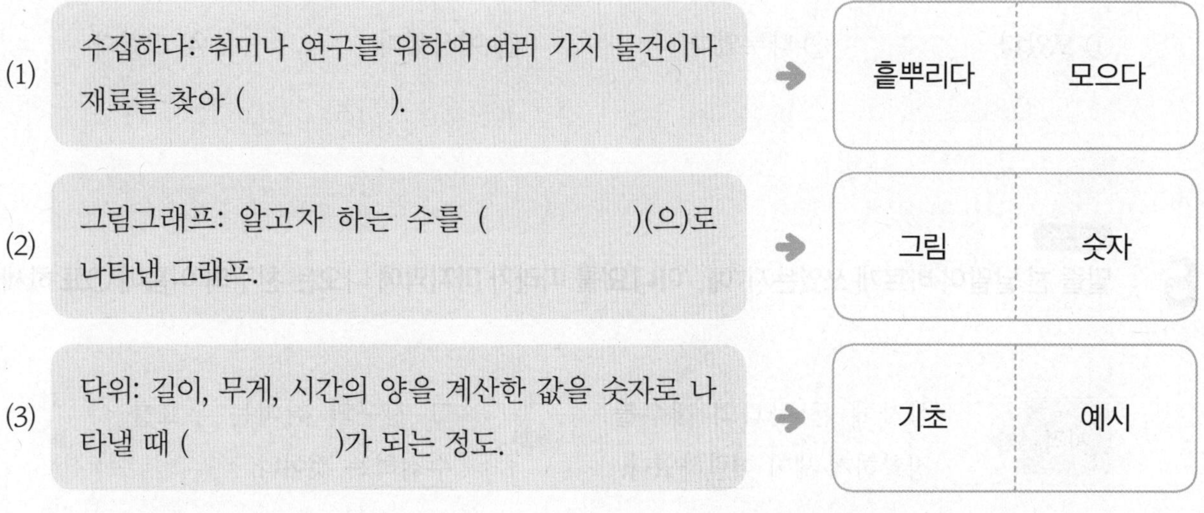

(1) 수집하다: 취미나 연구를 위하여 여러 가지 물건이나 재료를 찾아 (　　　　). → 흩뿌리다 | 모으다

(2) 그림그래프: 알고자 하는 수를 (　　　　)(으)로 나타낸 그래프. → 그림 | 숫자

(3) 단위: 길이, 무게, 시간의 양을 계산한 값을 숫자로 나타낼 때 (　　　　)가 되는 정도. → 기초 | 예시

낱말 이해

3 다음 밑줄 친 부분을 가리키는 낱말은 무엇인가요? (　　　　)

이 우유는 200<u>mL</u>이고 저 우유는 1<u>L</u>이다.

① 단위　② 어림　③ 등호　④ 그래프

낱말 적용

4 다음 문장을 읽고, 빈칸에 공통으로 들어갈 낱말을 보기 에서 찾아 쓰세요.

보기

들이　　무게　　길이　　거리

- 이 쓰레기 봉투의 (　　　　)는 1리터이다.
- 겉에서 본 그릇의 크기가 같다고 해서 (　　　　)가 같은 것은 아니다.
- 모아 놓은 음료수 병의 (　　　　)가 전부 제각각이었다.

✎ ____________

낱말 관계

5 밑줄 친 낱말과 뜻이 비슷한 것은 무엇인가요? (　　　　)

그 친구는 미술 작품을 수집했다.

① 모았다　② 나누었다　③ 예상했다　④ 그렸다

낱말 쓰임

6 밑줄 친 낱말이 바르게 쓰였는지 '예', '아니요'를 따라가 마지막에 나오는 친구의 이름에 ○표 하세요.

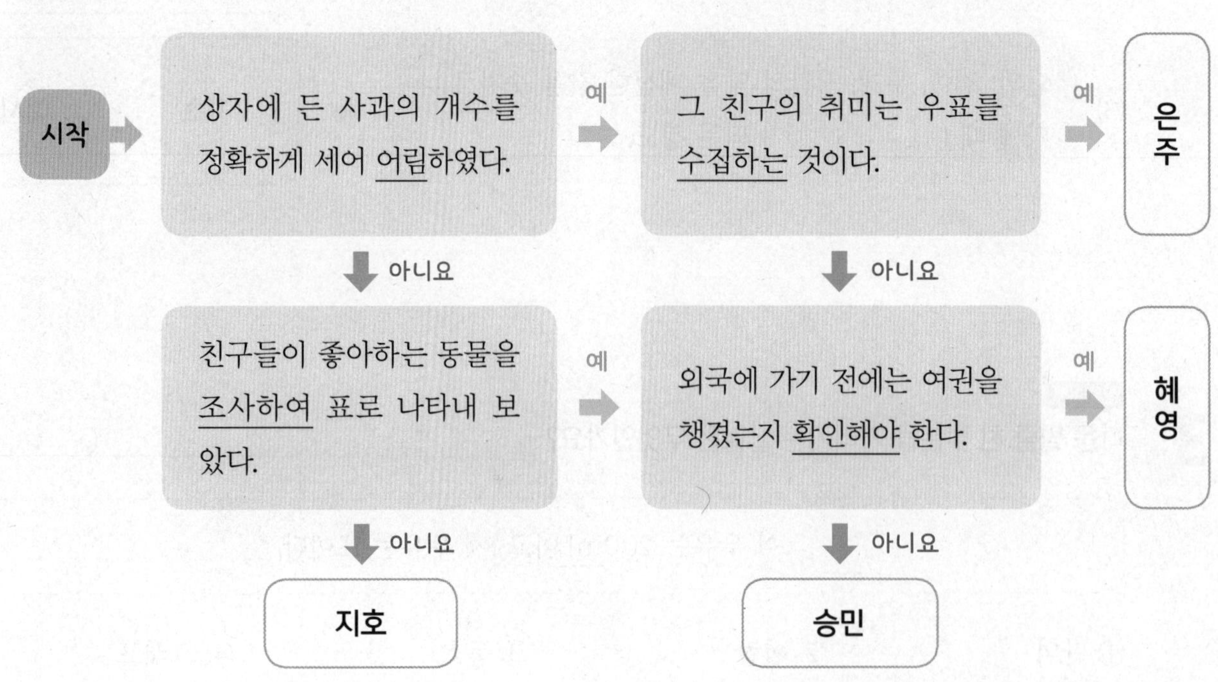

다음 인터넷 기사를 읽고, 물음에 답하세요.

Home > 신문 > 사회

작년 한 해, 국민 1인당 먹은 고기의 양 살펴보니

1인당 먹은 고기의 양(20○○년)

돼지고기	약 27kg
쇠고기	약 12kg
닭고기	약 12kg
합계	**약 51kg**

우리나라 국민의 고기 섭취량을 알아보기 위해 작년 한 해 동안 국민 1인당 먹은 고기의 양을 (㉠ㅈㅅ)해 보았습니다. 닭고기와 쇠고기를 먹은 양은 각각 약 12kg 정도로, 1년 동안 쇠고기와 닭고기를 먹은 양은 거의 비슷했습니다. 우리나라 사람들이 가장 많이 먹은 고기는 돼지고기로, 그 양은 1인당 약 27kg였습니다. 쇠고기와 닭고기를 먹은 양을 합친 것보다도 많은 것으로 (㉡ㅎㅇ)되었습니다.

1 이 글의 내용으로 알맞은 것은 무엇인가요? (　　　)

① 20○○년 국민 1인당 먹은 고기의 양이 가장 많은 것은 닭고기이다.

② 작년 한 해 동안 국민 1인당 쇠고기를 먹은 양이 닭고기보다 훨씬 적다.

③ 20○○년에 국민 1인당 돼지고기를 먹은 양은 약 27kg이다.

④ 국민들이 1인당 먹은 쇠고기와 닭고기의 양을 더하면 돼지고기를 먹은 양보다 많다.

2 다음 초성과 보기 를 보고, 빈칸에 들어갈 알맞은 낱말을 각각 쓰세요.

보기
- ㉠의 뜻: 어떤 내용을 확실히 알기 위하여 자세히 살펴보거나 찾아봄.
- ㉡의 뜻: 어떤 내용, 사실 등이 정확하게 맞는지 알아봄.

㉠ ______________ ㉡ ______________

5일차 학습 도움 어휘

본뜨다

이미 있는 것을 그대로 따라 만들다.

本 근본 **본**

예문 여러 가지 모양을 **본떠** 조각 작품을 만들었다.

활용 이 그림은 유명한 화가의 작품을 **본떠서** 그린 것이야.

비슷한말 모방하다

공평

어느 쪽으로도 치우치지 않고 고름.

公 공평할 **공** 平 평평할 **평**

예문 피자를 **공평**하게 나누는 방법을 찾아보았다.

활용 오늘날에는 남녀 구분 없이 집안일을 **공평**하게 나누어서 해.

비슷한말 공정, 평등

뜨다

물속이나 땅 위에서 가라앉거나 내려앉지 않고, 물 위나 공중에 있거나 위쪽으로 솟아오르다.

예문 운동장 흙을 물에 넣었을 때 **뜨는** 물질이 거의 없었다.

활용 바다에 둥둥 **뜬** 물건은 내가 잃어버렸던 튜브였다.

? 도움말 '뜨다'는 '감았던 눈을 벌리다.'라는 뜻으로도 쓰여요.

반영

1. 다른 것에 영향을 받아 어떤 현상이 나타남.
2. 빛이 반사하여 비침.

反 돌이킬 **반** 映 비출 **영**

예문 초가집, 기와집과 같은 옛날 집에는 조상들이 살던 모습이 **반영**[1]되어 있다.

활용 호수에 **반영**[2]된 햇빛이 정말 아름다워!

▲ 호수에 햇빛이 반영된 모습

발달

1. 학문, 기술, 문화가 높은 수준에 이름.
2. 신체, 정서, 지능 등이 성장함.

發 필 **발** 達 통할 **달**

예문 교통수단의 **발달**[1]로 사람들이 쉽고 빠르게 다른 곳으로 이동할 수 있게 되었다.

활용 영수는 운동 신경이 **발달**[2]해서 축구를 잘해.

생각그물

떠오르는 생각 등을 선으로 연결하여 쓰는 방법.

예문 글에 쓸 내용을 **생각그물**로 정리해 보았다.

활용 내가 쓴 **생각그물**과 친구들이 쓴 생각그물은 저마다 내용이 모두 달랐어.

관련 어휘 **마인드맵**: 마음속에 지도를 그리듯이 줄거리를 이해하며 정리하는 방법.

관계

둘 이상의 대상이 서로 이어져서 매여 있음.

關 빗장 **관** 係 걸릴 **계**

예문 '같다 - 다르다'는 서로 뜻이 반대인 **관계**의 낱말이다.

활용 민지와 수호는 서로 사촌 **관계**야.

비슷한말 관련

공간

아무것도 없는 빈 곳.

空 빌 **공** 間 사이 **간**

예문 기체는 **공간**을 차지하고 무게가 있다.

활용 이 **공간**은 책상을 놓기에 너무 좁아요.

비슷한말 자리, 장소

어휘 플러스+ 헷갈리는 어휘

예 **할머니는 눈에 띄게 마른 철호를 걱정하는 마음을 담아 편지를 띄웠다.**

띄다와 **띄우다**는 비슷해 보이지만 뜻이 다른 말이에요. '띄다'는 '뜨이다'의 줄임말로, '눈에 보이다.', '남보다 훨씬 두드러지다.'와 같이 다양한 뜻이 있어요. 위의 문장에서 '눈에 띄게 마른'이란 표현은 '할머니의 눈에 두드러지게 보일 정도로 마른'이라는 뜻이지요. **띄우다**는 '편지나 소포 따위를 부치거나 전하여 줄 사람을 보내다.'라는 뜻도 있고 '물 위나 공중에 있게 하거나 위쪽으로 솟아오르게 하다.', '거리를 꽤 멀게 하다.'라는 뜻도 있어요.

어휘 이해

정답과 해설 25쪽

문장을 읽고, 빈칸에 들어갈 낱말을 보기 에서 찾아 쓰세요.

보기

본떠서　공평　뜬　반영
발달　생각그물　관계　공간

1 '같다 - 다르다'는 서로 뜻이 반대인 ________의 낱말이다.

2 이 그림은 유명한 화가의 작품을 ________ 그린 것이야.

3 기체는 ________을/를 차지하고 무게가 있다.

4 호수에 ________된 햇빛이 정말 아름다워!

5 바다에 둥둥 ________ 물건은 내가 잃어버렸던 튜브였다.

6 오늘날에는 남녀 구분 없이 집안일을 ________하게 나누어서 해.

7 교통수단의 ________(으)로 사람들이 쉽고 빠르게 다른 곳으로 이동할 수 있게 되었다.

8 글에 쓸 내용을 ________(으)로 정리해 보았다.

정답과 해설 25쪽

낱말 이해

1 다음 뜻에 알맞은 낱말을 보기 에서 찾아 사다리를 타고 내려간 곳에 쓰세요.

보기

발달 공평 관계 공간

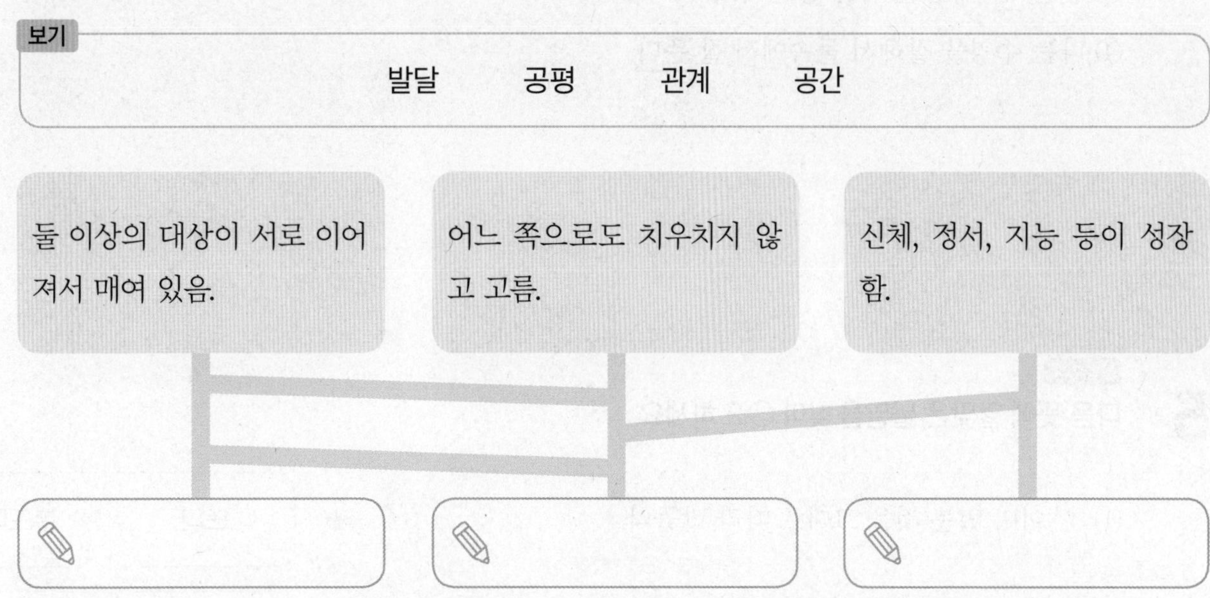

둘 이상의 대상이 서로 이어져서 매여 있음.
어느 쪽으로도 치우치지 않고 고름.
신체, 정서, 지능 등이 성장함.

낱말 관계

2 밑줄 친 낱말과 뜻이 비슷한 것은 무엇인가요? (   )

서랍의 <u>공간</u>이 너무 좁아서 큰 물건들을 넣을 수 없었다.

① 관계 ② 발달 ③ 자리 ④ 거리

낱말 적용

3 다음 문장이 완성되도록 알맞은 낱말에 ○표 하세요.

(1) 강아지는 후각이 (발달 / 반영)했다.

(2) 내가 쓸 내용을 (단위 / 생각그물)로 정리했다.

(3) 버스에 사람이 많아 탈 (공간 / 공중)이 부족했다.

낱말 쓰임

4 밑줄 친 '뜨다'의 뜻이 나머지와 다른 것은 무엇인가요? (　　　)

① 운동장 흙을 물에 넣었을 때 뜨는 물질이 거의 없다.

② 풍선은 물 위에 둥둥 뜬다.

③ 눈을 뜬 채 잠을 자는 동물이 있다.

④ 나는 수영을 잘해서 물속에서 잘 뜬다.

낱말 이해

5 다음 뜻에 알맞은 낱말을 찾아 ○표 하세요.

	뜻		낱말	
(1)	이미 있는 것을 그대로 따라 만들다.	→	뜨다	본뜨다
(2)	다른 것에 영향을 받아 어떤 현상이 나타남.	→	반영	평등
(3)	아무것도 없는 빈 곳.	→	공간	공평

낱말 적용

6 다음 빈칸에 들어갈 낱말로 바르게 짝 지어진 것은 무엇인가요? (　　　)

> 오늘날에는 남녀의 구분 없이 집안일을 서로 (㉠)하게 나누어 합니다. 이는 남녀가 서로 존중하는 평등한 문화가 (㉡)된 것입니다.

	㉠	㉡
①	공평	반영
②	공평	정돈
③	불공평	반영
④	불공평	분류

다음 여행 계획표를 읽고, 물음에 답하세요.

공주 여행 계획표

시간 및 장소	일정
오전 8:30 전주역	전주에서 기차를 타고 공주로 이동하기
오전 10:00 국립 공주 박물관	국립 공주 박물관에 도착하여 박물관 관람하기
오전 11:00 한옥 마을	조상들의 생활 모습이 ㉠반영된 한옥 마을을 관람하기
오후 12:00 맛나 식당	박물관 근처 맛나 식당에서 점심 먹기
오후 1:00 버스 터미널	버스를 타고 계룡산 입구로 이동하기
오후 2:00 계룡산 국립 공원	계룡산 국립 공원 등산하기
오후 6:00 금강 주변 성곽	햇빛이 ㉡반영된 금강과 주변 성곽 구경하기
오후 7:00 공주역	공주에서 기차를 타고 전주로 이동하기

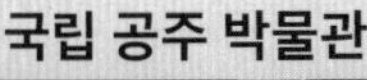

계룡산

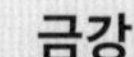

1 ㉠, ㉡의 알맞은 뜻을 찾아 줄로 이으세요.

(1) ㉠ 반영 •　　　　• 빛이 반사하여 비침.

(2) ㉡ 반영 •　　　　• 다른 것에 영향을 받아 어떤 현상이 나타남.

종합 평가

한 주 동안 학습한 어휘를 평가해 보세요.

정답과 해설 26~27쪽

1 다음 낱말의 뜻이 완성되도록 알맞은 말에 ○표 하세요.

(1) 어림: 정확하게 재어 보지 않고 (대강 / 정확하게) 생각하여 헤아린 수나 양.

(2) 하천: 강과 (시내 / 바다)를 아울러 이르는 말.

(3) 단위: 길이, 무게, 시간의 양을 계산한 값을 (숫자 / 글)로 나타낼 때 기초가 되는 정도.

2 밑줄 친 낱말과 뜻이 비슷한 것은 무엇인가요? (　　　)

선생님은 늘 <u>공정한</u> 판단을 내리신다.

① 공평한　② 가라앉은　③ 반영한　④ 솟아오른

3 문장의 빈칸에 들어갈 알맞은 낱말을 찾아 줄로 이으세요.

(1) 엄마에게 전할 메모를 (　　　)을/를 이용해 냉장고에 붙였다. •　　• 생각그물

(2) (　　　)을/를 이용해서 떠오르는 생각을 정리할 수 있다. •　　• 자석

(3) 스마트폰, 로봇 청소기 등은 우리 생활을 편리하게 해 주는 (　　　)이다. •　　• 언어 예절

(4) (　　　)을/를 지키지 않으면 대화가 잘 이루어지기 어렵다. •　　• 생활 도구

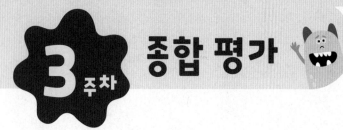

4 대화의 빈칸에 공통으로 들어갈 낱말을 보기 에서 찾아 쓰세요.

보기

단위 분수 공간 방향

지우: 우리 주변에서 사용되는 (   )에는 무엇이 있을까?
민지: 동물이나 벌레 등을 셀 때 '마리'라는 (   )을/를 사용해.
은영: 풀이나 배추 같은 것을 셀 때 쓰는 '포기'라는 (   )도 있어.
호영: 들이를 나타내는 'mL, L'라는 (   )도 있고, 무게를 나타내는 'g, kg'이라는 (   )도 있어.

✎ ______________________

5 다음 설명에서 가리키는 '이것'은 무엇인가요? (   )

- 이것의 한쪽 끝은 항상 남쪽을 가리키고, 다른 한쪽 끝은 항상 북쪽을 가리킵니다.
- 이것을 이용하면 바다나 사막에서도 방향을 찾을 수 있습니다.

① 시계 ② 나침반 ③ 자석 ④ 계산기

6 다음 글을 읽고, 빈칸에 들어갈 낱말을 보기 에서 찾아 각각 쓰세요.

보기

기온 강수량 예상합니다 분류합니다

인천, 서울, 춘천, 강릉은 맑고 화창한 날씨가 계속될 것으로 보입니다. 낮에는 바람이 다소 불겠지만 한낮에는 (㉠)이 15℃까지 올라 어제보다 따뜻하겠습니다. 다만 대전, 광주, 부산 등에는 비구름이 몰려와 소나기가 내릴 것으로 (㉡). 외출하실 때 우산을 준비해 주시기 바랍니다.

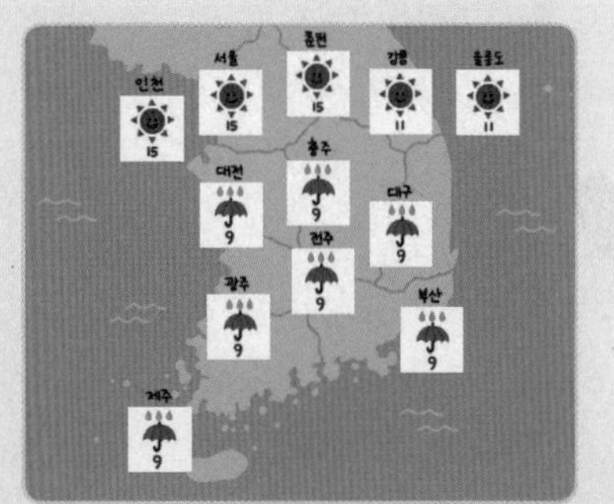

✎ ㉠ ______________ ㉡ ______________

4 주차

어휘 미리보기

이번 주에 학습할
어휘들을 살펴보자!

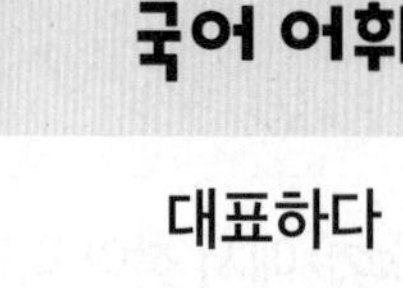

1일차

국어 어휘

- 대표하다
- 인상
- 소개하다
- 되풀이하다
- 소식지
- 경험
- 띄어쓰기
- 고쳐쓰기

2일차

사회 어휘

- 확대 가족
- 다문화 가족
- 입양
- 반려동물
- 혼인
- 동등하다
- 갈등
- 풍습

3일차

과학 어휘

- 지표
- 지형
- 퇴적 작용
- 침식 작용
- 표면
- 부식물
- 상류
- 갯벌

4일차

수학 어휘

- 자연수
- 분수
- 분자
- 분모
- 진분수
- 단위 분수
- 대분수
- 소수

5일차

학습 도움 어휘

- 충돌
- 추리
- 이루다
- 나타내다
- 까닭
- 유래
- 짐작하다
- 의사소통

평가 문제도
잘 풀어 보자!

4주
종합 평가

1일차 국어 어휘 #쓰기

3-1 2. 문단의 짜임
3-1 4. 내 마음을 편지에 담아
3-2 3. 자신의 경험을 글로 써요
3-2 7. 글을 읽고 소개해요

대표하다

전체의 내용을 어느 하나로 나타내다.

代 대신할 **대** 表 겉 **표**

예문 문단은 내용을 **대표하는** 문장과 그 밖의 문장으로 이루어져 있다.

활용 불국사 청운교는 경주를 **대표하는** 문화유산이야.

▲ 경주 불국사의 청운교

인상

어떤 대상에 대하여 마음속에 새겨지는 느낌.

印 도장 **인** 象 형상 **상**

예문 시골에 가서 가장 **인상** 깊었던 점을 글로 썼다.

활용 동해에 갔던 일이 **인상** 깊었어.

소개하다

1. 사람들이 잘 모르는 내용을 설명하다.
2. 모르는 사람들이 서로 알고 지내도록 사이를 이어 주다.

紹 이을 **소** 介 끼일 **개**

예문 책을 **소개할**[1] 때는 표지를 보여 주는 것이 좋다.

활용 영지는 나에게 옆 반 친구를 **소개했다**.[2]

되풀이하다

같은 말이나 일을 자꾸 반복하다.

예문 한 낱말을 **되풀이하기**보다 뜻이 비슷한 다른 낱말로 바꾸어 내용을 풍부하게 표현했다.

활용 이번에는 저번에 했던 실수를 **되풀이하지** 않도록 노력할 거야!

비슷한말 반복하다, 거듭하다

도움말 '되-'라는 말에는 '다시'라는 뜻이 있어요. '되살리다'는 '다시 살리다.'라는 뜻이며 '되돌아가다'는 '다시 돌아가다.'라는 뜻이지요.

소식지

새로운 소식을 알리는 종이.

消 꺼질 **소** 息 숨쉴 **식** 紙 종이 **지**

예문 지금까지 우리 반에서 있었던 일을 알려 주는 **소식지**를 만들어 보았다.

활용 우리 동네 **소식지**에 새로 문을 연 도서관에 대한 내용이 담겨 있대!

경험

자신이 실제로 해 보거나 겪어 봄.

經 경서 **경** 驗 시험 **험**

예문 친구로부터 편지를 받은 **경험**을 떠올렸다.

활용 수영을 해 봤던 **경험**이 없어서 물에 들어가기 무서워.

비슷한말 **체험**

띄어쓰기

글을 쓸 때, 어떤 말을 앞말과 띄어 쓰는 일.

예문 **띄어쓰기**를 하면 전하고자 하는 뜻을 정확히 전달할 수 있다.

활용 받아쓰기 시험에서 **띄어쓰기**를 틀렸어.

? 도움말 '아버지 가죽을 드신다.', '아버지가 죽을 드신다.'라는 문장을 읽어 보세요. 띄어쓰기로 문장의 뜻이 달라지지요? 띄어쓰기를 바르게 하지 않으면 뜻을 바르게 전할 수 없어요.

고쳐쓰기

자신이 쓴 글을 다시 읽고, 내용과 표현이 자연스럽지 못한 부분을 찾아 고치는 것.

예문 **고쳐쓰기**를 하면 잘못된 띄어쓰기나 표현을 바로잡을 수 있다.

활용 글짓기 대회에서 금상을 받을 수 있었던 이유는 **고쳐쓰기**를 여러 번 했기 때문이야.

어휘 플러스⁺ 5학년 어휘

예 내 주장을 뒷받침하기 위해 전문가의 말을 인용할 수 있다.

남의 말이나 글을 자신의 말이나 글 속에 담아 쓰는 것을 **인용**이라고 해요. 사람들에게 영향력을 끼칠 수 있는 사람이나 전문가의 말, 속담, 책에 나온 내용 등을 인용하면 자신의 주장이나 의견을 더욱 탄탄하게 뒷받침할 수 있어요. 하지만 다른 사람의 말이나 글을 인용할 때에는 어디에서 그 표현을 가져왔는지 꼭 밝혀야 해요.

어휘 이해

정답과 해설 27쪽

문장을 읽고, 빈칸에 들어갈 낱말을 보기 에서 찾아 쓰세요.

보기

대표하는 인상 소개할 되풀이하지
소식지 경험 띄어쓰기 고쳐쓰기

1 글짓기 대회에서 금상을 받을 수 있었던 이유는 ________ 을/를 여러 번 했기 때문이야.

2 수영을 해 봤던 ________ 이/가 없어서 물에 들어가기 무서워.

3 지금까지 우리 반에서 있었던 일을 알려 주는 ________ 을/를 만들어 보았다.

4 책을 ________ 때는 표지를 보여 주는 것이 좋다.

5 ________ 을/를 하면 전하고자 하는 뜻을 정확히 전달할 수 있다.

6 문단은 내용을 ________ 문장과 그 밖의 문장으로 이루어져 있다.

7 이번에는 저번에 했던 실수를 ________ 않도록 노력할 거야!

8 동해에 갔던 일이 ________ 깊었어.

정답과 해설 27~28쪽

낱말 이해

1 낱말의 뜻을 읽고, 알맞은 낱말을 찾아 줄로 이으세요.

(1) 새로운 소식을 알리는 종이. • 　　　　• 되풀이하다

(2) 전체의 내용을 어느 하나로 나타내다. • 　　　　• 소식지

(3) 같은 말이나 일을 자꾸 반복하다. • 　　　　• 대표하다

낱말 이해

2 다음 낱말의 뜻을 읽고, 낱말 퍼즐을 완성하세요.

가로 열쇠 ❶ 자신이 실제로 해 보거나 겪어 봄.

❷ 글을 쓸 때, 어떤 말을 앞말과 띄어 쓰는 일.

세로 열쇠 ❸ 자신이 쓴 글을 다시 읽고, 내용과 표현이 자연스럽지 못한 부분을 찾아 고치는 것.

			❸
❶			
❷			

낱말 이해

3 밑줄 친 낱말의 뜻으로 가장 알맞은 것에 ○표 하세요.

은지는 수호에게 새로 전학 온 미라를 <u>소개해</u> 주었다.

(1) 사람들이 잘 모르는 내용을 설명하다. (　　　)

(2) 모르는 사람들이 서로 알고 지내도록 사이를 이어 주다. (　　　)

어휘 적용

낱말 적용

4 다음 문장을 읽고, 빈칸에 공통으로 들어갈 낱말을 보기 에서 찾아 쓰세요.

보기

경험 인상 소개 소식지

- 편지, 쪽지, 전자 우편을 받았던 (   )을/를 떠올려 보았다.
- 민수는 새로운 (   )을/를 즐기는 도전적인 성격이다.
- 축구를 해 본 (   )이/가 없어서 경기장에서 당황했다.

✎ ____________________

낱말 쓰임

5 다음 중 낱말을 <u>잘못</u> 활용한 친구에 ×표 하세요.

영우 불국사는 신라 시대를 <u>대표하는</u> 소중한 문화유산이야. (   )

미라 그날그날 겪은 일이나 생각, 느낌을 적는 기록을 <u>소식지</u>라고 해. (   )

은지 떡볶이를 빠르게 완성할 수 있는 요리 방법을 <u>소개할게</u>. (   )

낱말 적용

6 다음 대화의 빈칸에 들어갈 알맞은 낱말로 짝 지어진 것은 무엇인가요? (   )

영은: 승훈아, '박물관에갔다.'는 '박물관에∨갔다.'로 (㉠   )를 해야 해.

승훈: 영은아, 정말 고마워. 쓴 글을 다시 한 번 읽어 보고 내용과 표현이 자연스럽지 못한 표현을 찾아 (㉡   )를 해야겠어.

	㉠	㉡
①	띄어쓰기	들여쓰기
②	내어쓰기	고쳐쓰기
③	띄어쓰기	고쳐쓰기
④	내어쓰기	들여쓰기

정답과 해설 28쪽

다음 소식지를 읽고, 물음에 답하세요.

사랑 초등학교 7월 소식지

새롭게 바뀐 복도 공간

우리 학교의 복도가 독서와 휴식을 위한 공간으로 바뀌었습니다. 편안한 의자에 앉아 다양하고 재미있는 책들을 마음껏 읽어 보세요. 여러분의 꿈과 생각이 무럭무럭 자랄 거예요.

우리 학교를 대표하는 탁구부, 전국 대회에서 우승!

탁구부가 전국 학생 체육 대회에서 우승했습니다. 탁구부 친구들에게 축하의 박수를 보냅니다.

7월의 행사를 (㉮)

- 여름 방학식: 7월 16일
- 효 체험 교실: 7월 18일
- 영어 캠프: 7월 20일 ~ 21일

이달의 책을 (㉮)

- 종류: 동화
- 줄거리: 속상했던 하루를 행복한 하루로 바꿔 주는 신비한 일기장에 대한 이야기

여러분의 글을 모집합니다!

한 학기 동안 가장 인상 깊었던 일을 주제로 한 글을 모집합니다.

1 ㉮에 공통으로 들어갈 낱말을 보기 에서 찾아 기호를 쓰세요.

보기

㉠ 소개합니다 ㉡ 감상합니다 ㉢ 되풀이합니다 ㉣ 대표합니다

 ______________

2 이 글의 내용을 바르게 이해하지 못한 친구에 ×표 하세요.

은주 학교 배구부가 전국 대회에서 우승했어. ( )

혜원 7월에 효 체험 교실이 열릴 거야. ( )

4주

2 일차 사회 어휘 #가족 #역할 #변화

확대 가족

결혼한 자녀가 부모와 함께 사는 가족.

擴 넓힐 **확** 大 큰 **대**
家 집 **가** 族 겨레 **족**

예문 옛날에는 **확대 가족**이 많았고 오늘날에는 핵가족이 많다.

관련 어휘 **핵가족:** 결혼하지 않은 자녀가 부모와 함께 사는 가족.

▲ 확대 가족

▲ 핵가족

다문화 가족

태어나거나 자란 나라, 문화가 다른 남녀가 만나 이루어진 가족.

多 많을 **다** 文 글월 **문** 化 될 **화**
家 집 **가** 族 겨레 **족**

예문 **다문화 가족**은 가족의 형태 중 하나이다.

활용 **다문화 가족**의 자녀는 서로 다른 문화와 말을 배우면서 자랄 수 있어.

관련 어휘 **다문화:** 한 사회 안에 여러 민족과 문화가 함께 섞여 있는 것을 이르는 말.

▲ 다문화 가족

입양

어떤 부모가 자신이 낳지 않은 아이를 데려와 자녀로 삼는 것.

入 들 **입** 養 기를 **양**

예문 김씨 부부의 자녀들은 **입양**한 아이들이다.

활용 우리 이모는 세 살 된 아기를 **입양**하여 기르고 있어.

관련 어휘 **입양 가족:** 부모와 입양한 자녀로 이루어진 가족.

반려동물

사람이 사랑을 주며 가족처럼 함께 지내는 동물.

伴 짝 **반** 侶 짝 **려**
動 움직일 **동** 物 만물 **물**

예문 많은 사람이 **반려동물**을 소중하게 생각한다.

활용 **반려동물**과 지내려면 책임감이 있어야 해!

혼인

남자와 여자가 부부가 되어 가정을 이루는 일.

婚 혼인할 **혼** 姻 혼인 **인**

예문 신랑과 신부는 서로 절을 하며 사람들에게 **혼인**이 이루어졌음을 널리 알렸다.

활용 아빠는 삼촌이 **혼인**한다는 소식을 듣고 기뻐하셨다.

비슷한말 결혼

동등하다

높고 낮음이나 좋고 나쁨 등의 차이가 없고 정도가 같다.

同 같을 **동** 等 같을 **등**

예문 나이, 성별에 상관없이 누구나 **동등한** 대우를 받아야 한다.

활용 우리 모두에게는 **동등한** 시간과 기회가 주어진다.

비슷한말 똑같다, 공평하다

갈등

서로 생각이나 마음이 맞지 않아 다투는 상황.

葛 칡 **갈** 藤 등나무 **등**

예문 우리 가족이 겪는 **갈등**을 해결하기 위해 가족회의를 열었다.

활용 두 나라의 **갈등**이 잘 해결되어 곧 평화가 찾아오길 소망하고 있어.

비슷한말 다툼, 대립

풍습

옛날부터 전해 오는 생활 습관.

風 바람 **풍** 習 익힐 **습**

예문 전통 혼례 때 신랑이 신부에게 오래도록 행복하게 살자는 의미로 나무로 만든 기러기를 주는 **풍습**이 있었다.

활용 옛날에는 비가 오지 않으면 하늘에 제사를 지내는 **풍습**이 있었다.

비슷한말 풍속, 관습

어휘 플러스+ 5학년 어휘

예 6·25 전쟁으로 이산가족이 된 할머니는 새터민을 보며 눈물을 흘리셨다.

원래는 하나의 나라였던 우리나라는 6·25 전쟁 이후 남한(대한민국)과 북한으로 나뉘면서 함께 살던 가족이 흩어져 살게 되었어요. 이처럼 서로 소식을 전할 수 없고, 볼 수도 없는 가족을 **이산가족**이라고 해요. **새터민**은 북한을 탈출해 새로운 터전에서 삶을 시작하는 사람을 뜻해요. 북한에서 살다가 대한민국으로 건너와 우리와 같은 국민으로 지내는 사람들이지요.

어휘 이해

정답과 해설 29쪽

문장을 읽고, 빈칸에 들어갈 낱말을 보기 에서 찾아 쓰세요.

보기

확대 가족 다문화 가족 입양 반려동물
혼인 동등한 갈등 풍습

1 ______________의 자녀는 서로 다른 문화와 말을 배우면서 자랄 수 있어.

2 옛날에는 비가 오지 않으면 하늘에 제사를 지내는 ______________이 있었다.

3 나이, 성별에 상관없이 누구나 ______________ 대우를 받아야 한다.

4 두 나라의 ______________이 잘 해결되어 곧 평화가 찾아오길 소망하고 있어.

5 옛날에는 ______________이 많았고 오늘날에는 핵가족이 많다.

6 신랑과 신부는 서로 절을 하며 사람들에게 ______________이 이루어졌음을 널리 알렸다.

7 우리 이모는 세 살 된 아기를 ______________하여 기르고 있어.

8 사람이 사랑을 주며 가족처럼 함께 지내는 동물을 ______________이라고 한다.

정답과 해설 29쪽

낱말 이해

1 낱말의 뜻을 읽고, 알맞은 낱말과 그림을 찾아 줄로 이으세요.

	뜻	낱말	그림
(1)	결혼한 자녀가 부모와 함께 사는 가족.	다문화 가족	
(2)	결혼하지 않은 자녀가 부모와 함께 사는 가족.	확대 가족	
(3)	태어나거나 자란 나라, 문화가 다른 남녀가 만나 이루어진 가족.	핵가족	

4주

낱말 이해

2 다음 낱말의 뜻이 완성되도록 알맞은 말에 ○표 하세요.

(1) 반려동물: 사람이 사랑을 주며 가족처럼 함께 지내는 (동물 / 식물).

(2) 입양: 어떤 부모가 자신이 (낳은 / 낳지 않은) 아이를 데려와 자녀로 삼는 것.

(3) 동등하다: 높고 낮음이나 좋고 나쁨 등의 차이가 없고 정도가 (같다 / 다르다).

낱말 적용

3 다음 문장을 읽고, 빈칸에 들어갈 낱말을 보기 에서 찾아 각각 기호로 쓰세요.

보기

㉠ 동등　　㉡ 입양　　㉢ 풍습　　㉣ 갈등

(1) 고모는 아기를 (　　　　)하기로 결정하셨다.

(2) 시험을 볼 때에는 누구에게나 (　　　　)한 시간이 주어진다.

(3) 추석에는 달맞이를 하고 송편을 먹는 (　　　　)이 있다.

어휘 적용

낱말 관계

4 밑줄 친 낱말과 뜻이 비슷한 것은 무엇인가요? ( )

옛날에는 신부의 집에서 혼인을 하는 경우가 많았다.

① 결혼 ② 입양 ③ 반려 ④ 부모

낱말 적용

5 다음 대화의 빈칸에 공통으로 들어갈 낱말을 무엇인가요? ( )

선생님: 어제 우리 반에서 서로 ( )이/가 생겨 다툼이 일어났어요.
지 영: 다행히 서로 존중하고 배려하는 마음으로 대화하면서 ( )을/를 해결할 수 있었어요.
선생님: 그래요. ( )을/를 무조건 피하기보다 대화를 나누고 문제를 해결하면 서로를 더욱 이해할 수 있어요.

① 입양 ② 갈등 ③ 문화 ④ 풍습

낱말 이해

6 다음 설명에서 가리키는 '이것'이 무엇인지 알맞은 낱말을 쓰세요.

- 많은 사람이 이것을 소중하게 생각합니다.
- 이것은 사람이 사랑을 주며 가족처럼 함께 지내는 동물입니다.

다음 신문 기사를 읽고, 물음에 답하세요.

스터디일보 20○○년 8월 13일

혼자 사는 사람 600만 명 넘어

우리나라에서 혼자 사는 사람의 수, 즉 1인 가구 수가 2020년에 약 665만 명에 이르렀다. 40년 전인 1980년대에는 결혼한 자녀가 부모와 함께 사는 (㉠)이 많았다. 그러나 시간이 흐르며 학교나 직장 등의 여러 가지 이유로 결혼하지 않은 자녀가 부모와 함께 사는 (㉡)이 늘어났고, 최근에는 혼자 사는 사람의 수도 많아졌다.

1인 가구가 많아지자 기업들은 혼자 사는 사람을 위한 가전제품을 많이 만들어 내고 있다. 좁은 공간에서도 편리하게 사용할 수 있는 1인용 밥솥, 오븐, 냉장고, 청소기 등이 혼자 사는 사람들 사이에서 큰 인기를 끌고 있다.

우리나라 1인 가구 수

연도	2017년	2018년	2019년	2020년
가구 수	약 560만 명	약 584만 명	약 615만 명	약 665만 명

(출처: 통계청)

4 주

1 이 글의 내용으로 바르지 않은 것에 ×표 하세요.

(1) 혼자 사는 사람의 수는 점점 줄어들고 있다. ( )

(2) 2020년에 혼자 사는 사람의 수는 약 665만 명이다. ( )

(3) 1인용 가전제품은 좁은 공간에서 편리하게 사용할 수 있다. ( )

2 ㉠, ㉡에 들어갈 알맞은 낱말을 보기 에서 찾아 각각 쓰세요.

보기

다문화 가족 혼인 확대 가족 핵가족

㉠ ________ ㉡ ________

3 일차 과학 어휘

지표

땅의 겉면.

地 땅 **지** 表 겉 **표**

예문 오랜 시간에 걸쳐 흐르는 강물이 **지표**의 모습을 서서히 변화시켰다.

활용 낮에는 **지표**의 온도가 올라간다.

비슷한말 지표면

▲ 지표의 모습

지형

땅의 모양이나 생김새.

地 땅 **지** 形 형상 **형**

예문 바닷가에는 바닷물에 의해 다양한 **지형**이 만들어진다.

활용 제주도에는 다양한 **지형**이 있어.

비슷한말 지리

▲ 제주도의 지형

퇴적 작용

물이나 바람 등으로 옮겨진 돌이나 흙이 쌓이는 것.

堆 흙무더기 **퇴** 積 쌓을 **적**
作 지을 **작** 用 쓸 **용**

예문 강이 끝나는 하류에서는 **퇴적 작용**이 활발히 일어난다.

활용 바닷물의 **퇴적 작용**으로 모래나 고운 흙이 쌓여 모래 해변이 생겼다.

▲ 퇴적 작용으로 쌓인 모래

침식 작용

지표의 바위나 돌, 흙 등이 깎여 나가는 것.

浸 적실 **침** 蝕 갉아먹을 **식**
作 지을 **작** 用 쓸 **용**

예문 강이 시작되는 상류에서는 **침식 작용**이 활발히 일어난다.

활용 절벽은 수천 년 동안 계속된 바닷물의 **침식 작용**으로 만들어졌대.

▲ 침식 작용으로 생긴 절벽

표면

1. 가장 바깥쪽이나 가장 윗부분.
2. 겉으로 나타나거나 눈에 띄는 부분.

表 겉 표 面 낯 면

예문 지구의 **표면**[1]에서 산, 강, 바다와 같은 다양한 모습을 볼 수 있다.

활용 그 사건의 진실이 드디어 **표면**[2]에 드러났어!

비슷한말 겉면

부식물

식물의 뿌리나 줄기, 죽은 곤충 등이 오랫동안 썩어서 만들어진 것.

腐 썩을 부 植 심을 식 物 만물 물

예문 운동장 흙에 비하여 화단 흙에는 **부식물**이 많이 들어 있다.

활용 **부식물**은 식물이 잘 자라는 데 도움을 준다.

상류

강이 시작되는 부분.

上 위 상 流 흐를 류

예문 강의 **상류**에는 커다란 바위가 많다.

활용 계곡의 **상류**로 올라갈수록 물이 점점 맑아지는구나!

반대말 하류

갯벌

바닷물이 들어왔다 빠져나갔을 때 나타나며, 부드러운 흙으로 이루어진 넓고 평평한 땅.

예문 바닷물의 퇴적 작용으로 생긴 **갯벌**에는 조개, 게 등 여러 가지 생물이 살고 있다.

▲ 갯벌에 사는 생물

어휘 플러스+ 4학년 어휘

예 경사가 완만한 강의 하류에는 모래와 흙이 쌓인다.

경사는 비스듬히 기울어진 상태나 정도를 뜻하는 말이에요. '경사가 급하다.'는 '기울어진 정도가 크다.'라는 뜻으로, '경사가 가파르다.'라고 하기도 해요. 반면 '경사가 완만하다.'라는 말은 '기울어진 정도가 작다.'라는 뜻으로 쓰여요. 경사가 낮은 곳을 말할 때 주로 '경사가 완만하다.'라고 해요. 경사가 완만한 하류에는 상류에서부터 흘러온 모래와 흙, 즉 퇴적물이 쌓여요.

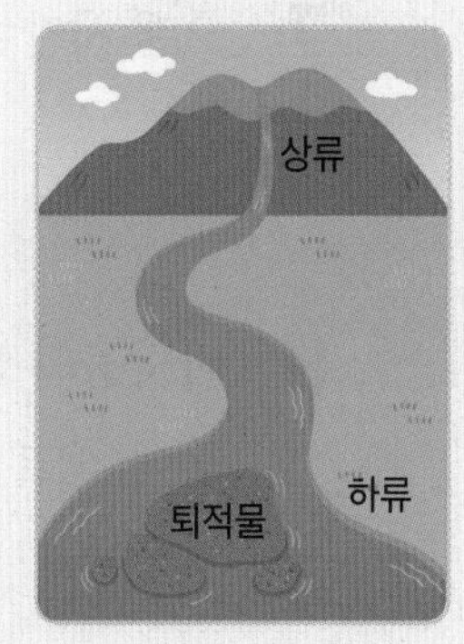

정답과 해설 30쪽

문장을 읽고, 빈칸에 들어갈 낱말을 보기 에서 찾아 쓰세요.

보기

지표　지형　퇴적 작용　침식 작용
표면　부식물　상류　갯벌

1 ________은/는 식물이 잘 자라는 데 도움을 준다.

2 그 사건의 진실이 드디어 ________에 드러났어!

3 바닷물의 ________(으)로 모래나 고운 흙이 쌓여 모래 해변이 생겼다.

4 절벽은 수천 년 동안 계속된 바닷물의 ________(으)로 만들어졌대.

5 강의 ________에는 커다란 바위가 많다.

6 제주도에는 다양한 ________이/가 있어.

7 오랜 시간에 걸쳐 흐르는 강물이 ________의 모습을 서서히 변화시켰다.

8 바닷물의 퇴적 작용으로 생긴 ________에는 조개, 게 등 여러 가지 생물이 살고 있다.

정답과 해설 30~31쪽

낱말 이해

1 낱말의 뜻을 읽고, 보기 에서 글자 카드를 찾아 빈칸에 알맞은 낱말을 쓰세요.

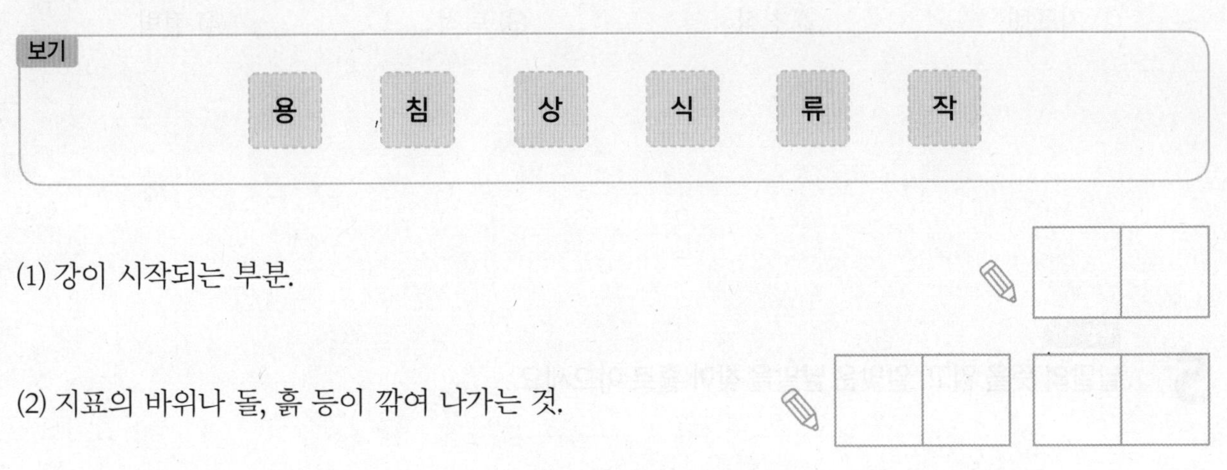

(1) 강이 시작되는 부분.

(2) 지표의 바위나 돌, 흙 등이 깎여 나가는 것.

낱말 관계

2 다음 보기 의 두 낱말의 관계와 비슷한 것은 무엇인가요? (　　　)

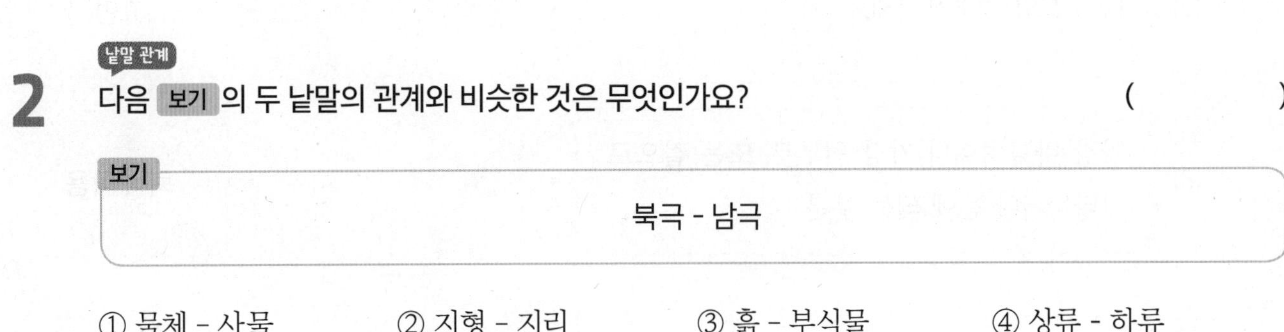

① 물체 - 사물　② 지형 - 지리　③ 흙 - 부식물　④ 상류 - 하류

낱말 적용

3 다음 문장을 읽고, 빈칸에 들어갈 알맞은 낱말을 보기 에서 찾아 기호로 쓰세요.

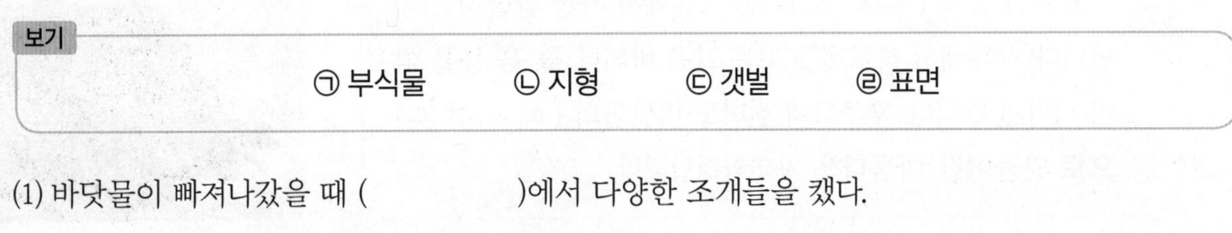

(1) 바닷물이 빠져나갔을 때 (　　　　)에서 다양한 조개들을 캤다.

(2) 우리나라에는 계곡, 갯벌, 해안 등 다양한 (　　　　)이 있다.

(3) (　　　　)이 많은 땅에서 자란 식물은 튼튼하다.

4주

어휘 적용

낱말 관계

4 밑줄 친 낱말과 뜻이 비슷한 것은 무엇인가요? (　　)

흐르는 물은 지표를 변화시킨다.

① 지표면　② 침식　③ 퇴적　④ 절벽

낱말 이해

5 낱말의 뜻을 읽고, 알맞은 낱말을 찾아 줄로 이으세요.

(1)	물이나 바람 등으로 옮겨진 돌이나 흙이 쌓이는 것.	지형
(2)	땅의 모양이나 생김새.	표면
(3)	가장 바깥쪽이나 가장 윗부분. 또는 겉으로 나타나거나 눈에 띄는 부분.	퇴적 작용

낱말 적용

6 다음 초성을 보고, 빈칸에 공통으로 들어갈 낱말을 쓰세요.

흐르는 물의 (ㅊ ㅅ ㅈ ㅇ)은 상류에서 가장 활발히 일어납니다. 상류에서 빠르게 흐르는 물은 바위나 돌, 흙 등을 깎여 나가게 합니다. 제주도의 절벽도 바닷물의 (ㅊ ㅅ ㅈ ㅇ)으로 만들어진, 아름다운 자연환경입니다.

 다음 블로그의 글을 읽고, 물음에 답하세요.

가짜 지폐, 이렇게 구분하자!

여러분의 주머니에 있는 돈, 진짜 돈이 맞을까요? 우리나라의 *중앙은행에서는 가짜 지폐를 만들지 못하도록 최첨단 기술이 적용된 지폐를 만들고 있습니다. 그럼 어떤 방법으로 가짜 지폐를 가려낼 수 있을까요? 제가 뉴스에서 봤던 '가짜 지폐 확인 방법'을 알려 드릴게요!

가짜 지폐 가려내는 방법

❶ 지폐를 만져 보세요.
숫자나 글자가 써진 ㉠표면을 만져 보면 오돌토돌한 감촉을 느낄 수 있어요.

❷ 지폐를 빛에 비추어 보세요.
지폐를 들어 빛에 비추면 세종 대왕의 얼굴과 태극 무늬가 보여요.

• 중앙은행 동전, 지폐를 만들어 내는 은행.

1 ㉠과 바꾸어 쓸 수 있는 낱말을 보기 에서 찾아 쓰세요.

보기
겉면　　안면　　이면

2 이 글의 내용을 바르게 이해한 친구에 ○표 하세요.

소진 우리나라의 중앙은행에서 일부러 가짜 돈을 만들기도 해. (　　)

민지 진짜 돈을 빛에 비추면 세종 대왕의 얼굴이 보여. (　　)

4일차 수학 어휘 #분수 #소수

자연수

1부터 시작하여 하나씩 더하여 얻을 수 있는 수.

自 스스로 **자** 然 그럴 **연** 數 셀 **수**

예문 4보다 작은 **자연수**로 1, 2, 3이 있다.

활용 1~9까지의 **자연수** 중, 가장 큰 수는 9이다.

? 도움말 자연수는 끝이 없어서 모두 셀 수 없어요.

1, 2, …, 1999, 2000, …

분수

1. 전체를 똑같이 몇으로 나누었을 때 전체에 대한 부분을 나타내는 수.
2. 자기 형편에 맞는 정도.

分 나눌 **분** 數 셀 **수**

예문 피자를 8조각으로 똑같이 나눈 것 중의 3조각을 **분수**[1]로 나타내면 $\frac{3}{8}$이라고 쓴다.

활용 저 친구는 **분수**[2]에 맞지 않게 돈을 낭비해.

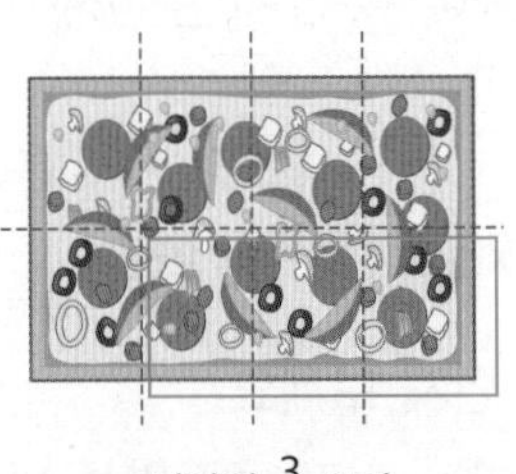

▲ 피자의 $\frac{3}{8}$ 조각

분자

분수에서 가로줄 위에 있는 수.

分 나눌 **분** 子 아들 **자**

예문 $\frac{2}{5}$에서 2는 **분자**이다.

예문 분수 중에서 **분자**가 1인 분수를 찾아보았다.

$\frac{②}{5}$ $\frac{①}{4}$ $\frac{③}{7}$

▲ 분수의 분자

분모

분수에서 가로줄 아래에 있는 수.

分 나눌 **분** 母 어머니 **모**

예문 $\frac{2}{3}$에서 3은 **분모**이다.

예문 분수 중에서 분자가 **분모**보다 작은 분수를 찾아 보았다.

$\frac{2}{③}$ $\frac{1}{⑥}$ $\frac{5}{⑨}$

▲ 분수의 분모

진분수

분자가 분모보다 작은 분수.

眞 참 **진** 分 나눌 **분** 數 셀 **수**

예문 **진분수**는 가분수보다 작은 수이다.

도움말 가분수는 분자가 분모와 같거나 분모보다 큰 분수로, 진분수의 반대말이에요.

$\frac{1}{4}$ $\frac{2}{4}$ $\frac{3}{4}$

▲ 진분수

$\frac{4}{4}$ $\frac{5}{4}$ $\frac{6}{4}$

▲ 가분수

단위 분수

분수에서 분자가 1인 분수.

單 홑 **단** 位 자리 **위** 分 나눌 **분** 數 셀 **수**

예문 $\frac{1}{3}$은 **단위 분수**이다.

예문 **단위 분수**는 분모가 클수록 더 작은 수이다.

$\frac{①}{2}$ $\frac{①}{3}$ $\frac{①}{4}$

▲ 단위 분수

대분수

자연수와 진분수로 이루어진 분수.

帶 띠 **대** 分 나눌 **분** 數 셀 **수**

예문 대분수 $2\frac{2}{3}$와 가분수 $\frac{8}{3}$은 같다.

도움말 $2\frac{2}{3}$는 자연수 2와 진분수 $\frac{2}{3}$로 이루어져요.

$2\frac{2}{3}$

▲ 대분수

소수

0.1, 0.2, 0.3과 같이 0보다 크고 1보다 작은 수.

小 작을 **소** 數 셀 **수**

예문 분수 $\frac{1}{10}$을 **소수**로 나타내면 0.1이다.

예문 **소수** 0.1은 '영 점 일'이라고 읽는다.

관련 어휘 소수점: 소수를 나타낼 때 쓰는 점.

어휘 플러스+ 5학년 어휘

예 분모가 다른 분수의 크기를 비교할 때 통분한 다음, 수의 크기를 비교한다.

분모가 서로 같다면, 분자의 수가 클수록 큰 수예요. 그렇다면 분모가 서로 다른 $\frac{1}{3}$과 $\frac{2}{5}$ 중, 더 큰 수는 무엇일까요? 분모가 다른 분수의 크기를 비교하기 위해서는 통분을 해야 해요. **통분**이란, 서로 다른 분수의 분모를 같은 수로 만드는 것을 뜻해요. $\frac{1}{3}$과 $\frac{2}{5}$의 크기를 비교할 때, 각각 $\frac{5}{5}$, $\frac{3}{3}$을 곱해 분수의 크기를 비교할 수 있지요.

통분 $\frac{1}{3}\times\frac{5}{5}=\frac{5}{15}$, $\frac{2}{5}\times\frac{3}{3}=\frac{6}{15}$

비교 $\frac{5}{15}<\frac{6}{15}$

어휘 이해

정답과 해설 32쪽

문장을 읽고, 빈칸에 들어갈 낱말을 보기 에서 찾아 쓰세요.

보기

자연수 분수 분자 분모
진분수 단위 분수 대분수 소수

1 4보다 작은 __________로 1, 2, 3이 있다.

2 분수에서 분자가 1인 분수를 __________라고 한다.

3 __________ $2\frac{2}{3}$와 가분수 $\frac{8}{3}$은 같다.

4 분수 $\frac{1}{10}$을 __________로 나타내면 0.1이다.

5 __________는 가분수보다 작은 수이다.

6 $\frac{2}{3}$에서 3은 __________이다.

7 $\frac{2}{5}$에서 2는 __________이다.

8 피자를 8조각으로 똑같이 나눈 것 중의 3조각을 __________로 나타내면 $\frac{3}{8}$이라고 쓴다.

정답과 해설 32쪽

낱말 이해

1 뜻에 알맞은 낱말을 글자판에서 찾아 묶으세요. 낱말은 가로, 세로, 대각선으로 묶을 수 있어요.

❶ 분자가 분모보다 작은 분수.
❷ 1부터 시작하여 하나씩 더하여 얻을 수 있는 수.
❸ 소수를 나타낼 때 쓰는 점.
❹ 분수에서 가로줄 위에 있는 수.
❺ 분수에서 가로줄 아래에 있는 수.

단	소	수	점
분	로	진	영
단	자	분	모
자	연	수	주

4주

낱말 관계

2 다음 보기 의 두 낱말의 관계와 비슷한 것은 무엇인가요? (　　　　)

보기

진분수 - 가분수

① 행복 - 기쁨　　② 소개 - 안내　　③ 더하기 - 빼기　　④ 정리 - 정돈

낱말 이해

3 낱말의 뜻을 읽고, 알맞은 낱말을 찾아 줄로 이으세요.

(1) 자연수와 진분수로 이루어진 분수. •　　　　• 대분수

(2) 분수에서 분자가 1인 분수. •　　　　• 소수

(3) 0.1, 0.2, 0.3과 같이 0보다 크고 1보다 작은 수. •　　　　• 단위 분수

어휘 적용

낱말 쓰임

4 다음 보기 의 밑줄 친 낱말과 같은 뜻으로 쓰인 문장에 ○표 하세요.

보기

분수 $\frac{1}{10}$을 소수로 나타낼 때 0.1이라고 쓴다.

(1) 분수에 맞지 않게 돈을 낭비하고 말았다. ( )

(2) 분모는 분수에서 가로줄 아래에 있다. ( )

낱말 적용

5 다음 문장을 읽고, 빈칸에 들어갈 알맞은 낱말의 기호를 보기 에서 찾아 쓰세요.

보기

㉠ 소수 ㉡ 소수점 ㉢ 분자 ㉣ 분모

(1) 0.5는 ( )이다.

(2) $\frac{2}{5}$에서 5는 ( )이다.

(3) 2.3에서 2와 3 사이에 있는 점은 ( )이다.

낱말 적용

6 다음 글의 빈칸에 들어갈 알맞은 낱말로 짝 지어진 것은 무엇인가요? ( )

내가 어제 먹은 케이크의 양을 (㉠)로 나타내 볼게. 케이크 (㉡)을/를 8개의 조각으로 똑같이 나누고 그중 1조각을 먹었어. 이때, 난 $\frac{1}{8}$조각을 먹었다고 할 수 있지.

	㉠	㉡
①	분수	부분
②	분수	전체
③	분모	부분
④	분자	전체

다음 블로그의 요리 방법을 읽고, 물음에 답하세요.

쇠고기 카레 만드는 법

【재료】

-  쇠고기 100g
-  감자 ㉠ 1개
-  양파 ㉡ $1\frac{1}{2}$개
- 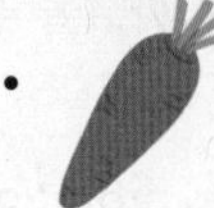 당근 ㉢ $\frac{2}{3}$개
-  브로콜리 $\frac{3}{4}$개
- 카레 가루와 기름

【만드는 순서】

1. 채소들을 1cm 정도의 크기로 썰어 둔다.
2. 냄비에 기름을 두르고 채소들을 볶는다.
3. 냄비에 물을 붓고 카레 가루를 넣은 뒤 끓인다.
4. 재료가 다 익으면 불을 끈다.

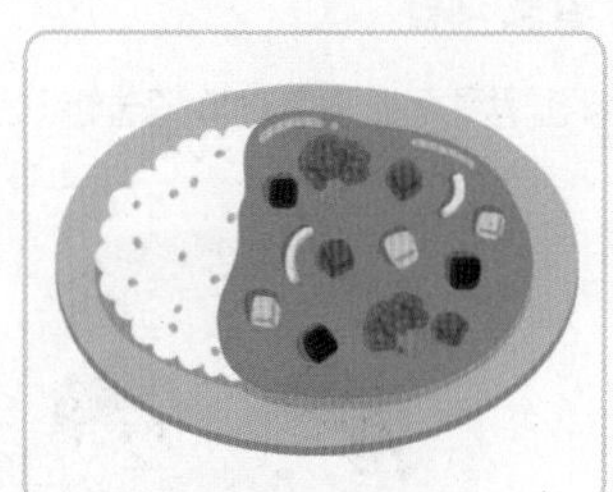

4주

1 ㉠ ~ ㉢에 해당하는 낱말을 찾아 줄로 이으세요.

(1) ㉠ 1 •

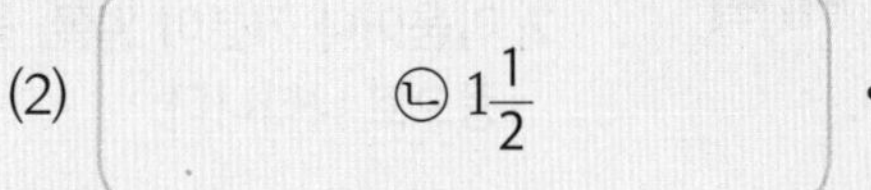
(2) ㉡ $1\frac{1}{2}$ •

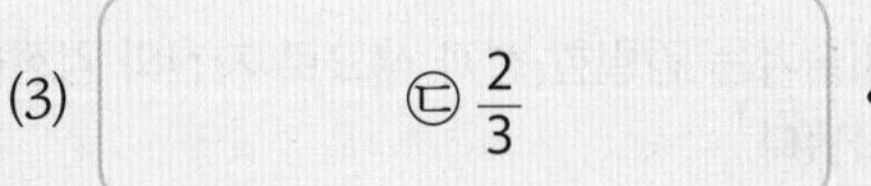
(3) ㉢ $\frac{2}{3}$ •

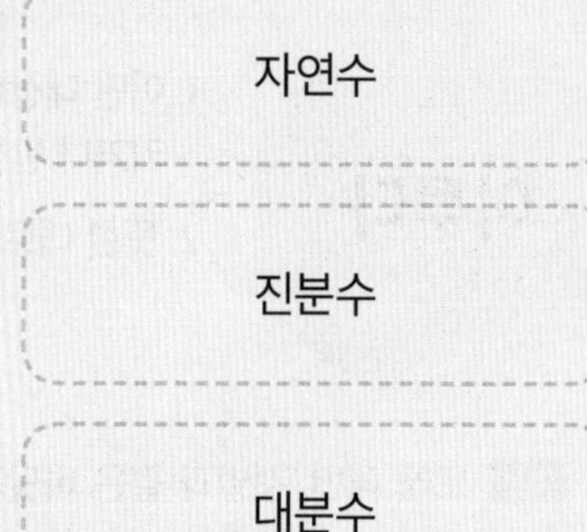
• 자연수
• 진분수
• 대분수

2 카레 만드는 방법으로 바르지 않은 것은 무엇인가요? (   )

① 냄비에 물을 붓고 카레 가루를 넣은 뒤 끓인다.

② 냄비에 기름을 두르고 채소들을 볶는다.

③ 채소들을 썰어 둔다.

④ 재료가 다 익기 전에 불을 끈다.

5일차 학습 도움 어휘

충돌

서로 맞부딪치거나 맞섬.

衝 찌를 충 突 부딪칠 돌

예문 달 표면에는 운석과의 **충돌**로 생긴 크고 작은 구덩이가 많다.

활용 두 친구는 의견이 **충돌**하자 다투기 시작했다.

비슷한말 갈등, 대립

도움말 의견, 감정 등이 맞설 때도 '충돌한다'는 말을 써요.

추리

이미 알고 있는 것을 바탕으로 무슨 일이 일어났는지 미루어 생각함.

推 옮길 추 理 다스릴 리

예문 배추흰나비의 번데기가 움직이지 않는 까닭을 **추리**해 보았다.

활용 발자국의 모양을 **추리**해 보면 범인이 누구인지 알 수 있어!

이루다

1. 어떤 대상이 어떤 상태를 일으키거나 만들다.
2. 뜻한 대로 되게 하다.

예문 모래 해변, 갯벌과 같은 바닷가 지형은 오랜 시간에 걸쳐 **이루어진다**.[1]

활용 학년이 올라가도 민정이와 같은 반이 되길 바라던 소원이 **이루어졌어**![2]

나타내다

1. 생각이나 느낌을 글, 그림, 음악 따위로 드러내다.
2. 마음이나 기분이 얼굴, 몸, 행동으로 나타나다.

예문 미술가는 강렬한 선과 색으로 자신의 감정을 **나타냈다**.[1]

활용 혜영이는 우리에게 반가운 기색을 **나타냈다**.[2]

까닭

일이 생기게 된 이유.

예문 국어 시간에 인상 깊었던 책과 그 **까닭**을 말하는 시간을 가졌다.

활용 영수는 아무 **까닭** 없이 눈물을 흘렸어요.

비슷한말 탓, 원인

유래

어떤 사물이나 일이 생겨남. 또는 그 사물이나 일이 생겨난 바.

由 말미암을 **유** 來 올 **래**

예문 고장의 옛이야기로 오늘날 우리 고장의 **유래**를 알 수 있다.

활용 우리가 먹는 샌드위치는 샌드위치 백작이 만들어 먹은 데서 **유래**했다고 해.

비슷한말 기원

짐작하다

어떤 일의 상태나 결과, 까닭 등을 대강 헤아려 보다.

斟 짐작할 **짐** 酌 따를 **작**

예문 제목을 보고 글쓴이의 생각을 **짐작할** 수 있다.

활용 전학 온 친구의 말투를 듣고 성격을 **짐작해** 봤어.

비슷한말 헤아리다, 생각하다

의사소통

다른 사람과 주고받은 생각이나 뜻이 통하는 것.

意 뜻 **의** 思 생각 **사**
疏 트일 **소** 通 통할 **통**

예문 **의사소통**을 할 때 몸짓을 사용하면 말하고자 하는 내용을 더 정확하게 전달할 수 있다.

활용 외국인과 **의사소통**이 어려워 말하려는 내용을 전달하는 데 애를 먹었어.

어휘 플러스+ 관용 표현

예 그 편지는 다툼의 불씨가 되었다.

'불씨'의 본래 뜻은 '언제나 불을 옮겨 붙일 수 있는 불덩이'를 말해요. **불씨가 되다**라는 말에서 '불씨'는 '어떠한 사건이나 일을 일으키게 되는 까닭'을 빗대어 이르는 말이에요. 위에 제시된 문장을 살펴볼까요? 다툼의 불씨는 편지라고 했어요. '편지'가 싸움의 까닭, 즉 '불씨'가 된 것이지요. '강을 살리고자 하는 마음이 불씨가 되어 전국에서 하천 살리기 운동이 일어났다.'라는 문장에서 불씨가 된 것은 무엇일까요? 바로 하천 살리기 운동이 일어나게 된 까닭, 즉 '강을 살리고자 하는 마음'이에요. 이처럼 어떤 것을 일으킨 까닭을 밝힐 때, '불씨가 되다'라는 표현을 사용할 수 있어요.

정답과 해설 33쪽

문장을 읽고, 빈칸에 들어갈 낱말을 보기 에서 찾아 쓰세요.

보기

충돌 추리 이루어진다 나타냈다
까닭 유래 짐작할 의사소통

1 외국인과 __________ 이/가 어려워 말하려는 내용을 전달하는 데 애를 먹었어.

2 미술가는 강렬한 선과 색으로 자신의 감정을 __________.

3 고장의 옛이야기로 오늘날 우리 고장의 __________ 을/를 알 수 있다.

4 제목을 보고 글쓴이의 생각을 __________ 수 있다.

5 영수는 아무 __________ 없이 눈물을 흘렸어요.

6 모래 해변, 갯벌과 같은 바닷가 지형은 오랜 시간에 걸쳐 __________.

7 발자국의 모양을 __________ 해 보면 범인이 누구인지 알 수 있어!

8 두 친구는 의견이 __________ 하자 다투기 시작했다.

정답과 해설 33~34쪽

낱말 이해

1 다음 뜻에 알맞은 낱말을 보기 에서 찾아 기호로 쓰세요.

보기

㉠ 유래 ㉡ 이루다 ㉢ 충돌 ㉣ 추리

(1) 어떤 대상이 어떤 상태를 일으키거나 만들다. 또는 뜻한 대로 되게 하다. ( )

(2) 어떤 사물이나 일이 생겨남. 또는 그 사물이나 일이 생겨난 바. ( )

(3) 이미 알고 있는 것을 바탕으로 무슨 일이 일어났는지 미루어 생각함. ( )

4주

낱말 이해

2 다음 뜻에 알맞은 낱말을 보기 에서 찾아 사다리를 타고 내려간 곳에 쓰세요.

보기

의사소통 나타내다 짐작하다

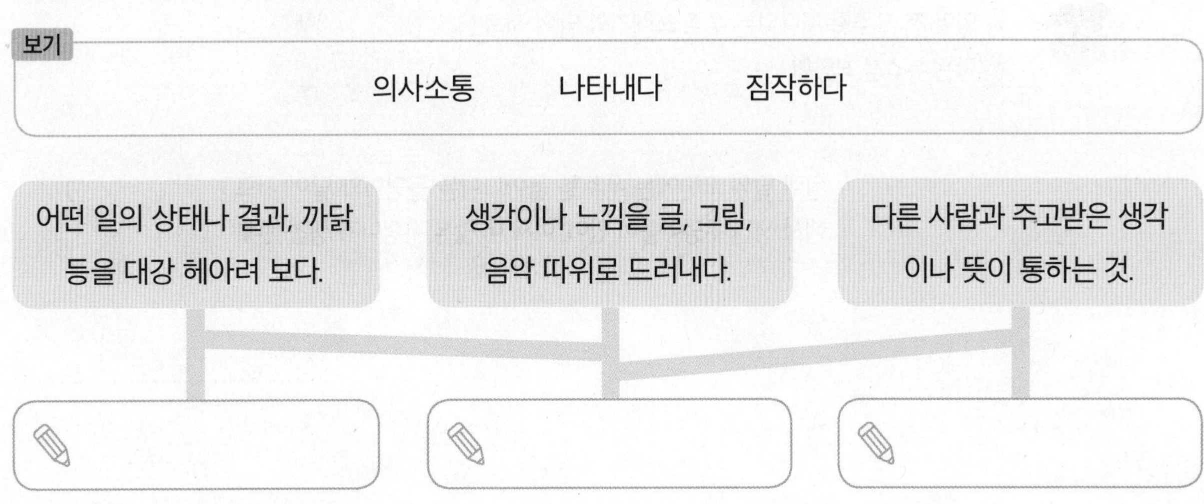

어떤 일의 상태나 결과, 까닭 등을 대강 헤아려 보다.
생각이나 느낌을 글, 그림, 음악 따위로 드러내다.
다른 사람과 주고받은 생각이나 뜻이 통하는 것.

낱말 관계

3 밑줄 친 낱말과 뜻이 비슷한 것은 무엇인가요? ( )

친구의 표정과 행동을 보고 친구가 화가 났다는 것을 <u>짐작할</u> 수 있었어.

① 반대할 ② 헤아릴 ③ 비교할 ④ 깨우칠

낱말 적용

4 문장의 빈칸에 들어갈 알맞은 낱말을 찾아 줄로 이으세요.

(1) 삼촌은 우주 비행사가 되겠다는 초등학생 때의 꿈을 (   ). •　　　　• 나타냈다

(2) 영주는 오늘 자신이 느꼈던 감정을 피아노 연주로 (   ). •　　　　• 이루었다

(3) 외국에서 온 친구였지만 우리말로 (   ) 하는 데 전혀 문제가 없었다. •　　　　• 의사소통

낱말 적용

5 다음 대화를 읽고, 빈칸에 공통으로 들어갈 낱말을 쓰세요.

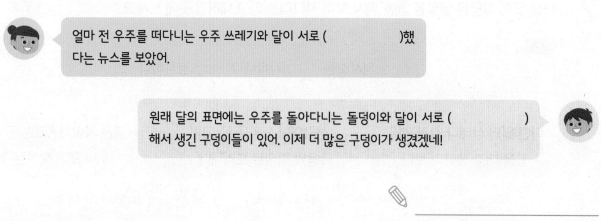

얼마 전 우주를 떠다니는 우주 쓰레기와 달이 서로 (   )했다는 뉴스를 보았어.

원래 달의 표면에는 우주를 돌아다니는 돌덩이와 달이 서로 (   ) 해서 생긴 구덩이들이 있어. 이제 더 많은 구덩이가 생겼겠네!

✎ ____________________

낱말 적용

6 다음 문장을 읽고, 빈칸에 공통으로 들어갈 낱말에 ○표 하세요.

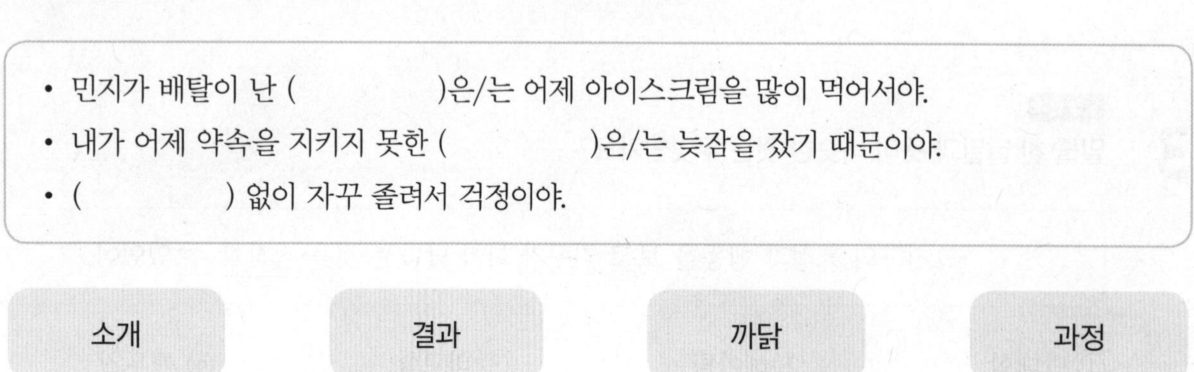

- 민지가 배탈이 난 (   )은/는 어제 아이스크림을 많이 먹어서야.
- 내가 어제 약속을 지키지 못한 (   )은/는 늦잠을 잤기 때문이야.
- (   ) 없이 자꾸 졸려서 걱정이야.

소개	결과	까닭	과정

다음 블로그의 글을 읽고, 물음에 답하세요.

Home > 과학 > 동물 > 황제펭귄

황제펭귄은 추운 남극에서 어떻게 살 수 있을까?

남극의 연평균 기온은 영하 55℃입니다. 이곳에서 살 수 있는 동물이 거의 없을 것 같지만, 차갑게 얼어붙은 땅 위에서 사는 동물이 있습니다. 바로 황제펭귄이지요. 그중에서도 수컷 황제펭귄은 매서운 추위에서도 알을 지킵니다.

추운 남극에서 어떻게 이런 일들이 가능할까요? 바로 '허들링'이라고 불리우는 행동을 통해 그 까닭을 (㉡)할 수 있습니다. 허들링이란, 둥근 원의 형태로 모인 황제펭귄들이 차가운 바람을 등지고 서로의 체온으로 추위를 견디는 것을 말합니다. 허들링을 하는 수많은 황제펭귄들은 아주 천천히 한 방향으로 움직이며 서로의 위치를 바꿉니다. 원의 바깥쪽에 있는 펭귄들의 체온이 떨어졌을 때 안쪽에 있는 펭귄과 서로 위치를 바꿈으로써 추위를 견뎌 나가는 것이지요.

1 ㉠에 들어갈 허들링의 모습으로 가장 알맞은 것은 무엇인가요? (　　　)

① 
② 
③ 
④ 

2 ㉡에 들어갈 알맞은 낱말을 보기 에서 찾아 쓰세요.

보기

짐작　　소통　　충돌　　유래

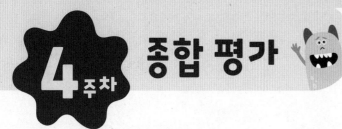

종합 평가

한 주 동안 학습한 어휘를 평가해 보세요.

정답과 해설 35쪽

1 낱말의 뜻을 읽고, 빈칸에 알맞은 낱말을 쓰세요.

가로 열쇠 ❶ 새로운 소식을 알리는 종이.

❷ 1부터 시작하여 하나씩 더하여 얻을 수 있는 수.

세로 열쇠 ❸ 0.1, 0.2, 0.3과 같이 0보다 크고 1보다 작은 수.

❶❸				
		❷		

2 다음 중 낱말의 관계가 <u>다른</u> 하나는 무엇인가요? (　　　)

① 경험 - 체험

② 동등하다 - 공평하다

③ 가분수 - 진분수

④ 지표면 - 지표

3 문장의 빈칸에 들어갈 알맞은 낱말을 찾아 줄로 이으세요.

(1) 작년에 직접 보고 들은 (　　　) 덕분에 이번 모둠 발표 과제도 잘 해낼 수 있었다. •

(2) 갈등을 겪던 두 나라는 결국 (　　　)하고 말았다. •

(3) 이 모래사장은 바닷물의 (　　　)(으)로 생긴 것이다. •

(4) 고모는 지난달에 고모부와 (　　　)하여 부부가 되었다. •

• 혼인

• 충돌

• 퇴적 작용

• 경험

4 대화를 읽고, 빈칸에 공통으로 들어갈 낱말을 보기 에서 찾아 쓰세요.

보기

관찰　　유래　　추리　　대표

신지: 얘들아, 이 책 읽어 봤어? 정말 재미있더라!

진영: 우아, 내가 봤던 책이네? 코난 도일이라는 탐정이 사건을 해결하기 위해 (　　　　)하는 내용을 담은 책이잖아.

구영: 나도 읽어 보고 싶어. 무슨 일이 일어났었는지 (　　　　)하는 과정이 흥미진진하겠는데?

5 다음 밑줄 친 낱말의 뜻으로 알맞은 것은 무엇인가요? (　　　　)

그날은 너무 바빠서 같은 실수를 되풀이했다.

① 전체의 내용을 어느 하나로 나타냈다.

② 같은 말이나 일을 자꾸 반복했다.

③ 어떤 일의 상태나 결과, 까닭 등을 대강 헤아려 봤다.

④ 사람들이 잘 모르는 내용을 설명했다.

6 다음 글의 빈칸에 들어갈 알맞은 낱말로 짝 지어진 것은 무엇인가요? (　　　　)

저는 인간을 위한 실험에 동물을 이용하는 것에 반대합니다. 사람에게 직접 실험하는 것이 위험하다는 이유로 여러 실험에 동물이 이용되고 있습니다. 그러나 동물도 인간과 마찬가지로 (　㉠　) 존중받아야 합니다. 동물도 생명이 있으며 고통을 느낄 수 있기 때문입니다. 이러한 (　㉡　)(으)로 동물을 함부로 실험에 이용하는 잔인한 행동을 해서는 안 됩니다.

	㉠	㉡
①	다르게	까닭
②	다르게	대화
③	동등하게	까닭
④	동등하게	경험

초등문해력
어휘
활용의 힘

초등문해력
어휘
활용의 힘

초등문해력

어휘 활용의 힘

1권

정답과 해설

초등 2~3학년

메가스터디BOOKS

정답과 해설

1권

초등 2~3학년

1주

1일차 국어 어휘

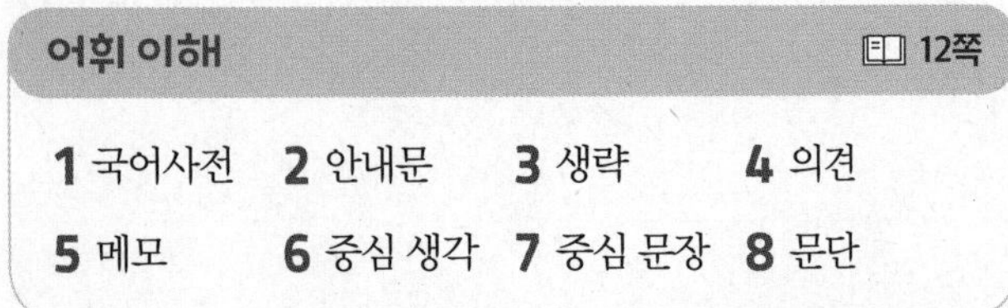

어휘 이해 12쪽

1 국어사전 2 안내문 3 생략 4 의견
5 메모 6 중심 생각 7 중심 문장 8 문단

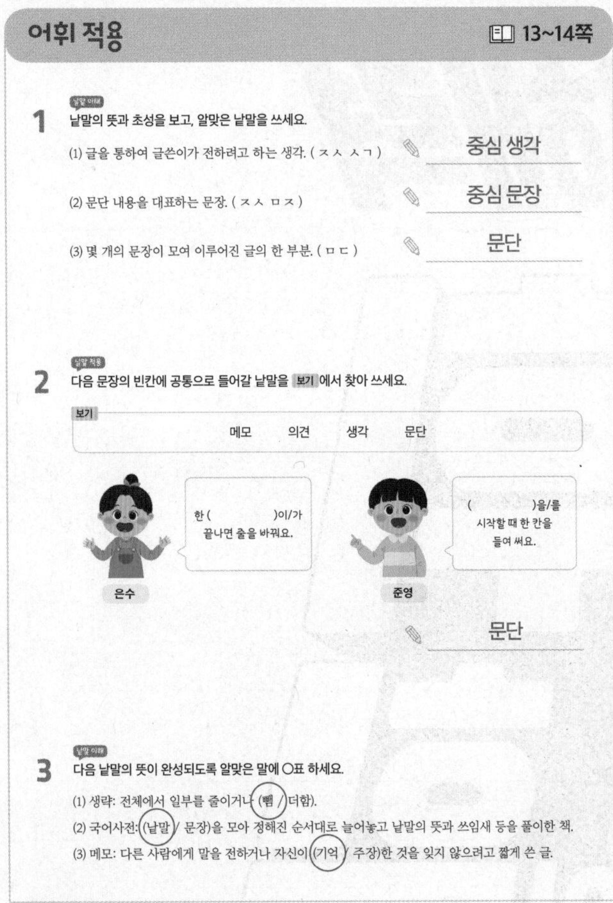

어휘 적용 13~14쪽

낱말 이해
1 낱말의 뜻과 초성을 보고, 알맞은 낱말을 쓰세요.

(1) 글을 통하여 글쓴이가 전하려고 하는 생각. (ㅈㅅ ㅅㄱ) 중심 생각

(2) 문단 내용을 대표하는 문장. (ㅈㅅ ㅁㅈ) 중심 문장

(3) 몇 개의 문장이 모여 이루어진 글의 한 부분. (ㅁㄷ) 문단

낱말 적용
2 다음 문장의 빈칸에 공통으로 들어갈 낱말을 보기에서 찾아 쓰세요.

보기: 메모 의견 생각 문단

은수: 한 (   )이/가 끝나면 줄을 바꿔요.

준영: (   )을/를 시작할 때 한 칸을 들여 써요.

문단

낱말 이해
3 다음 낱말의 뜻이 완성되도록 알맞은 말에 ○표 하세요.

(1) 생략: 전체에서 일부를 줄이거나 (뺌 / 더함).

(2) 국어사전: (낱말 / 문장)을 모아 정해진 순서대로 늘어놓고 낱말의 뜻과 쓰임새 등을 풀이한 책.

(3) 메모: 다른 사람에게 말을 전하거나 자신이 (기억 / 주장)한 것을 잊지 않으려고 짧게 쓴 글.

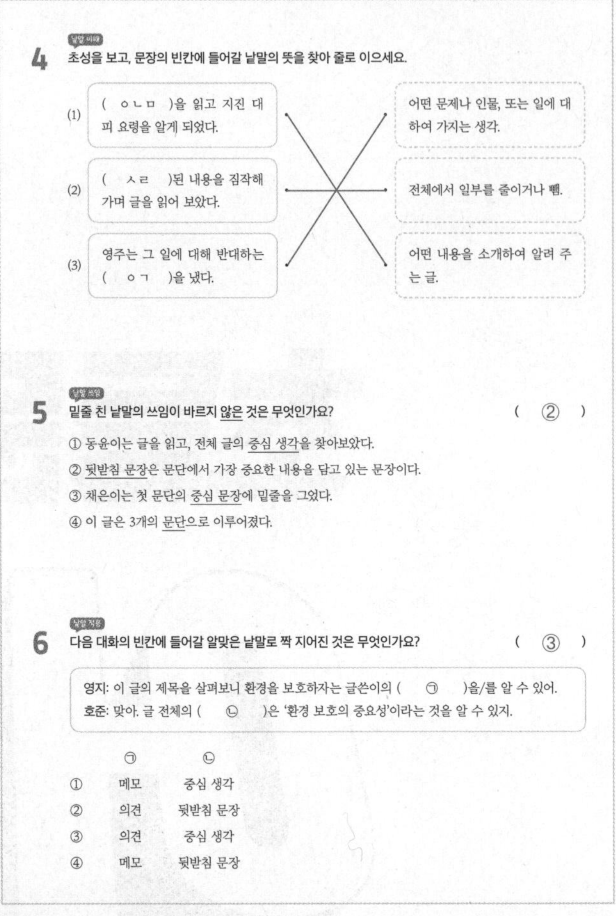

낱말 이해
4 초성을 보고, 문장의 빈칸에 들어갈 낱말의 뜻을 찾아 줄로 이으세요.

(1) (ㅇㄴㅁ)을 읽고 지진 대피 요령을 알게 되었다. — 어떤 내용을 소개하여 알려 주는 글.

(2) (ㅅㄹ)된 내용을 짐작해 가며 글을 읽어 보았다. — 전체에서 일부를 줄이거나 뺌.

(3) 영주는 그 일에 대해 반대하는 (ㅇㄱ)을 냈다. — 어떤 문제나 인물, 또는 일에 대하여 가지는 생각.

낱말 쓰임
5 밑줄 친 낱말의 쓰임이 바르지 않은 것은 무엇인가요? (②)

① 동윤이는 글을 읽고, 전체 글의 중심 생각을 찾아보았다.
② 뒷받침 문장은 문단에서 가장 중요한 내용을 담고 있는 문장이다.
③ 채은이는 첫 문단의 중심 문장에 밑줄을 그었다.
④ 이 글은 3개의 문단으로 이루어졌다.

낱말 적용
6 다음 대화의 빈칸에 들어갈 알맞은 낱말로 짝 지어진 것은 무엇인가요? (③)

영지: 이 글의 제목을 살펴보니 환경을 보호하자는 글쓴이의 (㉠   )을/를 알 수 있어.
호준: 맞아. 글 전체의 (㉡   )은 '환경 보호의 중요성'이라는 것을 알 수 있지.

	㉠	㉡
①	메모	중심 생각
②	의견	뒷받침 문장
③	의견	중심 생각
④	메모	뒷받침 문장

도움말

1 '글을 통하여 글쓴이가 전하려고 하는 생각'을 '중심 생각'이라고 합니다. '문단 내용을 대표하는 문장'을 '중심 문장'이라고 합니다. '몇 개의 문장이 모여 이루어진 글의 한 부분'을 뜻하는 낱말은 '문단'입니다.

2 한 문단이 끝나면 줄을 바꿉니다. 또한 문단을 시작할 때 한 칸을 들여 씁니다. 따라서 빈칸에 공통으로 들어갈 낱말은 '문단'입니다.

3 (1) '생략'의 뜻은 '전체에서 일부를 줄이거나 뺌'입니다. (2) '국어사전'의 뜻은 '낱말을 모아 정해진 순서대로 늘어놓고 낱말의 뜻과 쓰임새 등을 풀이한 책'입니다. (3) '메모'의 뜻은 '다른 사람에게 말을 전하거나 자신이 기억한 것을 잊지 않으려고 짧게 쓴 글'입니다.

도움말

4 (1) 초성에 해당하는 낱말은 '안내문'이며 그 뜻은 '어떤 내용을 소개하여 알려 주는 글'입니다. (2) 초성에 해당하는 낱말은 '생략'이며 그 뜻은 '전체에서 일부를 줄이거나 뺌'입니다. (3) 초성에 해당하는 낱말은 '의견'이며 그 뜻은 '어떤 문제나 인물, 또는 일에 대하여 가지는 생각'입니다.

5 문단에서 가장 중요한 내용을 담고 있는 문장은 '중심 문장'입니다. 뒷받침 문장은 '덧붙여 설명하거나 예를 드는 방법으로 중심 문장의 내용을 자세히 설명해 주는 문장'입니다. 따라서 ②이 정답입니다.

6 ㉠에는 '어떤 문제나 인물, 또는 일에 대하여 가지는 생각'을 뜻하는 '의견'을 넣어 '제목을 보고 글쓴이의 의견을 알 수 있다.'는 의미로 완성할 수 있습니다. ㉡에는 '글을 통하여 글쓴이가 전하려고 하는 생각'인 '중심 생각'을 넣어 '글 전체의 중심 생각은 환경 보호의 중요성이라는 것을 알 수 있다.'는 의미로 완성할 수 있습니다.

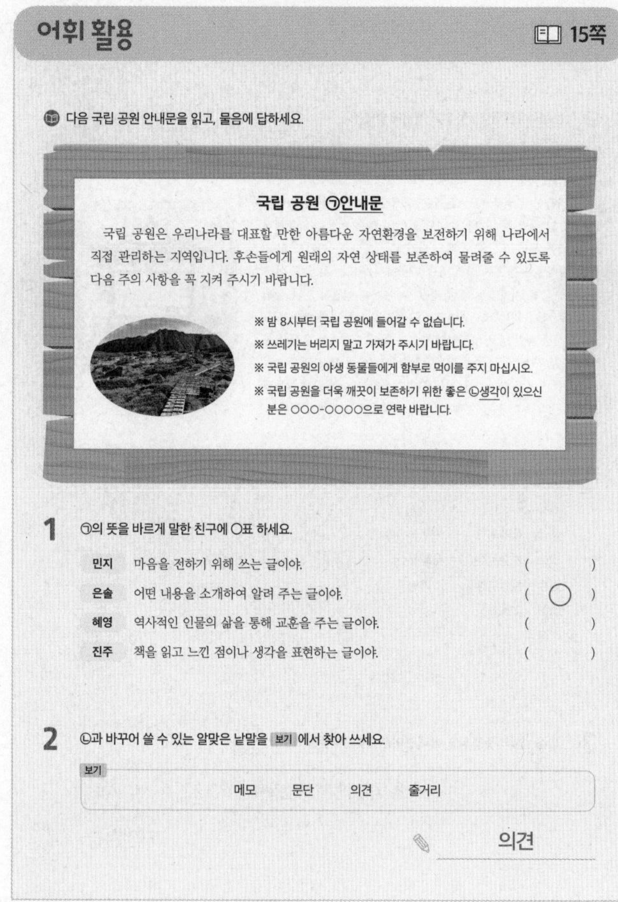

어휘 활용 15쪽

다음 국립 공원 안내문을 읽고, 물음에 답하세요.

국립 공원 ㉠안내문

국립 공원은 우리나라를 대표할 만한 아름다운 자연환경을 보전하기 위해 나라에서 직접 관리하는 지역입니다. 후손들에게 원래의 자연 상태를 보존하여 물려줄 수 있도록 다음 주의 사항을 꼭 지켜 주시기 바랍니다.

※ 밤 8시부터 국립 공원에 들어갈 수 없습니다.
※ 쓰레기는 버리지 말고 가져가 주시기 바랍니다.
※ 국립 공원의 야생 동물들에게 함부로 먹이를 주지 마십시오.
※ 국립 공원을 더욱 깨끗이 보존하기 위한 좋은 ㉡생각이 있으신 분은 OOO-OOOO으로 연락 바랍니다.

1 ㉠의 뜻을 바르게 말한 친구에 ○표 하세요.

민지	마음을 전하기 위해 쓰는 글이야.	( )
은솔	어떤 내용을 소개하여 알려 주는 글이야.	(○)
혜영	역사적인 인물의 삶을 통해 교훈을 주는 글이야.	( )
진주	책을 읽고 느낀 점이나 생각을 표현하는 글이야.	( )

2 ㉡과 바꾸어 쓸 수 있는 알맞은 낱말을 보기 에서 찾아 쓰세요.

보기: 메모 문단 의견 줄거리

의견

매체 자료에 대해 알아볼까요?

이 글은 안내문입니다. 안내문은 어떤 내용을 소개하여 알려 주는 글입니다. 안내문을 읽을 때에는 무엇을 알리는 안내문인지 확인하고, 시간, 장소, 주의 사항이나 참여 방법 등을 꼼꼼하게 살펴봅니다.

도움말

1 '㉠안내문'의 뜻은 '어떤 내용을 소개하여 알려 주는 글'입니다. 따라서 안내문의 뜻을 바르게 말한 친구는 은솔입니다. 민지가 말한 '마음을 전하기 위해 쓰는 글'은 편지, 혜영이가 말한 '역사적인 인물의 삶을 통해 교훈을 주는 글'은 전기문, 진주가 말한 '책을 읽고 느낀 점이나 생각을 표현하는 글'은 독서 감상문에 해당합니다.

2 '㉡생각'의 뜻과 비슷한 낱말을 찾는 문제입니다. '의견'은 '어떤 문제나 인물, 또는 일에 대하여 가지는 생각'을 뜻하므로 '㉡생각'과 바꾸어 쓸 수 있는 낱말입니다.

2일차 사회 어휘

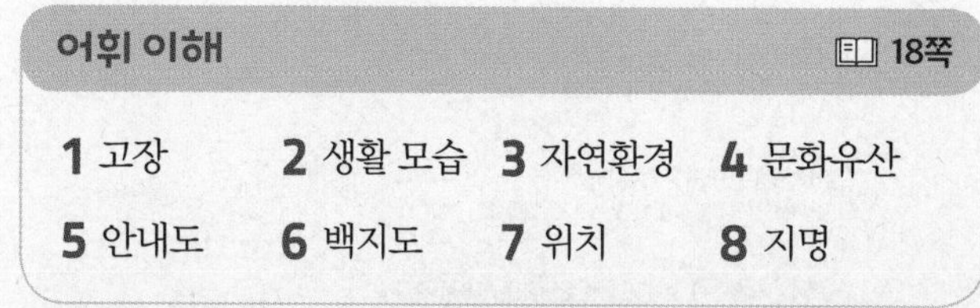

어휘 이해 18쪽

1 고장 **2** 생활 모습 **3** 자연환경 **4** 문화유산
5 안내도 **6** 백지도 **7** 위치 **8** 지명

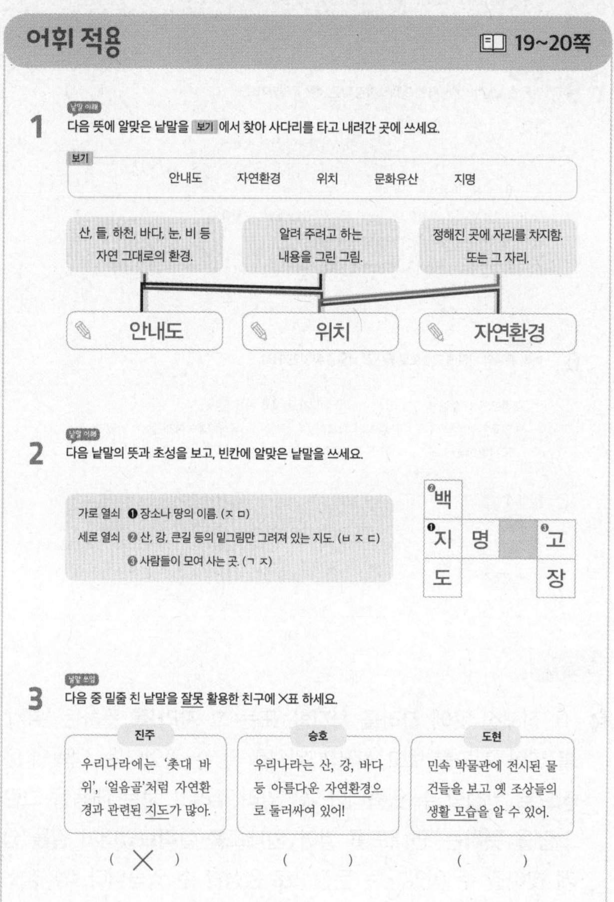

어휘 적용 19~20쪽

1 다음 뜻에 알맞은 낱말을 보기 에서 찾아 사다리를 타고 내려간 곳에 쓰세요.

보기: 안내도 자연환경 위치 문화유산 지명

산, 들, 하천, 바다, 눈, 비 등 자연 그대로의 환경.	알려 주려고 하는 내용을 그린 그림.	정해진 곳에 자리를 차지함. 또는 그 자리.
안내도	위치	자연환경

2 다음 낱말의 뜻과 초성을 보고, 빈칸에 알맞은 낱말을 쓰세요.

가로 열쇠 ❶ 장소나 땅의 이름. (ㅈ ㅁ)
세로 열쇠 ❷ 산, 강, 큰길 등의 밑그림만 그려져 있는 지도. (ㅂ ㅈ ㄷ)
❸ 사람들이 모여 사는 곳. (ㄱ ㅈ)

❷백			
❶지	명		❸고
도			장

3 다음 중 밑줄 친 낱말을 잘못 활용한 친구에 ×표 하세요.

진주	승호	도현
우리나라에는 '촛대 바위', '얼음골'처럼 자연환경과 관련된 지도가 많아.	우리나라는 산, 강, 바다 등 아름다운 자연환경으로 둘러싸여 있어!	민속 박물관에 전시된 물건들을 보고 옛 조상들의 생활 모습을 알 수 있어.
(×)	( )	( )

도움말

1 '산, 들, 하천, 바다, 눈, 비 등 자연 그대로의 환경'을 뜻하는 낱말은 '자연환경'입니다. '알려 주려고 하는 내용을 그린 그림'은 '안내도'입니다. '정해진 곳에 자리를 차지함. 또는 그 자리'를 뜻하는 낱말은 '위치'입니다.

2 '장소나 땅의 이름'을 뜻하는 낱말은 '지명'이므로 ❶에는 '지명'이 들어가야 합니다. '산, 강, 큰길 등의 밑그림만 그려져 있는 지도'는 '백지도'이므로 ❷에는 '백지도'가 들어가야 합니다. '사람들이 모여 사는 곳'을 뜻하는 낱말은 '고장'이므로 ❸에는 '고장'이 들어가야 합니다.

3 진주가 말한 '촛대 바위', '얼음골'은 장소나 땅의 이름을 뜻하는 지명의 예입니다. 따라서 지도가 아닌 '지명'이라는 낱말을 활용해야 합니다.

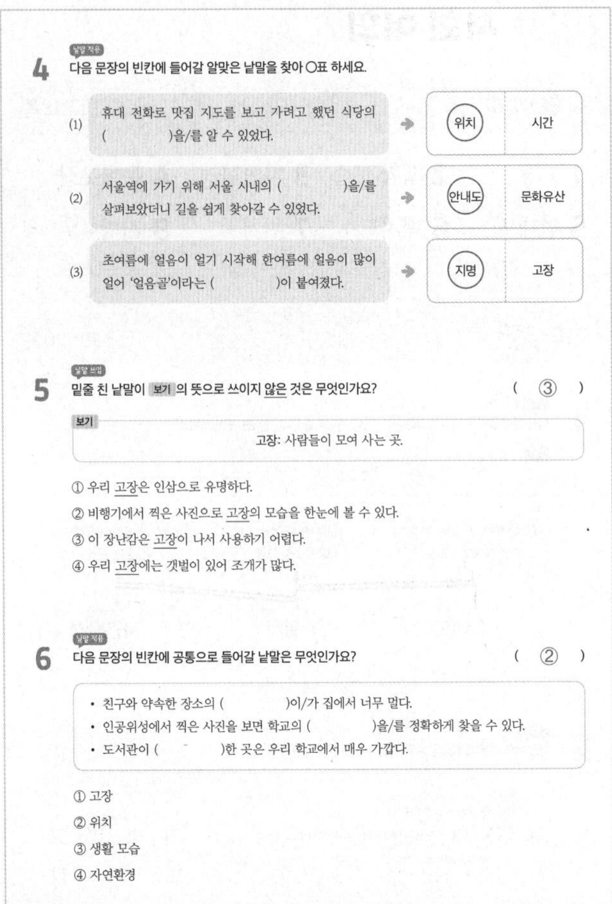
4 다음 문장의 빈칸에 들어갈 알맞은 낱말을 찾아 ○표 하세요.
(1) 휴대 전화로 맛집 지도를 보고 가려고 했던 식당의 (　　)을/를 알 수 있었다. → 위치 / 시간
(2) 서울역에 가기 위해 서울 시내의 (　　)을/를 살펴보았더니 길을 쉽게 찾아갈 수 있었다. → 안내도 / 문화유산
(3) 초여름에 얼음이 얼기 시작해 한여름에 얼음이 많이 얼어 '얼음골'이라는 (　　)이 붙여졌다. → 지명 / 고장
5 밑줄 친 낱말이 보기 의 뜻으로 쓰이지 않은 것은 무엇인가요? (③)
보기 고장: 사람들이 모여 사는 곳.
① 우리 고장은 인삼으로 유명하다.
② 비행기에서 찍은 사진으로 고장의 모습을 한눈에 볼 수 있다.
③ 이 장난감은 고장이 나서 사용하기 어렵다.
④ 우리 고장에는 갯벌이 있어 조개가 많다.
6 다음 문장의 빈칸에 공통으로 들어갈 낱말은 무엇인가요? (②)
• 친구와 약속한 장소의 (　　)이/가 집에서 너무 멀다.
• 인공위성에서 찍은 사진을 보면 학교의 (　　)을/를 정확하게 찾을 수 있다.
• 도서관이 (　　)한 곳은 우리 학교에서 매우 가깝다.
① 고장
② 위치
③ 생활 모습
④ 자연환경

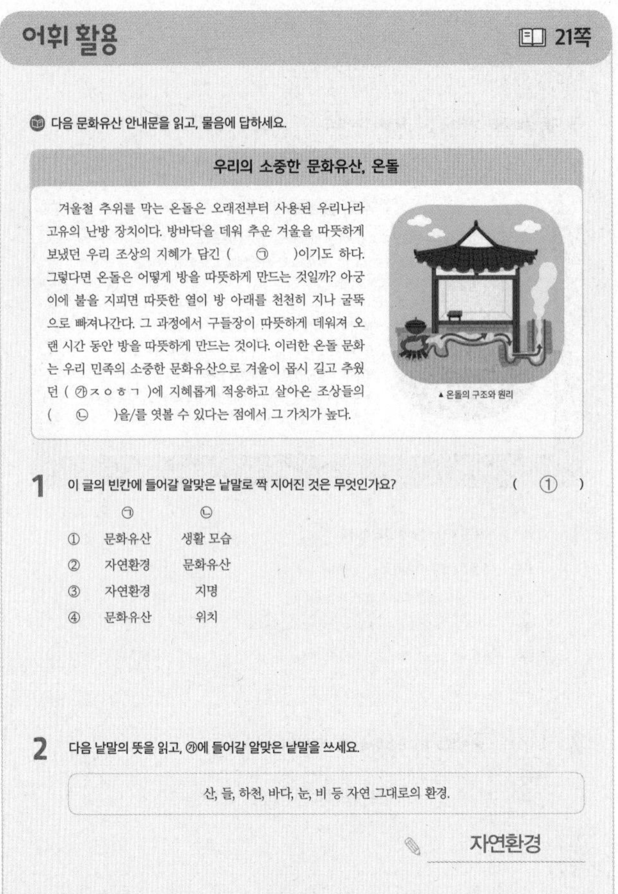
어휘 활용 21쪽
다음 문화유산 안내문을 읽고, 물음에 답하세요.
우리의 소중한 문화유산, 온돌
겨울철 추위를 막는 온돌은 오래전부터 사용된 우리나라 고유의 난방 장치이다. 방바닥을 데워 추운 겨울을 따뜻하게 보냈던 우리 조상의 지혜가 담긴 (㉠)이기도 하다. 그렇다면 온돌은 어떻게 방을 따뜻하게 만드는 것일까? 아궁이에 불을 지피면 따뜻한 열이 방 아래를 천천히 지나 굴뚝으로 빠져나간다. 그 과정에서 구들장이 따뜻하게 데워져 오랜 시간 동안 방을 따뜻하게 만드는 것이다. 이러한 온돌 문화는 우리 민족의 소중한 문화유산으로 겨울이 몹시 길고 추웠던 (㉮ㅈㅇㅎㄱ)에 지혜롭게 적응하고 살아온 조상들의 (㉡)을/를 엿볼 수 있다는 점에서 그 가치가 높다.
▲ 온돌의 구조와 원리
1 이 글의 빈칸에 들어갈 알맞은 낱말로 짝 지어진 것은 무엇인가요? (①)

	㉠	㉡
①	문화유산	생활 모습
②	자연환경	문화유산
③	자연환경	지명
④	문화유산	위치

2 다음 낱말의 뜻을 읽고, ㉮에 들어갈 알맞은 낱말을 쓰세요.
산, 들, 하천, 바다, 눈, 비 등 자연 그대로의 환경.
자연환경

도움말

4 (1) '정해진 곳에 자리를 차지함. 또는 그 자리.'를 뜻하는 '위치'를 넣어 '지도를 보고 식당의 위치를 알 수 있었다.'는 맥락의 문장으로 완성할 수 있습니다. (2) '알려 주려고 하는 내용을 그린 그림'을 뜻하는 '안내도'를 넣어 '안내도를 살펴보았더니 길을 쉽게 찾아갈 수 있었다.'는 문장으로 완성할 수 있습니다. (3) '장소나 땅의 이름'을 뜻하는 '지명'을 넣어 '한여름에 얼음이 많이 얼어 '얼음골'이라는 지명이 붙여졌다.'는 문장으로 완성할 수 있습니다.

5 '고장'에는 보기 에 제시된 뜻도 있지만 '기구나 기계가 제대로 움직이지 못하게 됨'이라는 뜻도 있습니다. ①, ②, ④에서 쓰인 '고장'은 보기 에 제시된 뜻으로 쓰였으며, ③에서 쓰인 '고장'은 '장난감이 제대로 움직이지 않아'라는 맥락으로 사용되었으므로, 정답은 ③입니다.

6 각 문장에는 '정해진 곳에 자리를 차지함. 또는 그 자리.'를 뜻하는 낱말인 '위치'를 넣어 '장소의 위치가 집에서 너무 멀다.', '학교의 위치를 정확하게 찾을 수 있다.', '도서관이 위치한 곳은 학교와 가깝다.'라는 맥락으로 나타낼 수 있습니다.

매체 자료에 대해 알아볼까요?

이 글은 우리나라의 소중한 문화유산인 온돌에 대해 알려 주는 안내문입니다. 이 안내문을 통해 온돌의 정의와 원리를 간략하게 알 수 있습니다.

도움말

1 첫 번째 문장에서 온돌은 우리나라 고유의 난방 장치라고 하였으므로, ㉠에는 '조상 대대로 전해 내려온 문화 중에서 후손에게 물려줄 만한 가치가 있는 것'을 뜻하는 '문화유산'이 들어가야 합니다. ㉡의 앞부분에서 조상들이 겨울철의 추위에 지혜롭게 적응하고 살아왔다고 하였으므로, ㉡에는 '사람이나 동물이 살아가는 모습'을 뜻하는 '생활 모습'이 가장 알맞습니다. 따라서 정답은 ①입니다.

2 ㉮의 앞부분에 있는 '겨울이 몹시 길고 추웠던'이라는 부분은 '산, 들, 하천, 바다, 눈, 비 등 자연 그대로의 환경'에 속합니다. 따라서 정답은 '자연환경'입니다.

3일차 과학 어휘

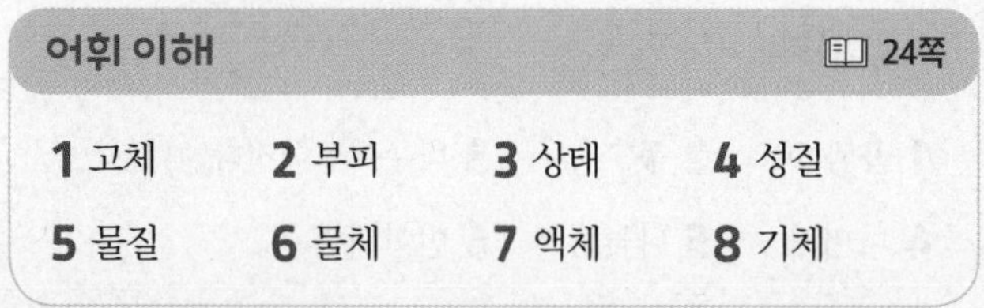

어휘 이해 24쪽

1 고체 2 부피 3 상태 4 성질
5 물질 6 물체 7 액체 8 기체

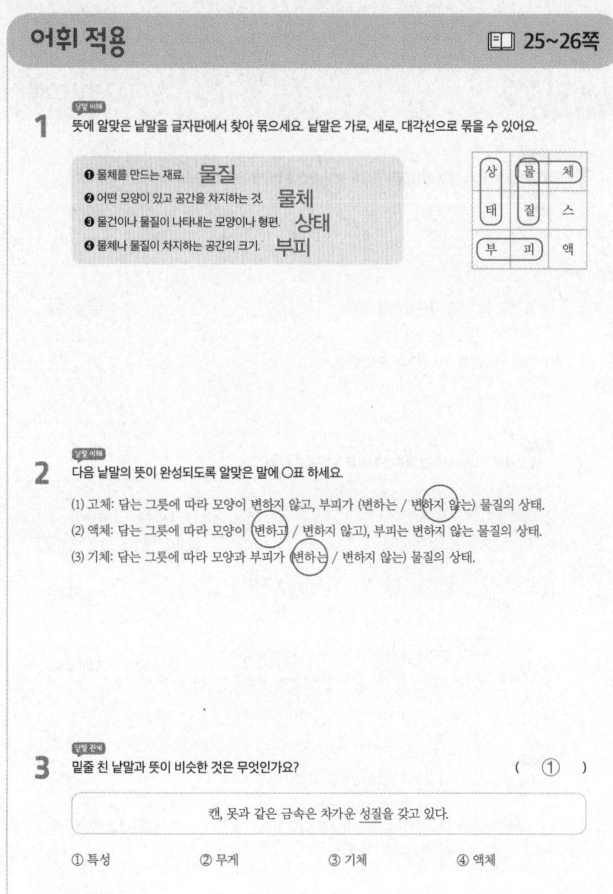

어휘 적용 25~26쪽

1 뜻에 알맞은 낱말을 글자판에서 찾아 묶으세요. 낱말은 가로, 세로, 대각선으로 묶을 수 있어요.

❶ 물체를 만드는 재료. 물질
❷ 어떤 모양이 있고 공간을 차지하는 것. 물체
❸ 물건이나 물질이 나타내는 모양이나 형편. 상태
❹ 물체나 물질이 차지하는 공간의 크기. 부피

상	물	체
태	질	스
부	피	액

2 다음 낱말의 뜻이 완성되도록 알맞은 말에 ○표 하세요.

(1) 고체: 담는 그릇에 따라 모양이 변하지 않고, 부피가 (변하는 / 변하지 않는) 물질의 상태.
(2) 액체: 담는 그릇에 따라 모양이 (변하고 / 변하지 않고), 부피는 변하지 않는 물질의 상태.
(3) 기체: 담는 그릇에 따라 모양과 부피가 (변하는 / 변하지 않는) 물질의 상태.

3 밑줄 친 낱말과 뜻이 비슷한 것은 무엇인가요? (①)

캔, 못과 같은 금속은 차가운 성질을 갖고 있다.

① 특성 ② 무게 ③ 기체 ④ 액체

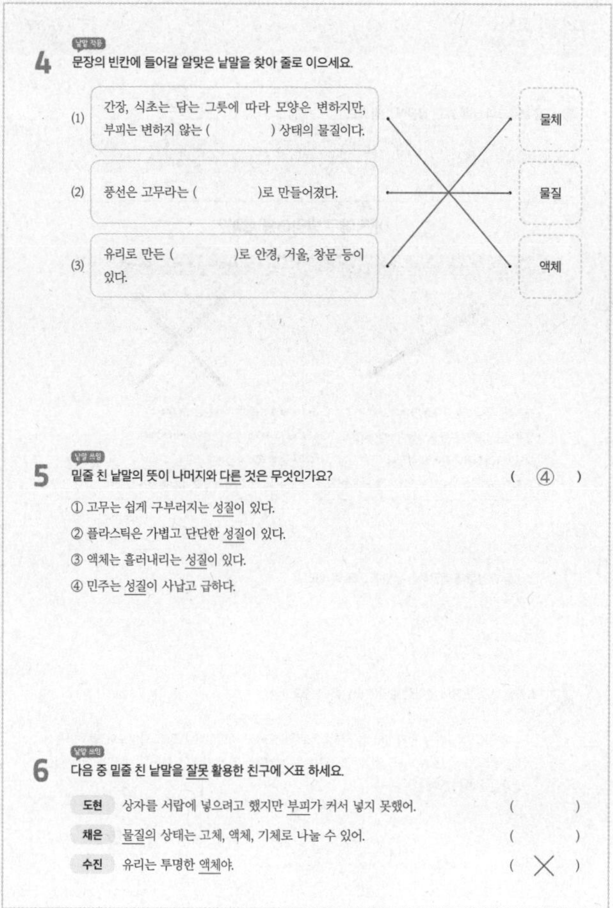

4 문장의 빈칸에 들어갈 알맞은 낱말을 찾아 줄로 이으세요.

(1) 간장, 식초는 담는 그릇에 따라 모양은 변하지만, 부피는 변하지 않는 (　　) 상태의 물질이다. — 액체
(2) 풍선은 고무라는 (　　)로 만들어졌다. — 물질
(3) 유리로 만든 (　　)로 안경, 거울, 창문 등이 있다. — 물체

5 밑줄 친 낱말의 뜻이 나머지와 다른 것은 무엇인가요? (④)

① 고무는 쉽게 구부러지는 성질이 있다.
② 플라스틱은 가볍고 단단한 성질이 있다.
③ 액체는 흘러내리는 성질이 있다.
④ 민주는 성질이 사납고 급하다.

6 다음 중 밑줄 친 낱말을 잘못 활용한 친구에 ×표 하세요.

도현 상자를 서랍에 넣으려고 했지만 부피가 커서 넣지 못했어. (　)
채은 물질의 상태는 고체, 액체, 기체로 나눌 수 있어. (　)
수진 유리는 투명한 액체야. (×)

도움말

1 ❶ '물체를 만드는 재료'는 '물질'입니다. ❷ '어떤 모양이 있고 공간을 차지하는 것'은 '물체'입니다. ❸ '물건이나 물질이 나타내는 모양이나 형편'은 '상태'입니다. ❹ '물체나 물질이 차지하는 공간의 크기'는 '부피'입니다.

2 담는 그릇에 따라 모양이 변하지 않고, 부피가 변하지 않는 물질의 상태를 '고체'라고 합니다. 담는 그릇에 따라 모양이 변하고, 부피는 변하지 않는 물질의 상태를 '액체'라고 합니다. 담는 그릇에 따라 모양과 부피가 변하는 물질의 상태를 '기체'라고 합니다.

3 '성질'은 '물건이 본래부터 가지고 있는 특성'을 말합니다. 따라서 이와 비슷한 낱말은 '특성'입니다.

도움말

4 (1) 간장, 식초처럼 담는 그릇에 따라 모양은 변하지만 부피는 변하지 않는 상태의 물질을 '액체'라고 합니다. (2) 풍선이라는 물체를 만드는 재료가 되는 것은 고무라는 '물질'입니다. (3) 안경, 거울, 창문은 유리라는 물질로 만들어진 '물체'입니다.

5 '성질'은 '물건이 본래부터 가지고 있는 특성'이라는 뜻과 '사람이 지닌 마음의 본바탕'이라는 뜻이 있습니다. ①, ②, ③은 첫 번째 뜻으로, ④은 두 번째 뜻으로 사용되었습니다.

6 '액체'는 '담는 그릇에 따라 모양은 변하지만 부피는 변하지 않는 물질의 상태'를 말합니다. 유리는 담는 그릇에 따라 모양과 부피가 변하지 않는 '고체'입니다. 그러므로 수진이는 밑줄 친 낱말을 바르게 사용하지 못했습니다.

어휘 활용

📖 27쪽

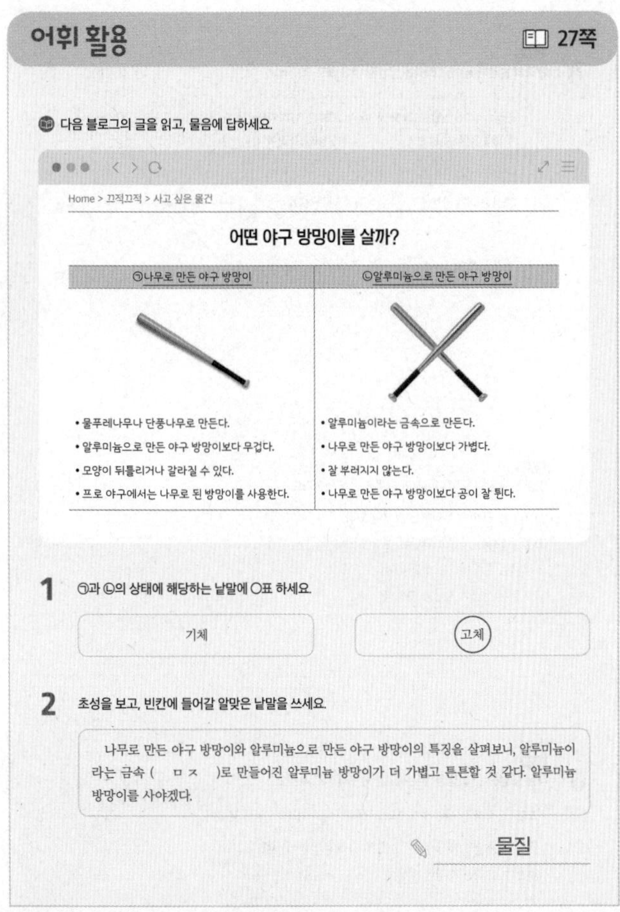

다음 블로그의 글을 읽고, 물음에 답하세요.

Home > 끄적끄적 > 사고 싶은 물건

어떤 야구 방망이를 살까?

㉠나무로 만든 야구 방망이	㉡알루미늄으로 만든 야구 방망이
• 물푸레나무나 단풍나무로 만든다. • 알루미늄으로 만든 야구 방망이보다 무겁다. • 모양이 뒤틀리거나 갈라질 수 있다. • 프로 야구에서는 나무로 된 방망이를 사용한다.	• 알루미늄이라는 금속으로 만든다. • 나무로 만든 야구 방망이보다 가볍다. • 잘 부러지지 않는다. • 나무로 만든 야구 방망이보다 공이 잘 튄다.

1 ㉠과 ㉡의 상태에 해당하는 낱말에 ○표 하세요.

기체 　 (고체)

2 초성을 보고, 빈칸에 들어갈 알맞은 낱말을 쓰세요.

나무로 만든 야구 방망이와 알루미늄으로 만든 야구 방망이의 특징을 살펴보니, 알루미늄이라는 금속 (ㅁㅈ)로 만들어진 알루미늄 방망이가 더 가볍고 튼튼할 것 같다. 알루미늄 방망이를 사야겠다.

물질

매체 자료에 대해 알아볼까요?

이 글은 블로그입니다. 블로그는 자신의 관심사와 관련된 글을 올리는 인터넷 누리집입니다. 블로그에서는 읽는 사람이 글을 편하게 읽을 수 있도록 길지 않은 분량의 글을 사진이나 그림과 함께 제시합니다.

도움말

1 ㉠은 '나무로 만든 야구 방망이', ㉡은 '알루미늄으로 만든 야구 방망이'로, '담는 그릇에 따라 모양과 부피가 변하지 않는 물질의 상태'인 '고체'에 해당합니다.

2 '알루미늄으로 만든 야구 방망이'의 특징을 살펴보면 '알루미늄이라는 금속으로 만든다.'라는 내용이 있습니다. 이 내용을 통해 '금속'이라는 물질로 '알루미늄 방망이'라는 물체를 만들었음을 알 수 있습니다. 따라서 빈칸에 들어갈 알맞은 낱말은 '물질'입니다.

4일차 수학 어휘

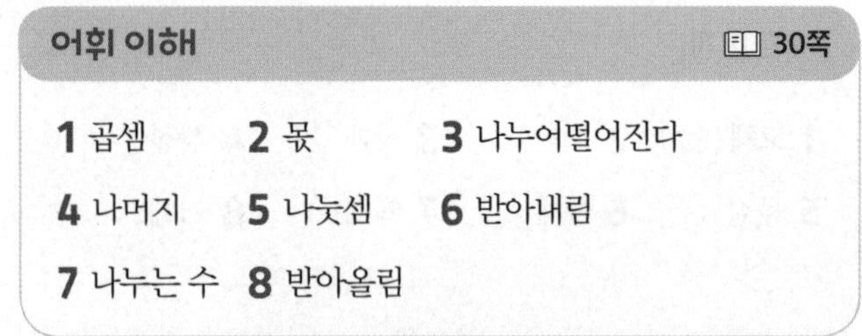

어휘 이해

📖 30쪽

1 곱셈 　**2** 몫 　**3** 나누어떨어진다

4 나머지 　**5** 나눗셈 　**6** 받아내림

7 나누는 수 　**8** 받아올림

어휘 적용

📖 31~32쪽

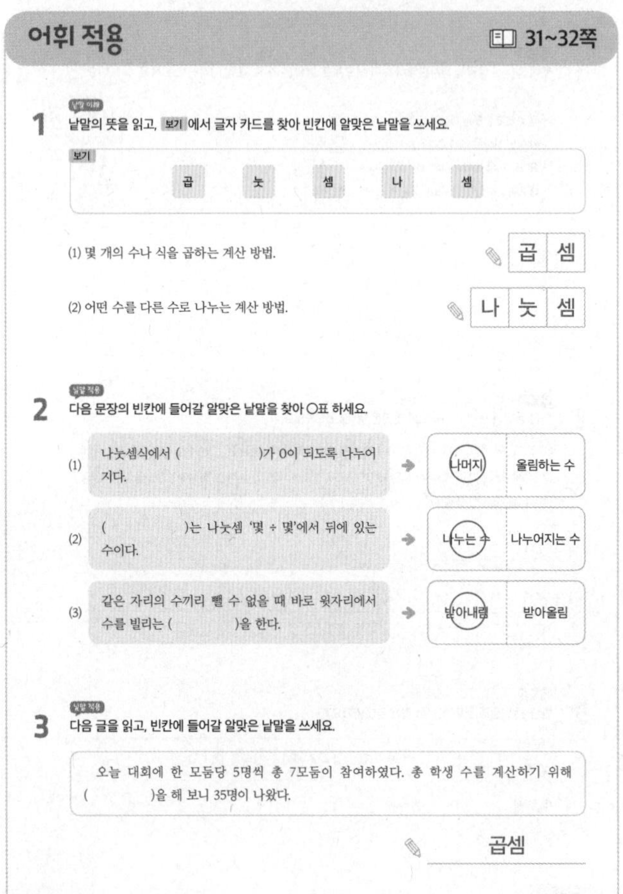

1 낱말의 뜻을 읽고, 보기 에서 글자 카드를 찾아 빈칸에 알맞은 낱말을 쓰세요.

보기: 곱 　눗 　셈 　나 　셈

(1) 몇 개의 수나 식을 곱하는 계산 방법. 　곱 셈

(2) 어떤 수를 다른 수로 나누는 계산 방법. 　나 눗 셈

2 다음 문장의 빈칸에 들어갈 알맞은 낱말을 찾아 ○표 하세요.

(1) 나눗셈식에서 (　　)가 0이 되도록 나누어지다. → (나머지) / 올림하는 수

(2) (　　)는 나눗셈 '몇 ÷ 몇'에서 뒤에 있는 수이다. → (나누는 수) / 나누어지는 수

(3) 같은 자리의 수끼리 뺄 수 없을 때 바로 윗자리에서 수를 빌리는 (　　)을 한다. → (받아내림) / 받아올림

3 다음 글을 읽고, 빈칸에 들어갈 알맞은 낱말을 쓰세요.

오늘 대회에 한 모둠당 5명씩 총 7모둠이 참여하였다. 총 학생 수를 계산하기 위해 (　　)을 해 보니 35명이 나왔다.

곱셈

도움말

1 '몇 개의 수나 식을 곱하는 계산 방법'을 뜻하는 낱말은 '곱셈'이며, '어떤 수를 다른 수로 나누는 계산 방법'을 뜻하는 낱말은 '나눗셈'입니다.

2 (1) 빈칸에 들어갈 알맞은 낱말은 '나눗셈에서 나누고 난 뒤에 남는 수'를 뜻하는 '나머지'입니다. (2) 빈칸에 들어갈 알맞은 낱말은 '나눗셈 '몇 ÷ 몇'에서 뒤에 있는 수'를 뜻하는 '나누는 수'입니다. (3) 빈칸에 들어갈 알맞은 낱말은 '같은 자리의 수끼리 뺄 수 없을 때 바로 윗자리에서 수를 빌리는 것'을 뜻하는 '받아내림'입니다.

3 총 7모둠에 해당하는 학생 수를 계산했다고 하였으므로, 빈칸에는 '몇 개의 수나 식을 곱하는 계산 방법'을 뜻하는 '곱셈'이 들어가야 합니다.

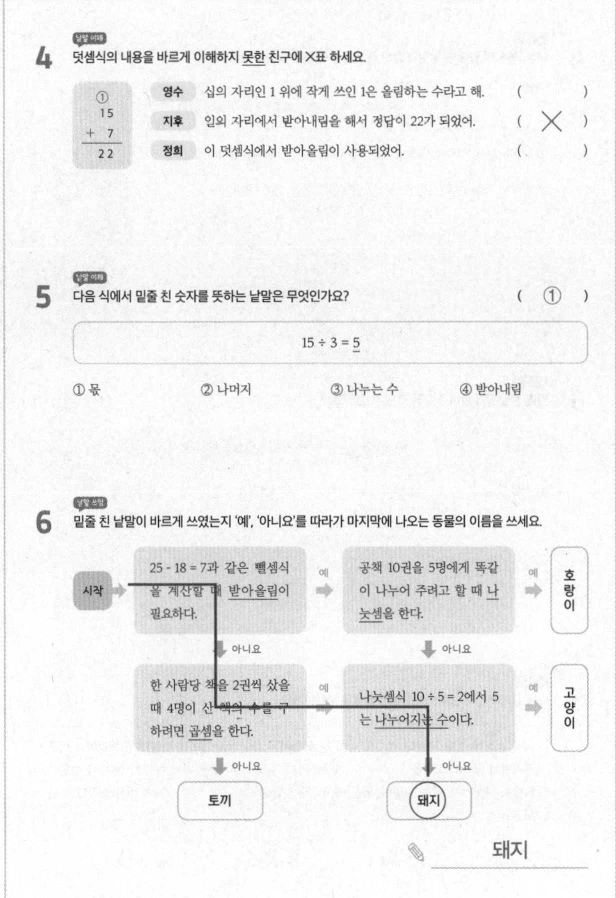

4 덧셈식의 내용을 바르게 이해하지 못한 친구에 ×표 하세요.
영수 십의 자리인 1 위에 작게 쓰인 1은 올림하는 수라고 해. ( )
지후 일의 자리에서 받아내림을 해서 정답이 22가 되었어. (×)
정희 이 덧셈식에서 받아올림이 사용되었어. ( )
5 다음 식에서 밑줄 친 숫자를 뜻하는 낱말은 무엇인가요? (①)
15 ÷ 3 = 5
① 몫 ② 나머지 ③ 나누는 수 ④ 받아내림
6 밑줄 친 낱말이 바르게 쓰였는지 '예', '아니요'를 따라가 마지막에 나오는 동물의 이름을 쓰세요.
시작
25 - 18 = 7과 같은 뺄셈식을 계산할 때 받아올림이 필요하다.
공책 10권을 5명에게 똑같이 나누어 주려고 할 때 나눗셈을 한다.
호랑이
한 사람당 책을 2권씩 샀을 때 4명이 산 책의 수를 구하려면 곱셈을 한다.
나눗셈식 10 ÷ 5 = 2에서 5는 나누어지는 수이다.
고양이
토끼
돼지
돼지

수정 나머지는 24명이야. ( )
희준 나머지는 3명이야. ( )
지안 나머지는 0명이야. (○)

도움말

4 제시된 덧셈식은 15에 7을 더할 때 받아올림하여 계산한 식입니다. 그런데 지후가 일의 자리에서 받아내림을 하였다고 하였습니다. '받아내림'은 '같은 자리의 수끼리 뺄 수 없을 때 바로 윗자리에서 수를 빌리는 것'을 말합니다. 그러므로 덧셈식의 내용을 바르게 이해하지 못한 친구는 지후입니다.

5 제시된 나눗셈식은 15를 3으로 나누어 5가 된 것입니다. '나눗셈에서 어떤 수를 나누어 얻은 수'를 '몫'이라고 하며, 5는 15를 3으로 나눈 '몫'에 해당합니다.

6 25 – 18 = 7이라는 뺄셈식에서는 받아올림이 아닌 받아내림이 필요하므로 '아니요'를 따라가야 합니다. 한 사람당 책을 2권씩 샀을 때 4명이 산 책의 수를 구하려면 곱셈을 사용해야 하므로 '예'를 따라 갑니다. 나눗셈식 10 ÷ 5 = 2에서 5는 나누는 수이므로 '아니요'를 따라갑니다. 따라서 정답은 '돼지'입니다.

매체 자료에 대해 알아볼까요?

만화는 이야기를 여러 장면으로 그린 그림으로, 인물의 말을 말풍선에 넣어 표현합니다. 만화를 읽을 때는, 인물의 표정과 행동, 말풍선의 내용, 장면과 장면의 관계 등을 살펴봅니다.

도움말

1 '㉠나누어떨어진다'의 뜻은 '나눗셈식에서 나머지가 0이 되도록 나누어진다'입니다. 따라서 ㉠의 뜻과 같은 말을 한 친구는 지안입니다.

5일차 학습 도움 어휘

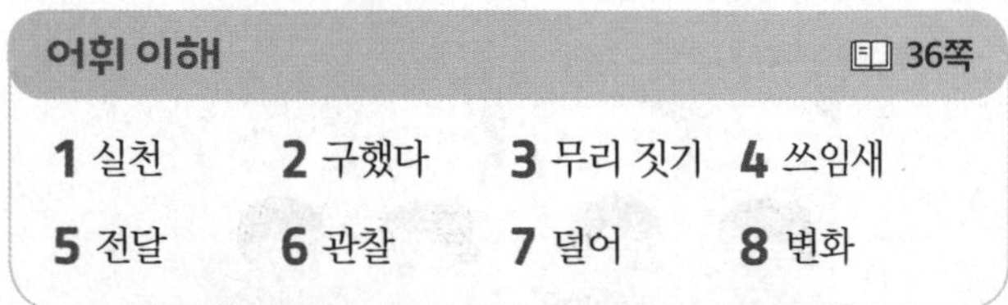

어휘 이해 36쪽

1 실천 2 구했다 3 무리 짓기 4 쓰임새

5 전달 6 관찰 7 덜어 8 변화

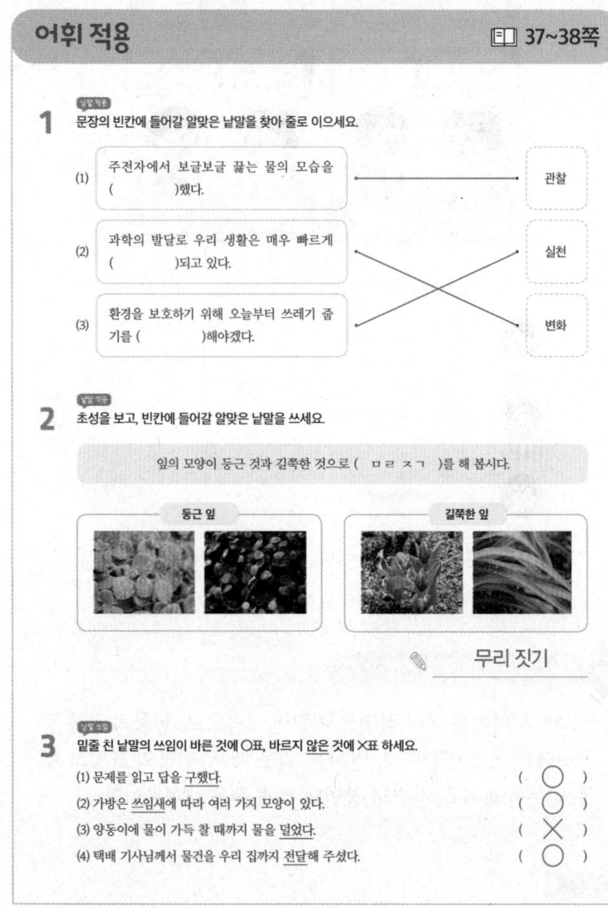

어휘 적용 37~38쪽

1 문장의 빈칸에 들어갈 알맞은 낱말을 찾아 줄로 이으세요.

(1) 주전자에서 보글보글 끓는 물의 모습을 (   )했다. — 관찰

(2) 과학의 발달로 우리 생활은 매우 빠르게 (   )되고 있다. — 변화

(3) 환경을 보호하기 위해 오늘부터 쓰레기 줍기를 (   )해야겠다. — 실천

2 초성을 보고, 빈칸에 들어갈 알맞은 낱말을 쓰세요.

잎의 모양이 둥근 것과 길쭉한 것으로 (ㅁㄹ ㅈㄱ)를 해 봅시다.

둥근 잎 / 길쭉한 잎

무리 짓기

3 밑줄 친 낱말의 쓰임이 바른 것에 ○표, 바르지 않은 것에 ×표 하세요.

(1) 문제를 읽고 답을 구했다. (○)

(2) 가방은 쓰임새에 따라 여러 가지 모양이 있다. (○)

(3) 양동이에 물이 가득 찰 때까지 물을 덜었다. (×)

(4) 택배 기사님께서 물건을 우리 집까지 전달해 주셨다. (○)

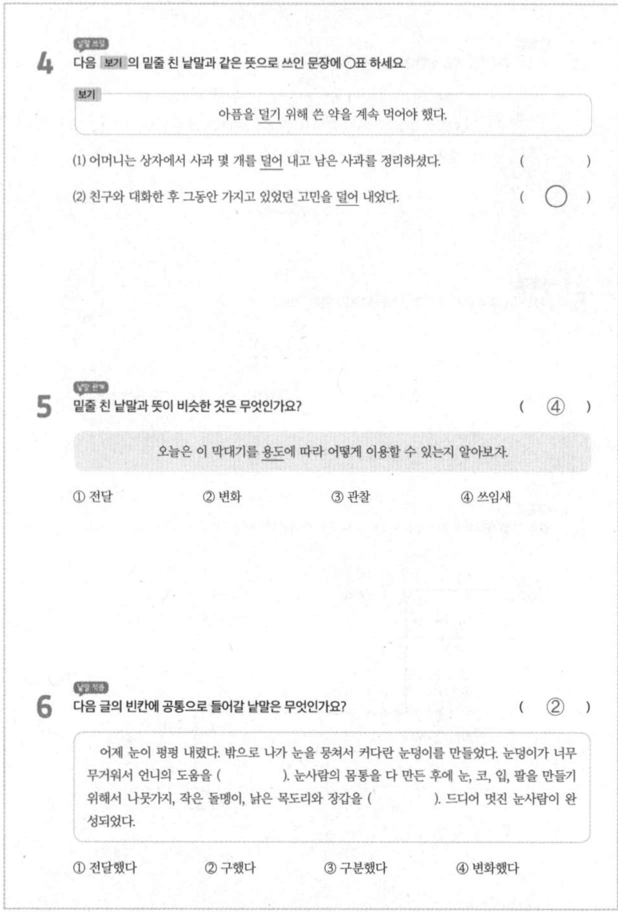

4 다음 보기 의 밑줄 친 낱말과 같은 뜻으로 쓰인 문장에 ○표 하세요.

보기 아픔을 덜기 위해 쓴 약을 계속 먹어야 했다.

(1) 어머니는 상자에서 사과 몇 개를 덜어 내고 남은 사과를 정리하셨다. ( )

(2) 친구와 대화한 후 그동안 가지고 있었던 고민을 덜어 내었다. (○)

5 밑줄 친 낱말과 뜻이 비슷한 것은 무엇인가요? (④)

오늘은 이 막대기를 용도에 따라 어떻게 이용할 수 있는지 알아보자.

① 전달 ② 변화 ③ 관찰 ④ 쓰임새

6 다음 글의 빈칸에 공통으로 들어갈 낱말은 무엇인가요? (②)

어제 눈이 펑펑 내렸다. 밖으로 나가 눈을 뭉쳐서 커다란 눈덩이를 만들었다. 눈덩이가 너무 무거워서 언니의 도움을 (   ). 눈사람의 몸통을 다 만든 후에 눈, 코, 입, 팔을 만들기 위해서 나뭇가지, 작은 돌멩이, 낡은 목도리와 장갑을 (   ). 드디어 멋진 눈사람이 완성되었다.

① 전달했다 ② 구했다 ③ 구분했다 ④ 변화했다

도움말

1 (1) 빈칸에 '탐구하려는 대상의 특징을 자세히 살펴봄'을 뜻하는 '관찰'을 넣어 '주전자에서 보글보글 끓는 물의 모습을 관찰했다.'라는 문장으로 완성합니다. (2) 빈칸에 '사물의 성질, 모양, 상태 따위가 바뀌어 달라짐'을 뜻하는 '변화'를 넣어 '과학의 발달로 우리 생활은 매우 빠르게 변화되고 있다.'라는 문장으로 완성합니다. (3) 빈칸에 '생각한 바를 실제로 행동에 옮김'을 뜻하는 '실천'을 넣어 '환경을 보호하기 위해 오늘부터 쓰레기 줍기를 실천해야겠다.'라는 문장으로 완성합니다.

2 잎의 모양에 따라 '둥근 잎'과 '길쭉한 잎'으로 나누어 놓았습니다. 따라서 빈칸에는 '사람이나 짐승, 사물 등이 모여서 한데 뭉치는 것'을 뜻하는 '무리 짓기'가 들어가야 합니다.

3 '덜다'는 '원래 있었던 양이나 정도에서 얼마를 떼어 적게 만들다'라는 뜻이므로 (3)은 '덜었다' 대신 '채웠다'가 알맞습니다.

도움말

4 '덜다'에는 '원래 있었던 양이나 정도에서 얼마를 떼어 적게 만들다'라는 뜻과 '어떤 상태를 적게 하다'라는 뜻이 있습니다. 보기 에 제시된 '아픔을 덜기 위해 쓴 약을 계속 먹어야 했다.'에서는 두 번째 뜻으로 쓰였습니다. (1)에서 '사과 몇 개를 덜어 내고'는 원래 있었던 양을 적게 만들었다는 의미로 쓰였으므로 첫 번째 뜻에 해당합니다. (2)에서 '고민을 덜어'는 상태를 적게 하다는 의미로 쓰였으므로 두 번째 뜻에 해당합니다.

5 제시된 문장에서 '용도'는 '쓰이는 길. 또는 쓰이는 곳.'을 뜻하는 낱말입니다. 이와 비슷한 낱말은 '쓰임의 정도나 쓰이는 바'를 뜻하는 '쓰임새'입니다.

6 빈칸에 공통으로 들어갈 낱말은 '구하다'입니다. '구하다'에는 '필요한 것을 찾거나 얻다'라는 뜻과 '상대편이 어떻게 해 주기를 청하다'라는 뜻이 있습니다. '구하다'는 첫 번째 빈칸에서 '언니에게 도움을 청했다.'의 의미로 쓰이고, 두 번째 빈칸에서 '눈사람을 꾸미는 데 필요한 것들을 찾았다.'의 의미로 쓰여 문장을 완성할 수 있습니다.

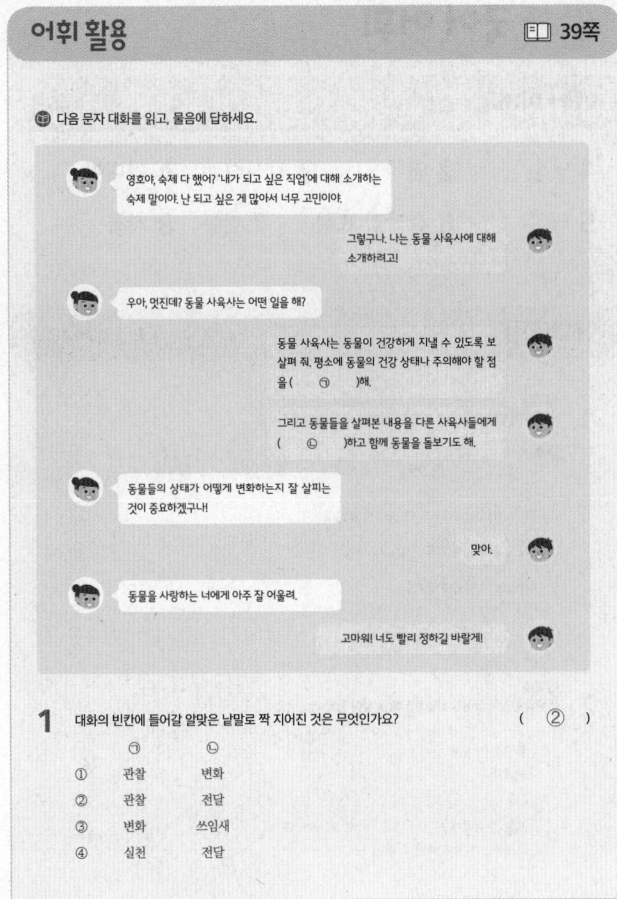

어휘 활용 39쪽

⑲ 다음 문자 대화를 읽고, 물음에 답하세요.

1 대화의 빈칸에 들어갈 알맞은 낱말로 짝 지어진 것은 무엇인가요? (②)

	㉠	㉡
①	관찰	변화
②	관찰	전달
③	변화	쓰임새
④	실천	전달

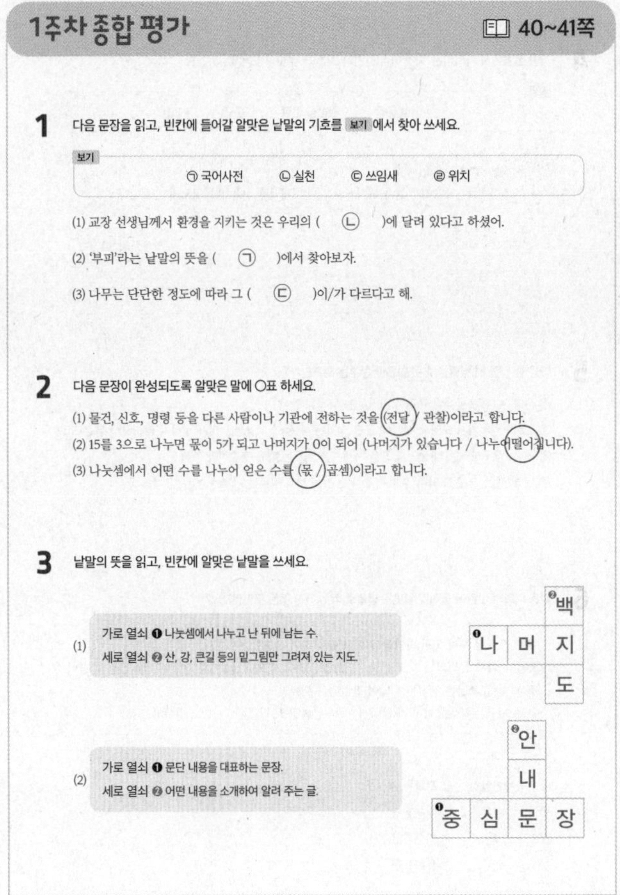

1주차 종합 평가 40~41쪽

1 다음 문장을 읽고, 빈칸에 들어갈 알맞은 낱말의 기호를 보기 에서 찾아 쓰세요.

보기: ㉠ 국어사전 ㉡ 실천 ㉢ 쓰임새 ㉣ 위치

(1) 교장 선생님께서 환경을 지키는 것은 우리의 (㉡)에 달려 있다고 하셨어.

(2) '부피'라는 낱말의 뜻을 (㉠)에서 찾아보자.

(3) 나무는 단단한 정도에 따라 그 (㉢)이/가 다르다고 해.

2 다음 문장이 완성되도록 알맞은 말에 ○표 하세요.

(1) 물건, 신호, 명령 등을 다른 사람이나 기관에 전하는 것을 (전달 / 관찰)이라고 합니다.

(2) 15를 3으로 나누면 몫이 5가 되고 나머지가 0이 되어 (나머지가 있습니다 / 나누어떨어집니다).

(3) 나눗셈에서 어떤 수를 나누어 얻은 수를 (몫 / 곱셈)이라고 합니다.

3 낱말의 뜻을 읽고, 빈칸에 알맞은 낱말을 쓰세요.

(1) 가로 열쇠 ❶ 나눗셈에서 나누고 난 뒤에 남는 수.
세로 열쇠 ❷ 산, 강, 큰길 등의 밑그림만 그려져 있는 지도.

		❷백
❶나	머	지
		도

(2) 가로 열쇠 ❶ 문단 내용을 대표하는 문장.
세로 열쇠 ❷ 어떤 내용을 소개하여 알려 주는 글.

		❷안	
		내	
❶중	심	문	장

매체 자료에 대해 알아볼까요?

이 글은 문자 대화입니다. 휴대 전화, 컴퓨터 등의 매체를 통해 대화가 이루어집니다. 문자 대화에서는 문자, 사진, 그림말(이모티콘) 등을 활용하여 생각이나 느낌, 정보 등을 전달합니다.

도움말

1 두 친구는 문자 대화를 통해 학교 숙제에 대해 이야기를 나누고 있으며, 영호는 친구에게 동물 사육사가 하는 일을 설명하고 있습니다. ㉠에는 동물의 건강 상태나 주의해야 할 점을 자세히 살펴보는 일과 관련되는 낱말이 들어가야 되므로 '탐구하려는 대상의 특징을 자세히 살펴봄'을 뜻하는 '관찰'이 가장 적절합니다. ㉡에는 '물건, 신호, 명령 등을 다른 사람이나 기관에 전함'을 뜻하는 '전달'을 넣어 '동물들을 살펴본 내용을 다른 사육사에게 전달한다.'라는 맥락의 문장으로 완성할 수 있습니다.

도움말

1 (1) '생각한 바를 실제로 행동에 옮김'을 뜻하는 '㉡ 실천'을 넣어 '교장 선생님께서 환경을 지키는 것은 우리의 실천에 달려 있다고 하셨어.'라는 문장으로 완성할 수 있습니다. (2) '부피'라는 낱말의 뜻을 알아보려면 '낱말을 모아 정해진 순서대로 늘어놓고 낱말의 뜻과 쓰임새 등을 풀이한 책'인 '㉠ 국어사전'을 찾아보아야 합니다. (3) 빈칸에 '쓰임의 정도나 쓰이는 바'를 뜻하는 '㉢ 쓰임새'를 넣어 '나무는 단단한 정도에 따라 그 쓰임새가 다르다고 해.'라는 문장으로 완성할 수 있습니다.

2 (1) '물건, 신호, 명령 등을 다른 사람이나 기관에 전하는 것'을 뜻하는 낱말은 '전달'입니다. (2) 나눗셈식에서 '나머지가 0이 되다'라는 표현은 '나누어떨어지다'라는 표현과 같습니다. (3) '나눗셈에서 어떤 수를 나누어 얻은 수'는 '몫'이라고 합니다.

3 (1) ❶ '나눗셈에서 나누고 난 뒤에 남는 수'는 '나머지'이며, ❷ '산, 강, 큰길 등의 밑그림만 그려져 있는 지도'는 '백지도'입니다. (2) ❶ '문단 내용을 대표하는 문장'은 '중심 문장'이며, ❷ '어떤 내용을 소개하여 알려 주는 글'은 '안내문'입니다.

2주

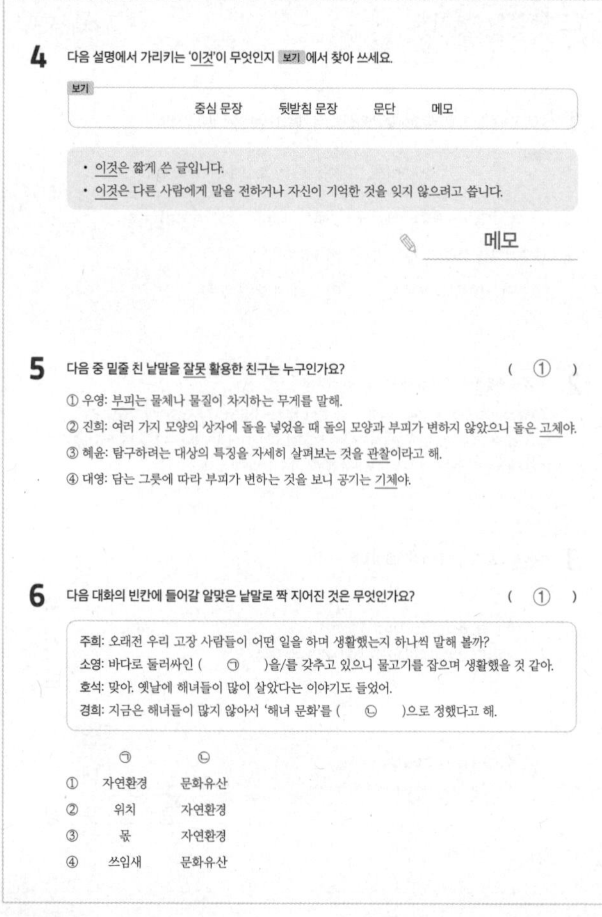

4 다음 설명에서 가리키는 '이것'이 무엇인지 보기 에서 찾아 쓰세요.

보기: 중심 문장 뒷받침 문장 문단 메모

- 이것은 짧게 쓴 글입니다.
- 이것은 다른 사람에게 말을 전하거나 자신이 기억한 것을 잊지 않으려고 씁니다.

메모

5 다음 중 밑줄 친 낱말을 잘못 활용한 친구는 누구인가요? (①)

① 우영: 부피는 물체나 물질이 차지하는 무게를 말해.
② 진희: 여러 가지 모양의 상자에 돌을 넣었을 때 돌의 모양과 부피가 변하지 않았으니 돌은 고체야.
③ 혜윤: 탐구하려는 대상의 특징을 자세히 살펴보는 것을 관찰이라고 해.
④ 대영: 담는 그릇에 따라 부피가 변하는 것을 보니 공기는 기체야.

6 다음 대화의 빈칸에 들어갈 알맞은 낱말로 짝 지어진 것은 무엇인가요? (①)

주희: 오래전 우리 고장 사람들이 어떤 일을 하며 생활했는지 하나씩 말해 볼까?
소영: 바다로 둘러싸인 (㉠)을/를 갖추고 있으니 물고기를 잡으며 생활했을 것 같아.
호석: 맞아. 옛날에 해녀들이 많이 살았다는 이야기도 들었어.
경희: 지금은 해녀들이 많지 않아서 '해녀 문화'를 (㉡)으로 정했다고 해.

	㉠	㉡
①	자연환경	문화유산
②	위치	자연환경
③	뭍	자연환경
④	쓰임새	문화유산

도움말

4 짧게 쓴 글이며, 다른 사람에게 말을 전하거나 자신이 기억한 것을 잊지 않으려고 쓰는 것은 '메모'입니다.

5 ① '부피'는 '물체나 물질이 차지하는 공간의 크기'를 뜻하므로, 낱말을 잘못 활용한 친구는 우영입니다.

6 친구들은 오래전 우리 고장 사람들의 생활 모습에 대해 이야기를 나누고 있습니다. 소영이 한 말에서 '바다로 둘러싸인'이라는 부분을 통해 ㉠에는 '산, 들, 하천, 바다, 눈, 비 등 자연 그대로의 환경'을 뜻하는 '자연환경'이 들어가야 한다는 것을 알 수 있습니다. ㉡에는 '조상 대대로 전해 내려온 문화 중에서 후손에게 물려줄 만한 가치가 있는 것'을 뜻하는 '문화유산'을 넣어 '지금은 해녀들이 많지 않아서 '해녀 문화'를 문화유산으로 정했다고 해.'라는 문장으로 완성할 수 있습니다.

1일차 국어 어휘

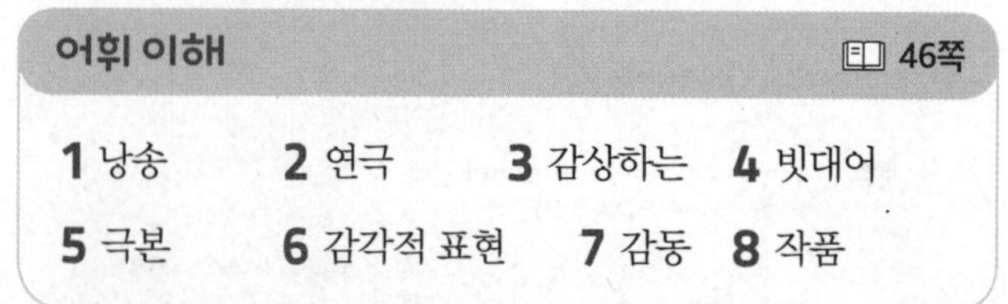

어휘 이해 (46쪽)

1 낭송 **2** 연극 **3** 감상하는 **4** 빗대어
5 극본 **6** 감각적 표현 **7** 감동 **8** 작품

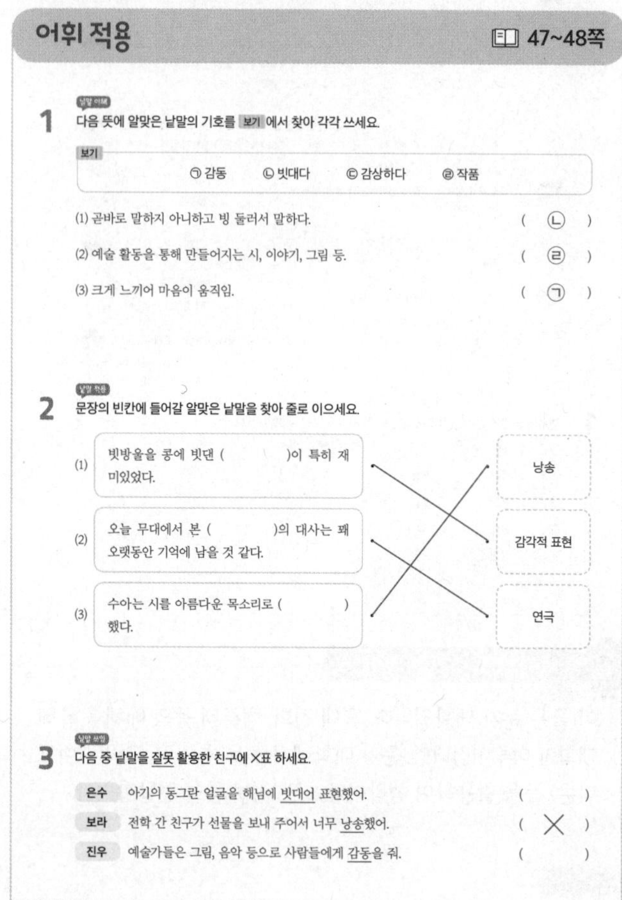

어휘 적용 (47~48쪽)

1 다음 뜻에 알맞은 낱말의 기호를 보기 에서 찾아 각각 쓰세요.

보기: ㉠ 감동 ㉡ 빗대다 ㉢ 감상하다 ㉣ 작품

(1) 곧바로 말하지 아니하고 빙 둘러서 말하다. (㉡)
(2) 예술 활동을 통해 만들어지는 시, 이야기, 그림 등. (㉣)
(3) 크게 느끼어 마음이 움직임. (㉠)

2 문장의 빈칸에 들어갈 알맞은 낱말을 찾아 줄로 이으세요.

(1) 빗방울을 콩에 빗댄 ( )이 특히 재미있었다.
(2) 오늘 무대에서 본 ( )의 대사는 꽤 오랫동안 기억에 남을 것 같다.
(3) 수아는 시를 아름다운 목소리로 ( ) 했다.

낭송 / 감각적 표현 / 연극

3 다음 중 낱말을 잘못 활용한 친구에 ×표 하세요.

은수: 아기의 동그란 얼굴을 해님에 빗대어 표현했어. ( )
보라: 전학 간 친구가 선물을 보내 주어서 너무 낭송했어. (×)
진우: 예술가들은 그림, 음악 등으로 사람들에게 감동을 줘. ( )

도움말

1 (1) '곧바로 말하지 아니하고 빙 둘러서 말하다'를 뜻하는 낱말은 '㉡ 빗대다'입니다. (2) '예술 활동을 통해 만들어지는 시, 이야기, 그림 등'을 뜻하는 낱말은 '㉣ 작품'입니다. (3) '크게 느끼어 마음이 움직임'을 뜻하는 낱말은 '㉠ 감동'입니다.

2 (1) 빗방울을 콩에 빗대어 빗방울의 느낌을 생생하게 표현했으므로 빈칸에 들어갈 알맞은 낱말은 '감각적 표현'입니다. (2) '무대에서 본, '대사는'이라는 부분을 통해 빈칸에 들어갈 알맞은 낱말은 '배우가 극본에 따라 어떤 사건이나 인물을 말과 동작으로 관객에게 보여 주는 예술'이라는 뜻의 '연극'임을 알 수 있습니다. (3) '크게 소리를 내어 글을 읽거나 외움'을 뜻하는 '낭송'을 빈칸에 넣어 '수아는 시를 아름다운 목소리로 낭송했다.'라는 문장으로 완성할 수 있습니다.

3 '전학 간 친구가 보내 준 선물에 마음이 움직였다.'는 내용이므로 보라가 사용한 '낭송'은 어울리지 않습니다. '낭송' 대신 '감동'이 쓰이는 것이 적절합니다.

낱말 적용

4 다음 문장을 읽고, 빈칸에 공통으로 들어갈 낱말을 보기 에서 찾아 쓰세요.

보기

감동　연극　낭송　극본

- 이 작품은 영화로도, (　　　　)으로도 만들어졌다.
- 오늘 본 (　　　　)의 주인공은 8살짜리 아이였다.
- 많은 관객들이 자리에 앉아 (　　　　)을 관람하고 있었다.

연극

낱말 관계

5 밑줄 친 낱말과 뜻이 비슷한 것에 ○표 하세요.

영미는 전시된 그림들을 보았다.

감동했다　감상했다(○)　빗대었다　연기했다

낱말 적용

6 다음 대화의 빈칸에 들어갈 알맞은 낱말로 짝 지어진 것은 무엇인가요? (②)

승훈: 이 시를 읽으니 비 오는 날 물방울이 톡톡 떨어지는 것 같은 느낌이 들어.
영지: 특히 (㉠)을 사용해서 비 오는 느낌을 생생하게 표현했지.
승훈: 비를 맞는 친구들의 모습을 달팽이에 (㉡) 표현한 부분도 기억에 남아.
영지: 이 시는 정말 재미있어서 집에 가서 부모님께 낭송해 드려야겠어.

	㉠	㉡
①	작품	감상하여
②	감각적 표현	빗대어
③	감각적 표현	구경하여
④	작품	빗대어

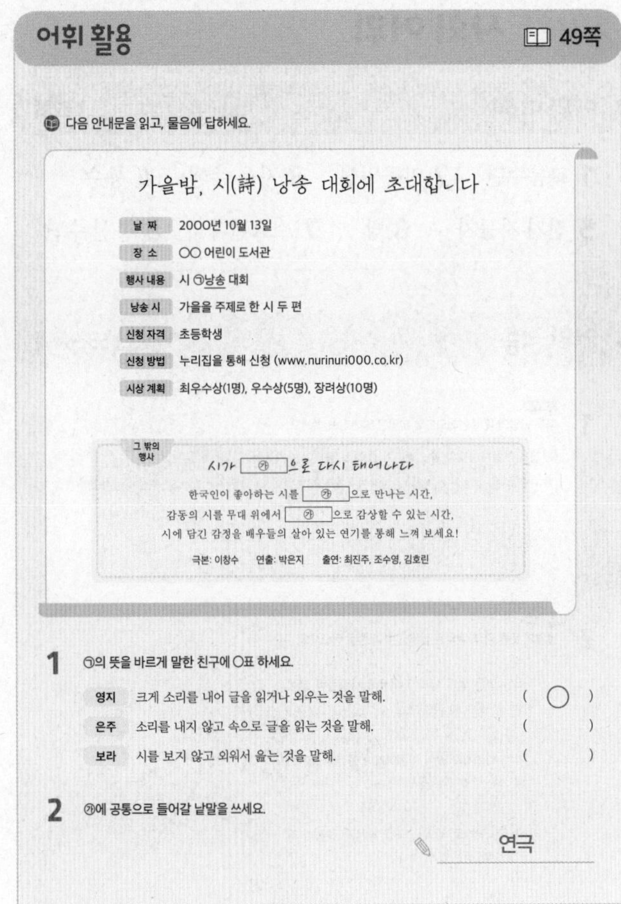

어휘 활용

49쪽

다음 안내문을 읽고, 물음에 답하세요.

가을밤, 시(詩) 낭송 대회에 초대합니다

날 짜	2000년 10월 13일
장 소	○○ 어린이 도서관
행사 내용	시 ㉠낭송 대회
낭송 시	가을을 주제로 한 시 두 편
신청 자격	초등학생
신청 방법	누리집을 통해 신청 (www.nurinuri000.co.kr)
시상 계획	최우수상(1명), 우수상(5명), 장려상(10명)

그 밖의 행사

시가 ㉮ 으로 다시 태어나다

한국인이 좋아하는 시를 ㉮ 으로 만나는 시간,
감동의 시를 무대 위에서 ㉮ 으로 감상할 수 있는 시간,
시에 담긴 감정을 배우들의 살아 있는 연기를 통해 느껴 보세요!

극본: 이창수　연출: 박은지　출연: 최진주, 조수영, 김호린

1 ㉠의 뜻을 바르게 말한 친구에 ○표 하세요.

영지　크게 소리를 내어 글을 읽거나 외우는 것을 말해. (○)
은주　소리를 내지 않고 속으로 글을 읽는 것을 말해. (　)
보라　시를 보지 않고 외워서 읊는 것을 말해. (　)

2 ㉮에 공통으로 들어갈 낱말을 쓰세요.

연극

도움말

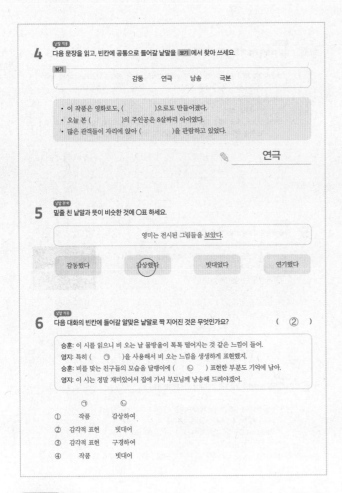

4 '영화 또는 무엇으로 만들어진 작품, 8살짜리 주인공, 많은 관객들'이라는 내용을 통해 빈칸에 공통으로 들어갈 낱말을 찾아볼 수 있습니다. 빈칸에는 '배우가 극본에 따라 어떤 사건이나 인물을 말과 동작으로 관객에게 보여 주는 예술'을 뜻하는 '연극'이 들어가야 합니다.

5 제시된 문장에서 '영미는 전시된 그림들을 보았다.'고 하였습니다. 여기에서 '보았다'의 뜻은 '주로 예술 작품을 이해하여 즐기고 평가했다'라는 뜻의 '감상했다'로 바꾸어 쓸 수 있습니다.

6 영지는 이 시에서 비 오는 날 물방울이 떨어지는 느낌이 생생하게 표현되었다고 말했습니다. 따라서 ㉠에는 '사물에 대한 느낌을 보거나 만지는 것처럼 생생하게 나타낸 표현'을 뜻하는 '감각적 표현'이 들어가야 합니다. 승훈이는 비 맞는 친구들을 보고 달팽이로 표현한 부분이 기억에 남는다고 하였습니다. 따라서 ㉡에는 '곧바로 말하지 아니하고 빙 둘러서 말해'를 뜻하는 '빗대어'가 들어가야 합니다.

매체 자료에 대해 알아볼까요?

이 글은 안내문입니다. 안내문은 어떤 내용을 소개하여 알려 주는 글입니다. 안내문을 읽을 때에는 무엇을 알리는 안내문인지 확인하고, 시간, 장소, 주의 사항이나 참여 방법 등을 꼼꼼하게 살펴봅니다. 이 글에는 '시 낭송 대회'에 대한 간략한 내용이 안내되어 있습니다.

도움말

1 '㉠낭송'은 '크게 소리를 내어 글을 읽거나 외움'이라는 뜻입니다. 따라서 ㉠의 뜻을 바르게 말한 친구는 영지입니다.

2 ㉮의 앞뒤 내용을 살펴보면 그 밖의 행사는 '연극'임을 알 수 있습니다. 무대 위에서 감상할 수 있다는 내용, 시에 담긴 감정을 배우들의 연기를 통해 느낄 수 있다는 내용에서 정답을 짐작할 수 있습니다. 빈칸에 공통으로 들어갈 낱말은 '배우가 극본에 따라 어떤 사건이나 인물을 말과 동작으로 관객에게 보여 주는 예술'을 뜻하는 '연극'입니다.

2일차 사회 어휘

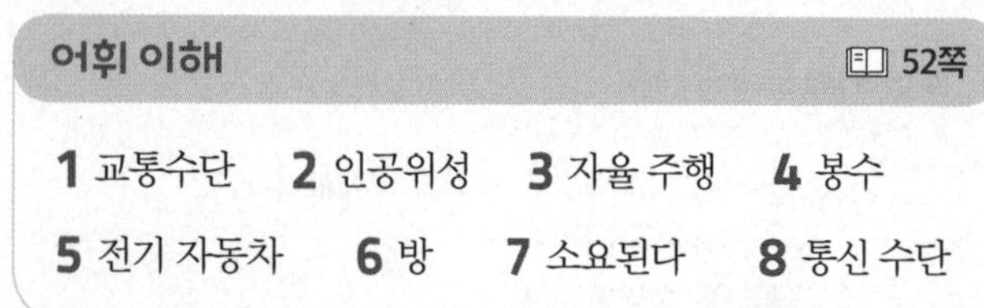

어휘 이해 52쪽

1 교통수단 **2** 인공위성 **3** 자율 주행 **4** 봉수
5 전기 자동차 **6** 방 **7** 소요된다 **8** 통신 수단

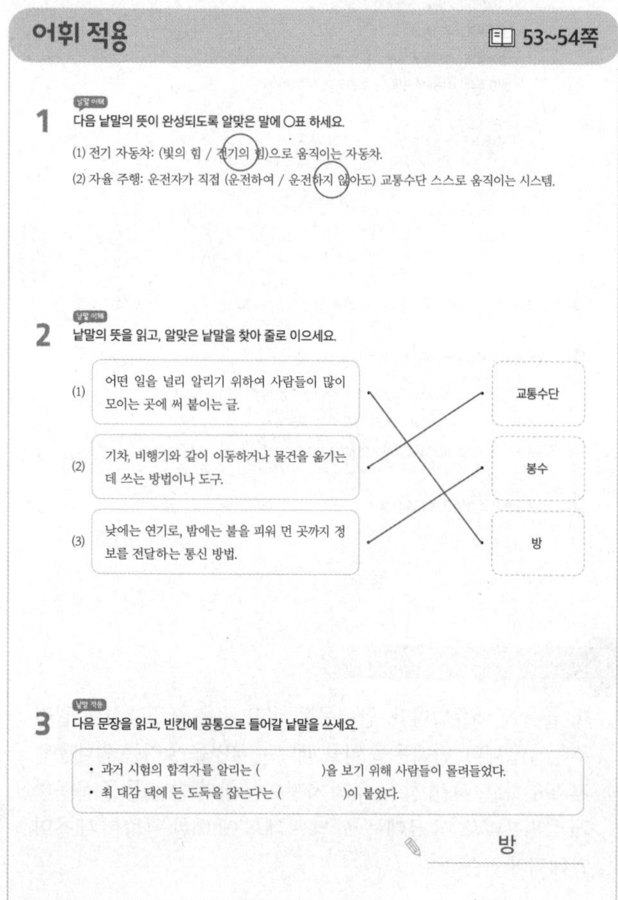

어휘 적용 53~54쪽

낱말 이해
1 다음 낱말의 뜻이 완성되도록 알맞은 말에 ○표 하세요.

(1) 전기 자동차: (빛의 힘 / 전기의 힘)으로 움직이는 자동차.
(2) 자율 주행: 운전자가 직접 (운전하여 / 운전하지 않아도) 교통수단 스스로 움직이는 시스템.

낱말 이해
2 낱말의 뜻을 읽고, 알맞은 낱말을 찾아 줄로 이으세요.

(1) 어떤 일을 널리 알리기 위하여 사람들이 많이 모이는 곳에 써 붙이는 글. — 방
(2) 기차, 비행기와 같이 이동하거나 물건을 옮기는 데 쓰는 방법이나 도구. — 교통수단
(3) 낮에는 연기로, 밤에는 불을 피워 먼 곳까지 정보를 전달하는 통신 방법. — 봉수

낱말 적용
3 다음 문장을 읽고, 빈칸에 공통으로 들어갈 낱말을 쓰세요.

- 과거 시험의 합격자를 알리는 (　　　　)을 보기 위해 사람들이 몰려들었다.
- 최 대감 댁에 든 도둑을 잡는다는 (　　　　)이 붙었다.

방

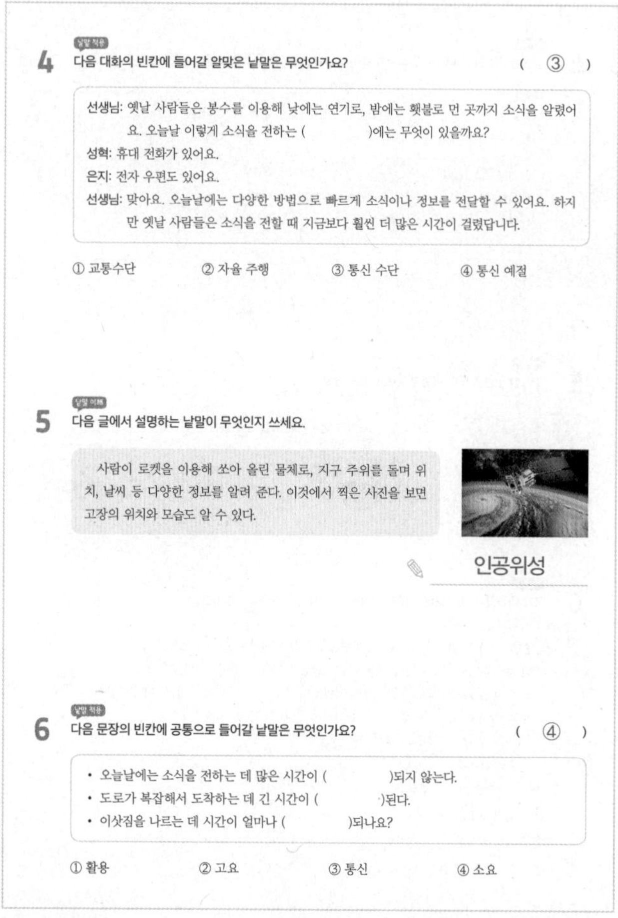

낱말 적용
4 다음 대화의 빈칸에 들어갈 알맞은 낱말은 무엇인가요? (③)

선생님: 옛날 사람들은 봉수를 이용해 낮에는 연기로, 밤에는 횃불로 먼 곳까지 소식을 알렸어요. 오늘날 이렇게 소식을 전하는 (　　　　)에는 무엇이 있을까요?
성혁: 휴대 전화가 있어요.
은지: 전자 우편도 있어요.
선생님: 맞아요. 오늘날에는 다양한 방법으로 빠르게 소식이나 정보를 전달할 수 있어요. 하지만 옛날 사람들은 소식을 전할 때 지금보다 훨씬 더 많은 시간이 걸렸답니다.

① 교통수단　② 자율 주행　③ 통신 수단　④ 통신 예절

낱말 이해
5 다음 글에서 설명하는 낱말이 무엇인지 쓰세요.

사람이 로켓을 이용해 쏘아 올린 물체로, 지구 주위를 돌며 위치, 날씨 등 다양한 정보를 알려 준다. 이것에서 찍은 사진을 보면 고장의 위치와 모습도 알 수 있다.

인공위성

낱말 적용
6 다음 문장의 빈칸에 공통으로 들어갈 낱말은 무엇인가요? (④)

- 오늘날에는 소식을 전하는 데 많은 시간이 (　　　　)되지 않는다.
- 도로가 복잡해서 도착하는 데 긴 시간이 (　　　　)된다.
- 이삿짐을 나르는 데 시간이 얼마나 (　　　　)되나요?

① 활용　② 고요　③ 통신　④ 소요

도움말

1 (1) '전기 자동차'는 '전기의 힘으로 움직이는 자동차'를 뜻합니다. (2) '자율 주행'은 '운전자가 직접 운전하지 않아도 교통수단 스스로 움직이는 시스템'을 뜻합니다.

2 (1) '어떤 일을 널리 알리기 위하여 사람들이 많이 모이는 곳에 써 붙이는 글'은 '방'입니다. (2) '기차, 비행기와 같이 이동하거나 물건을 옮기는 데 쓰는 방법이나 도구'는 '교통수단'입니다. (3) '낮에는 연기로, 밤에는 불을 피워 먼 곳까지 정보를 전달하는 통신 방법'은 '봉수'입니다.

3 첫 번째 문장에서 '과거 시험의 합격자를 알리는'이라는 내용과 두 번째 문장에서 '도둑을 잡는다'는 내용을 통해 빈칸의 정답을 짐작할 수 있습니다. 빈칸에는 '어떤 일을 널리 알리기 위하여 사람들이 많이 모이는 곳에 써 붙이는 글'을 뜻하는 '방'이 들어가야 합니다.

4 선생님과 친구들은 옛날과 오늘날에 소식을 알리는 수단에 대해 이야기를 나누고 있습니다. 옛날 사람들이 소식을 알리기 위해 사용했던 '봉수', 오늘날 우리가 사용하는 휴대 전화와 전자 우편 모두 '정보, 의견 등을 전달하는 데 사용하는 도구'인 '통신 수단'임을 알 수 있습니다. 따라서 정답은 ③입니다.

5 사람이 로켓을 이용해 쏘아 올린 물체로, 지구 주위를 돌며 위치, 날씨 등 다양한 정보를 알려 주는 것을 '인공위성'이라고 합니다. 인공위성에서 찍은 사진을 보면 고장의 위치와 모습도 알 수 있습니다.

6 제시된 문장들의 빈칸 앞에는 모두 '시간'이라는 낱말이 제시되어 있습니다. 따라서 빈칸에는 '어떤 것을 하는 데 있어 돈, 시간, 물건 따위를 필요로 함'을 뜻하는 '소요'를 넣어 '시간이 소요되지 않는다.', '긴 시간이 소요된다.', '시간이 얼마나 소요되나요?'라는 의미로 완성하는 것이 적절합니다. ①의 '활용'은 '어떤 것을 충분히 잘 이용함'이라는 뜻의 낱말입니다.

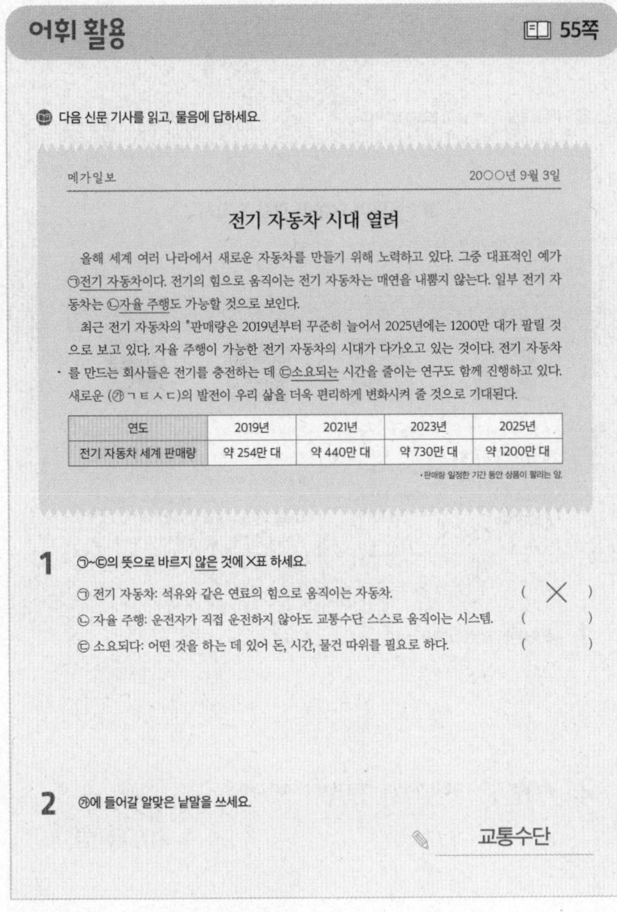

어휘 활용 (55쪽)

다음 신문 기사를 읽고, 물음에 답하세요.

메가일보 20○○년 9월 3일

전기 자동차 시대 열려

올해 세계 여러 나라에서 새로운 자동차를 만들기 위해 노력하고 있다. 그중 대표적인 예가 ㉠전기 자동차이다. 전기의 힘으로 움직이는 전기 자동차는 매연을 내뿜지 않는다. 일부 전기 자동차는 ㉡자율 주행도 가능할 것으로 보인다.

최근 전기 자동차의 *판매량은 2019년부터 꾸준히 늘어서 2025년에는 1200만 대가 팔릴 것으로 보고 있다. 자율 주행이 가능한 전기 자동차의 시대가 다가오고 있는 것이다. 전기 자동차를 만드는 회사들은 전기를 충전하는 데 ㉢소요되는 시간을 줄이는 연구도 함께 진행하고 있다. 새로운 (㉮ ㄱㅌㅅㄷ)의 발전이 우리 삶을 더욱 편리하게 변화시켜 줄 것으로 기대된다.

연도	2019년	2021년	2023년	2025년
전기 자동차 세계 판매량	약 254만 대	약 440만 대	약 730만 대	약 1200만 대

*판매량: 일정한 기간 동안 상품이 팔리는 양.

1 ㉠~㉢의 뜻으로 바르지 않은 것에 ×표 하세요.

㉠ 전기 자동차: 석유와 같은 연료의 힘으로 움직이는 자동차. (×)

㉡ 자율 주행: 운전자가 직접 운전하지 않아도 교통수단 스스로 움직이는 시스템. ( )

㉢ 소요되다: 어떤 것을 하는 데 있어 돈, 시간, 물건 따위를 필요로 하다. ( )

2 ㉮에 들어갈 알맞은 낱말을 쓰세요.

교통수단

매체 자료에 대해 알아볼까요?

신문은 사회에서 발생한 사건에 대한 진실이나 해설을 널리 알리기 위한 매체입니다. 신문 기사는 어떤 사건이나 사실을 알리는 신문 속 짧은 글입니다. 신문 기사를 읽을 때에는 기사에 드러난 육하원칙 '누가, 언제, 어디서, 무엇을, 어떻게, 왜'의 내용을 살펴봅니다.

도움말

1 '㉠전기 자동차'는 '석유와 같은 연료의 힘으로 움직이는 자동차'가 아닌, '전기의 힘으로 움직이는 자동차'입니다.

2 ㉮에는 이 기사에서 중점적으로 다룬 '전기 자동차'를 포함할 수 있는 낱말이 들어가야 하며, '우리 삶을 더욱 편리하게 변화시켜 줄 것'이라는 내용과도 호응이 되어야 합니다. 따라서 ㉮에는 '기차, 비행기와 같이 이동하거나 물건을 옮기는 데 쓰는 방법이나 도구'를 뜻하는 '교통수단'이 들어가야 합니다.

3일차 과학 어휘

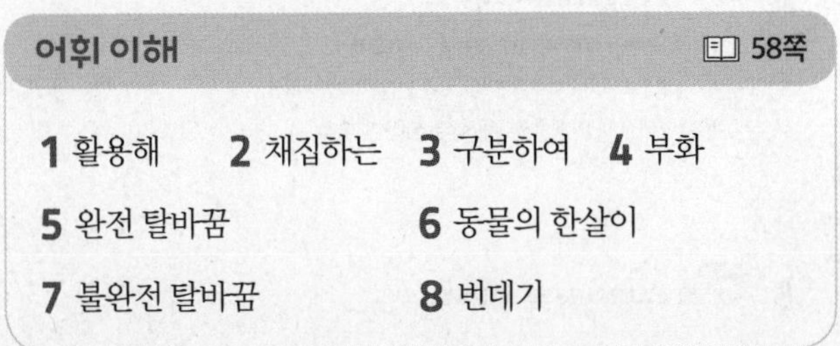

어휘 이해 (58쪽)

1 활용해 **2** 채집하는 **3** 구분하여 **4** 부화

5 완전 탈바꿈 **6** 동물의 한살이

7 불완전 탈바꿈 **8** 번데기

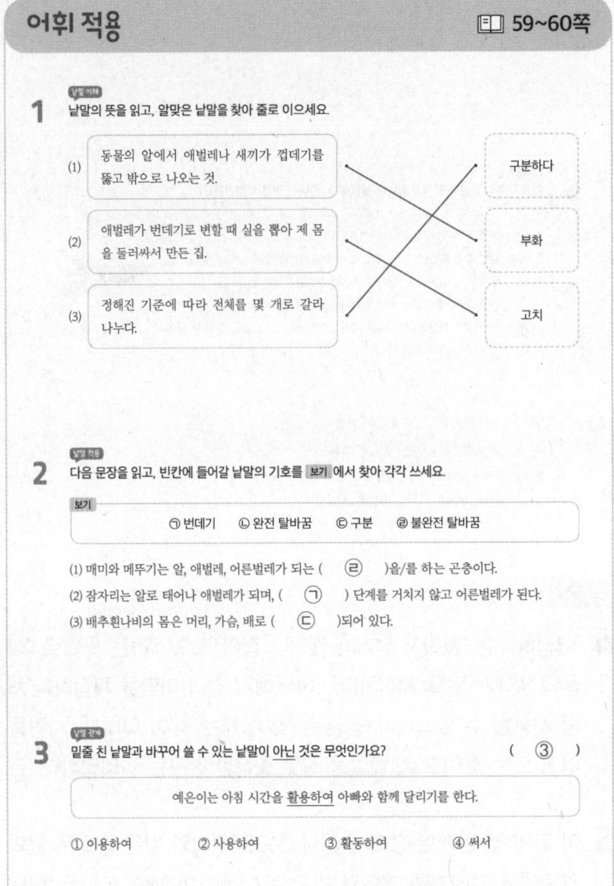

어휘 적용 (59~60쪽)

낱말 이해

1 낱말의 뜻을 읽고, 알맞은 낱말을 찾아 줄로 이으세요.

(1) 동물의 알에서 애벌레나 새끼가 껍데기를 뚫고 밖으로 나오는 것. — 부화

(2) 애벌레가 번데기로 변할 때 실을 뽑아 제 몸을 둘러싸서 만든 집. — 고치

(3) 정해진 기준에 따라 전체를 몇 개로 갈라 나누다. — 구분하다

낱말 적용

2 다음 문장을 읽고, 빈칸에 들어갈 낱말의 기호를 보기 에서 찾아 각각 쓰세요.

보기: ㉠ 번데기 ㉡ 완전 탈바꿈 ㉢ 구분 ㉣ 불완전 탈바꿈

(1) 매미와 메뚜기는 알, 애벌레, 어른벌레가 되는 (㉣)을/를 하는 곤충이다.

(2) 잠자리는 알로 태어나 애벌레가 되며, (㉠) 단계를 거치지 않고 어른벌레가 된다.

(3) 배추흰나비의 몸은 머리, 가슴, 배로 (㉢)되어 있다.

낱말 관계

3 밑줄 친 낱말과 바꾸어 쓸 수 있는 낱말이 아닌 것은 무엇인가요? (③)

예은이는 아침 시간을 활용하여 아빠와 함께 달리기를 한다.

① 이용하여 ② 사용하여 ③ 활동하여 ④ 써서

도움말

1 (1) '동물의 알에서 애벌레나 새끼가 껍데기를 뚫고 밖으로 나오는 것'은 '부화'입니다. (2) '애벌레가 번데기로 변할 때 실을 뽑아 제 몸을 둘러싸서 만든 집'은 '고치'입니다. (3) '정해진 기준에 따라 전체를 몇 개로 갈라 나누다'는 '구분하다'입니다.

2 (1) '알, 애벌레, 어른벌레'가 되는 과정은 '불완전 탈바꿈'입니다. (2) 잠자리는 불완전 탈바꿈을 하는 곤충으로, 번데기 단계를 거치지 않습니다. (3) 배추흰나비의 몸은 '머리, 가슴, 배'로 나뉘므로 빈칸에는 '구분'이 들어가야 적절합니다.

3 '활용하여'의 기본형 '활용하다'는 '충분히 잘 이용하다'라는 뜻이며, 이와 비슷한 뜻의 낱말로 '사용하다, 이용하다, 쓰다'가 있습니다. '활동하다'는 '몸을 움직여 행동하다'라는 뜻으로 '활용하다'와 바꾸어 쓸 수 없습니다.

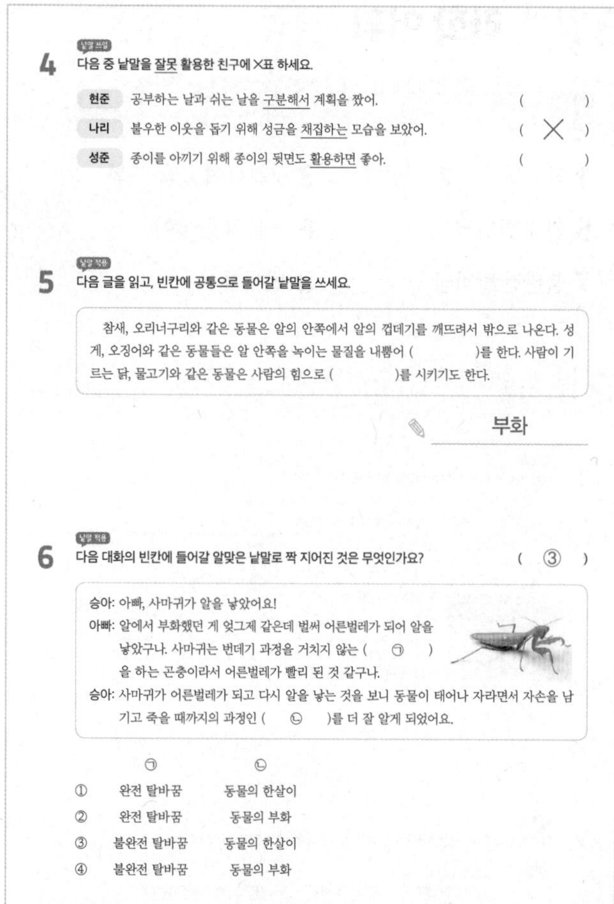

낱말 쓰임

4 다음 중 낱말을 잘못 활용한 친구에 ×표 하세요.

- **현준** 공부하는 날과 쉬는 날을 구분해서 계획을 짰어. (　　)
- **나리** 불우한 이웃을 돕기 위해 성금을 채집하는 모습을 보았어. (×)
- **성준** 종이를 아끼기 위해 종이의 뒷면도 활용하면 좋아. (　　)

낱말 적용

5 다음 글을 읽고, 빈칸에 공통으로 들어갈 낱말을 쓰세요.

참새, 오리너구리와 같은 동물은 알의 안쪽에서 알의 껍데기를 깨뜨려서 밖으로 나온다. 성게, 오징어와 같은 동물들은 알 안쪽을 녹이는 물질을 내뿜어 (　　　)를 한다. 사람이 기르는 닭, 물고기와 같은 동물은 사람의 힘으로 (　　　)를 시키기도 한다.

부화

낱말 적용

6 다음 대화의 빈칸에 들어갈 알맞은 낱말로 짝 지어진 것은 무엇인가요? (③)

승아: 아빠, 사마귀가 알을 낳았어요!
아빠: 알에서 부화했던 게 엊그제 같은데 벌써 어른벌레가 되어 알을 낳았구나. 사마귀는 번데기 과정을 거치지 않는 (㉠)을 하는 곤충이라서 어른벌레가 빨리 된 것 같구나.
승아: 사마귀가 어른벌레가 되고 다시 알을 낳는 것을 보니 동물이 태어나 자라면서 자손을 남기고 죽을 때까지의 과정인 (㉡)를 더 잘 알게 되었어요.

	㉠	㉡
①	완전 탈바꿈	동물의 한살이
②	완전 탈바꿈	동물의 부화
③	불완전 탈바꿈	동물의 한살이
④	불완전 탈바꿈	동물의 부화

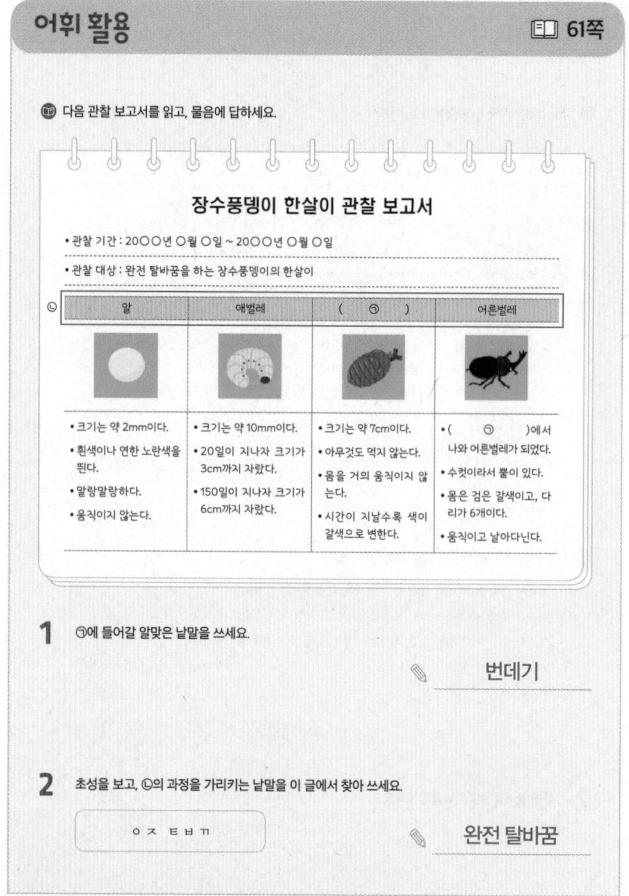

어휘 활용

61쪽

다음 관찰 보고서를 읽고, 물음에 답하세요.

장수풍뎅이 한살이 관찰 보고서

- 관찰 기간 : 20○○년 ○월 ○일 ~ 20○○년 ○월 ○일
- 관찰 대상 : 완전 탈바꿈을 하는 장수풍뎅이의 한살이

㉡ 알	애벌레	(㉠)	어른벌레
• 크기는 약 2mm이다. • 흰색이나 연한 노란색을 띈다. • 말랑말랑하다. • 움직이지 않는다.	• 크기는 약 10mm이다. • 20일이 지나자 크기가 3cm까지 자랐다. • 150일이 지나자 크기가 6cm까지 자랐다.	• 크기는 약 7cm이다. • 아무것도 먹지 않는다. • 몸을 거의 움직이지 않는다. • 시간이 지날수록 색이 갈색으로 변한다.	• (㉠)에서 나와 어른벌레가 되었다. • 수컷이라서 뿔이 있다. • 몸은 검은 갈색이고, 다리가 6개이다. • 움직이고 날아다닌다.

1 ㉠에 들어갈 알맞은 낱말을 쓰세요.

번데기

2 초성을 보고, ㉡의 과정을 가리키는 낱말을 이 글에서 찾아 쓰세요.

ㅇㅈ ㅌㅂㄲ

완전 탈바꿈

도움말

4 '채집하다'는 '찾아서 얻거나 캐거나 잡아 모으다'라는 뜻으로, '식물의 잎에서 알을 채집하다.', '바다에서 김과 미역을 채집하다.'처럼 사용할 수 있습니다. 성금은 '찾아 캐는 것'이 아니라, '사람들이 모으는 것'이므로, 낱말을 잘못 활용한 친구는 나리입니다.

5 이 글의 첫 번째 문장에서 참새, 오리너구리와 같은 동물은 알의 안쪽에서 껍데기를 깨뜨려 밖으로 나온다고 했습니다. 두 번째 문장에서는 성게와 오징어를, 세 번째 문장에서는 닭과 물고기를 예로 들어 부화에 대해 설명하고 있습니다. 따라서 빈칸에 공통으로 들어갈 낱말은 '부화'입니다.

6 승아와 아빠는 알을 낳은 사마귀에 대해 이야기를 나누고 있습니다. 빈칸 ㉠의 앞부분에 '사마귀는 번데기 과정을 거치지 않는'이라는 내용이 있으므로 ㉠에는 '곤충이 알에서 태어나 번데기 단계를 거치지 않고 어른벌레로 자라는 과정'을 뜻하는 '불완전 탈바꿈'이 들어가야 합니다. 빈칸 ㉡의 앞부분에 '동물이 태어나 자라면서 자손을 남기고 죽을 때까지의 과정'이라는 내용을 보아 ㉡에는 '동물의 한살이'가 들어가야 한다는 것을 알 수 있습니다.

매체 자료에 대해 알아볼까요?

이 글은 관찰 보고서입니다. 관찰 보고서에는 관찰 대상, 관찰 과정, 관찰 결과에 대한 내용을 담아야 합니다. 이 관찰 보고서에는 장수풍뎅이의 한살이를 관찰한 내용이 제시되었습니다.

도움말

1 '관찰 대상'은 '완전 탈바꿈을 하는 장수풍뎅이의 한살이'이므로 장수풍뎅이는 알, 애벌레, 번데기 과정을 차례대로 거쳐 어른벌레로 자라는 곤충임을 알 수 있습니다. 또한, 빈칸 ㉠ 항목의 내용에서 '아무것도 먹지 않는다.' '몸을 거의 움직이지 않는다.'라는 부분과 '어른벌레' 항목에서 '㉠에서 나와 어른벌레가 되었다.'라는 부분을 보았을 때 ㉠에는 '번데기'가 들어가야 함을 알 수 있습니다.

2 ㉡은 '알 – 애벌레 – 번데기 – 어른벌레'의 과정을 나타내는 낱말이어야 합니다. '관찰 대상'은 '완전 탈바꿈을 하는 장수풍뎅이의 한살이'이므로 초성을 참고했을 때 ㉡의 과정을 가리키는 낱말은 '완전 탈바꿈'입니다.

4일차 수학 어휘

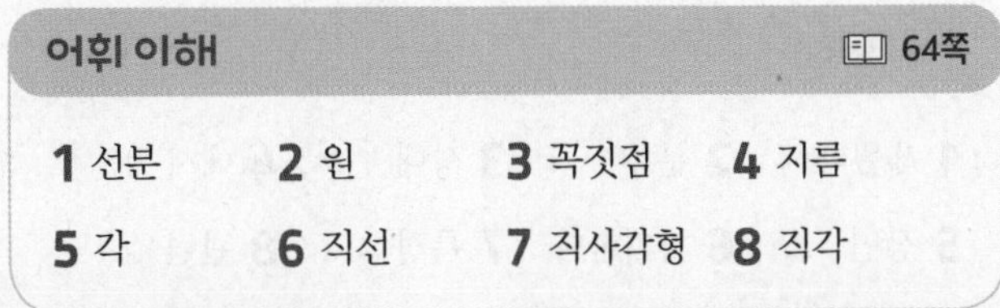

어휘 이해
64쪽
1 선분 2 원 3 꼭짓점 4 지름
5 각 6 직선 7 직사각형 8 직각

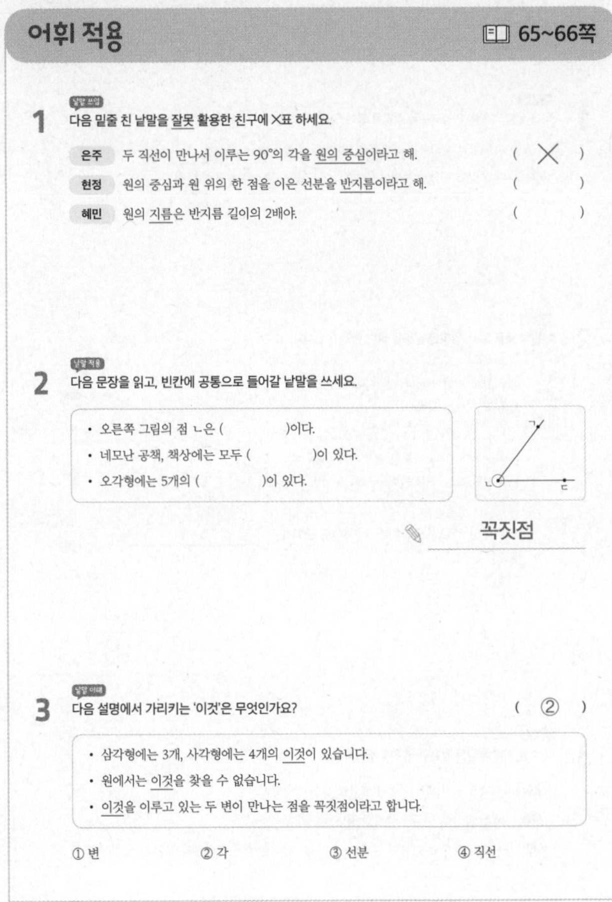

어휘 적용
65~66쪽
1 다음 밑줄 친 낱말을 잘못 활용한 친구에 ×표 하세요.
은주 두 직선이 만나서 이루는 90°의 각을 원의 중심이라고 해. (×)
현정 원의 중심과 원 위의 한 점을 이은 선분을 반지름이라고 해. ( )
혜민 원의 지름은 반지름 길이의 2배야. ( )
2 다음 문장을 읽고, 빈칸에 공통으로 들어갈 낱말을 쓰세요.
• 오른쪽 그림의 점 ㄴ은 ( )이다.
• 네모난 공책, 책상에는 모두 ( )이 있다.
• 오각형에는 5개의 ( )이 있다.
ㄱ
ㄴ
ㄷ
꼭짓점
3 다음 설명에서 가리키는 '이것'은 무엇인가요? (②)
• 삼각형에는 3개, 사각형에는 4개의 이것이 있습니다.
• 원에서는 이것을 찾을 수 없습니다.
• 이것을 이루고 있는 두 변이 만나는 점을 꼭짓점이라고 합니다.
① 변 ② 각 ③ 선분 ④ 직선

도움말

1 '두 직선이 만나서 이루는 90°의 각'은 '직각'이므로, 낱말을 잘못 활용한 친구는 은주입니다.

2 그림의 점 ㄴ은 '각을 이루고 있는 두 변이 만나는 점'인 '꼭짓점'입니다. 또한, 우리 주변에서 볼 수 있는 네모난 공책, 책상에서도 '꼭짓점'을 찾을 수 있으므로, 빈칸에 공통으로 들어가야 하는 낱말은 '꼭짓점'입니다.

3 첫 번째 문장을 살펴보면, 삼각형과 사각형에 있는 이것은 선분일 수도 있고, 각일 수도 있으며, 꼭짓점일 수도 있습니다. 두 번째 문장을 살펴보면, 원에서는 이것을 찾을 수 없다고 하였습니다. 원에서는 선분, 각, 꼭짓점뿐만 아니라 변과 직선도 찾을 수 없습니다. 세 번째 문장을 살펴보면, 이것을 이루고 있는 두 변이 만나는 점을 꼭짓점이라고 하였습니다. 꼭짓점은 '각'을 이루고 있는 두 변이 만나는 점이므로, 모든 문장의 설명을 고려했을 때 '이것'은 '각'임을 알 수 있습니다.

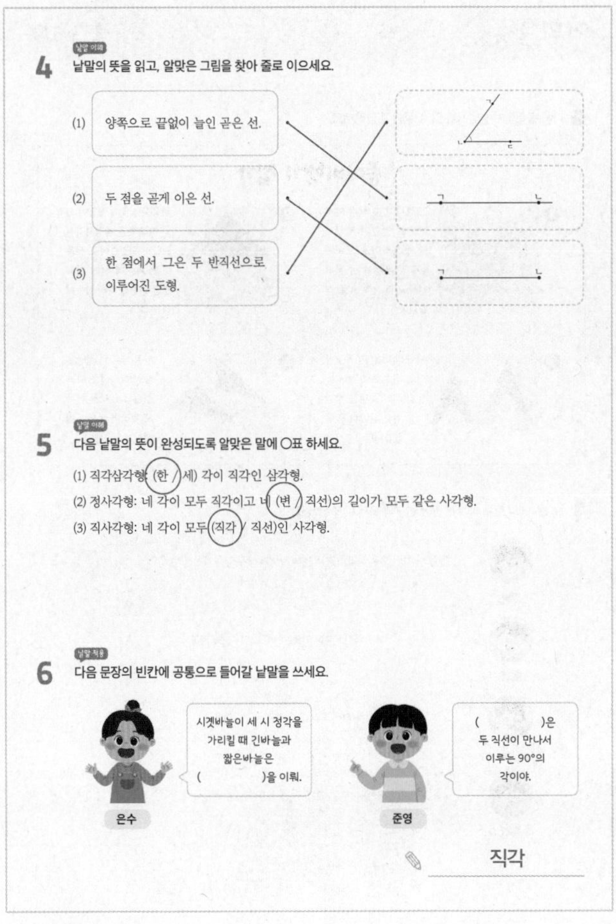

4 낱말의 뜻을 읽고, 알맞은 그림을 찾아 줄로 이으세요.
(1) 양쪽으로 끝없이 늘인 곧은 선.
(2) 두 점을 곧게 이은 선.
(3) 한 점에서 그은 두 반직선으로 이루어진 도형.
ㄱ ㄴ ㄷ
ㄱ ㄴ
ㄱ ㄴ
5 다음 낱말의 뜻이 완성되도록 알맞은 말에 ○표 하세요.
(1) 직각삼각형: (한 / 세) 각이 직각인 삼각형.
(2) 정사각형: 네 각이 모두 직각이고 네 (변 / 직선)의 길이가 모두 같은 사각형.
(3) 직사각형: 네 각이 모두 (직각 / 직선)인 사각형.
6 다음 문장의 빈칸에 공통으로 들어갈 낱말을 쓰세요.
시곗바늘이 세 시 정각을 가리킬 때 긴바늘과 짧은바늘은 ( )을 이뤄.
( )은 두 직선이 만나서 이루는 90°의 각이야.
은수
준영
직각

도움말

4 '양쪽으로 끝없이 늘인 곧은 선'은 '직선'으로, 두 번째 그림에 해당합니다. '두 점을 곧게 이은 선'은 '선분'으로, 세 번째 그림에 해당합니다. '한 점에서 그은 두 반직선으로 이루어진 도형'은 '각'으로, 첫 번째 그림에 해당합니다.

5 (1) 직각삼각형은 '한 각이 직각인 삼각형'이므로, 빈칸에 들어갈 알맞은 말은 '한'입니다. (2) 정사각형은 '네 각이 모두 직각이고 네 변의 길이가 모두 같은 사각형'이므로, 빈칸에 들어갈 알맞은 말은 '변'입니다. '직선'은 '양쪽으로 끝없이 늘인 곧은 선'이므로 답이 될 수 없습니다. (3) 직사각형은 '네 각이 모두 직각인 사각형'이므로, 빈칸에 들어갈 알맞은 말은 '직각'입니다.

6 시곗바늘이 세 시 정각을 가리킬 때 긴바늘과 짧은바늘은 90°를 이루며, 이것은 '직각'을 이룬 것입니다. '두 직선이 만나서 이루는 90°의 각'은 '직각'이기 때문입니다. 따라서 빈칸에 공통으로 들어갈 낱말은 '직각'입니다.

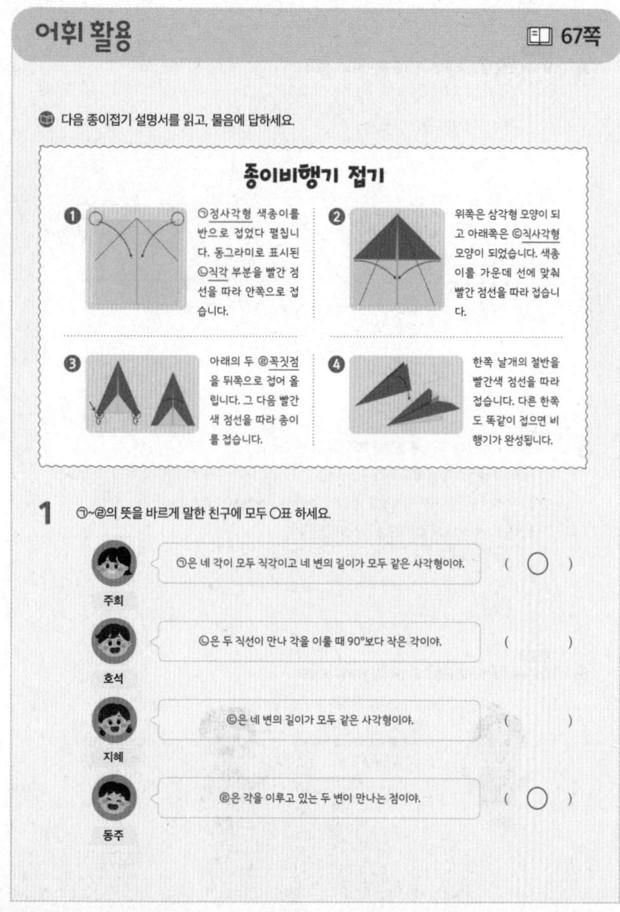

매체 자료에 대해 알아볼까요?

이 글은 종이접기 설명서입니다. 이 글에는 색종이를 접어 종이비행기를 완성하는 방법에 대한 설명이 그림과 함께 제시됩니다. 이러한 글을 읽을 때에는 내용을 건너뛰지 않고, 설명하는 순서에 따라 차례대로 읽어야 합니다.

도움말

1 'ⓒ직각'은 '두 직선이 만나서 이루는 90°의 각'이므로 호석의 말은 틀렸습니다. 'ⓒ직사각형'은 '네 각이 모두 직각인 사각형'이므로 지혜의 말도 틀렸습니다. 낱말의 뜻을 바르게 말한 친구는 주희와 동주입니다.

5일차 학습 도움 어휘

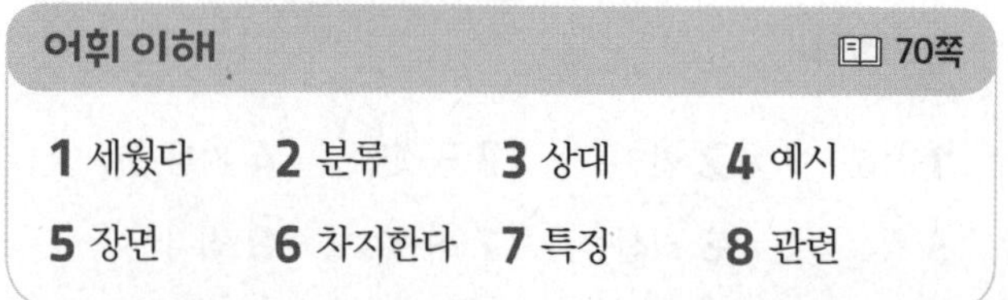

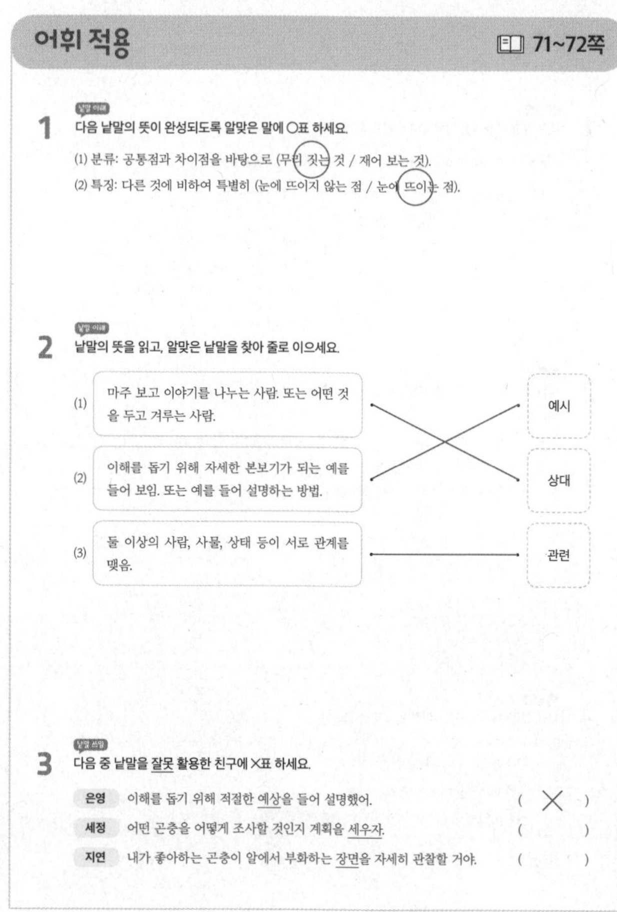

도움말

1 (1) '분류'는 '공통점과 차이점을 바탕으로 무리 짓는 것'을 뜻합니다. (2) '특징'은 '다른 것에 비하여 특별히 눈에 뜨이는 점'을 뜻합니다.

2 (1) '마주 보고 이야기를 나누는 사람. 또는 어떤 것을 두고 겨루는 사람.'은 '상대'입니다. (2) '이해를 돕기 위해 자세한 본보기가 되는 예를 들어 보임. 또는 예를 들어 설명하는 방법.'을 뜻하는 낱말은 '예시'입니다. (3) '둘 이상의 사람, 사물, 상태 등이 서로 관계를 맺음'을 뜻하는 낱말은 '관련'입니다.

3 은영이 한 말에서 '예상'은 '어떤 일을 직접 당하기 전에 미리 생각하여 두는 것. 또는 그런 내용.'을 뜻합니다. 또한, '이해를 돕기 위해', '설명했어'라는 부분으로 미루어 보았을 때, 밑줄 친 부분에는 '이해를 돕기 위해 자세한 본보기가 되는 예를 들어 보임. 또는 예를 들어 설명하는 방법.'을 뜻하는 낱말이 들어가야 합니다. 그러므로 '예상' 대신에 '예시'라는 낱말을 활용해야 합니다.

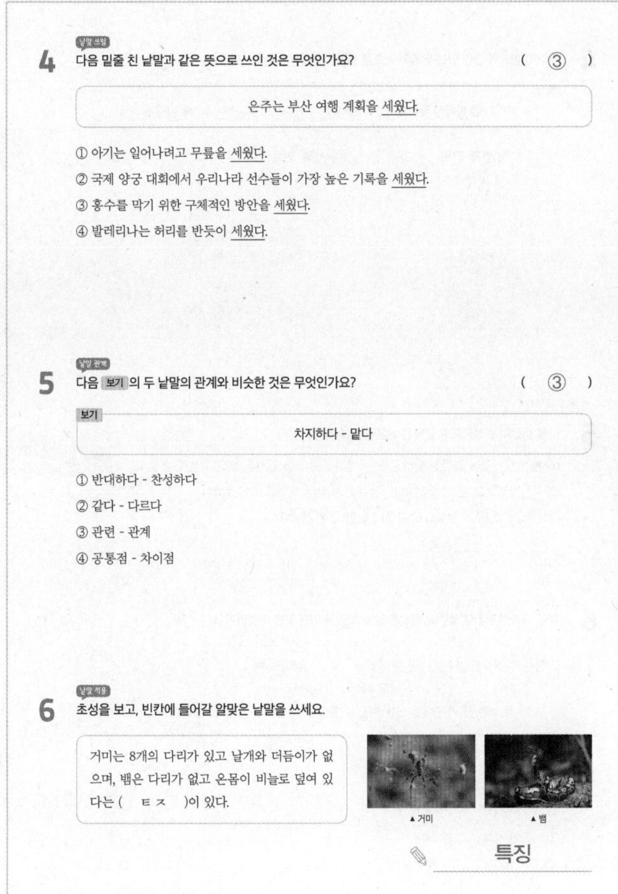

낱말 쓰임

4 다음 밑줄 친 낱말과 같은 뜻으로 쓰인 것은 무엇인가요? (③)

> 은주는 부산 여행 계획을 세웠다.

① 아기는 일어나려고 무릎을 세웠다.
② 국제 양궁 대회에서 우리나라 선수들이 가장 높은 기록을 세웠다.
③ 홍수를 막기 위한 구체적인 방안을 세웠다.
④ 발레리나는 허리를 반듯이 세웠다.

낱말 관계

5 다음 보기 의 두 낱말의 관계와 비슷한 것은 무엇인가요? (③)

보기
> 차지하다 - 맡다

① 반대하다 - 찬성하다
② 같다 - 다르다
③ 관련 - 관계
④ 공통점 - 차이점

낱말 적용

6 초성을 보고, 빈칸에 들어갈 알맞은 낱말을 쓰세요.

> 거미는 8개의 다리가 있고 날개와 더듬이가 없으며, 뱀은 다리가 없고 온몸이 비늘로 덮여 있다는 (ㅌ ㅈ)이 있다.

▲ 거미 ▲ 뱀

특징

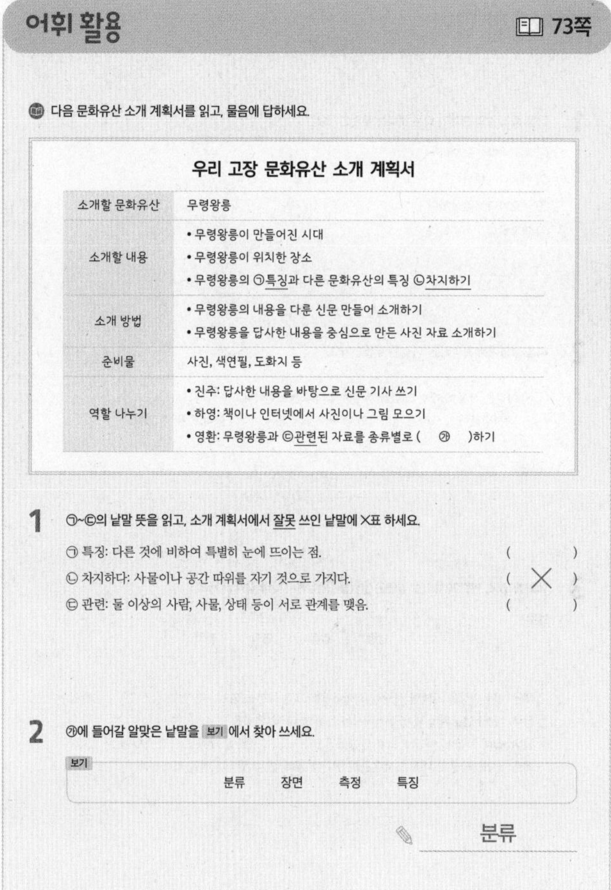

어휘 활용

73쪽

다음 문화유산 소개 계획서를 읽고, 물음에 답하세요.

우리 고장 문화유산 소개 계획서

소개할 문화유산	무령왕릉
소개할 내용	• 무령왕릉이 만들어진 시대 • 무령왕릉이 위치한 장소 • 무령왕릉의 ㉠특징과 다른 문화유산의 특징 ㉡차지하기
소개 방법	• 무령왕릉의 내용을 다룬 신문 만들어 소개하기 • 무령왕릉을 답사한 내용을 중심으로 만든 사진 자료 소개하기
준비물	사진, 색연필, 도화지 등
역할 나누기	• 진주: 답사한 내용을 바탕으로 신문 기사 쓰기 • 하영: 책이나 인터넷에서 사진이나 그림 모으기 • 영환: 무령왕릉과 ㉢관련된 자료를 종류별로 (㉮)하기

1 ㉠~㉢의 낱말 뜻을 읽고, 소개 계획서에서 잘못 쓰인 낱말에 ×표 하세요.

㉠ 특징: 다른 것에 비하여 특별히 눈에 뜨이는 점. ( )
㉡ 차지하다: 사물이나 공간 따위를 자기 것으로 가지다. (×)
㉢ 관련: 둘 이상의 사람, 사물, 상태 등이 서로 관계를 맺음. ( )

2 ㉮에 들어갈 알맞은 낱말을 보기 에서 찾아 쓰세요.

보기
> 분류 장면 측정 특징

분류

도움말

4 '세웠다'의 기본형인 '세우다'는 여러 뜻이 있으며, 제시된 상자 안의 문장에서 '세웠다'는 '계획, 방법 등을 정하거나 짰다'의 의미로 사용되었습니다. ①, ④의 '세웠다'는 '몸이나 몸의 일부를 곧게 폈거나 일어서게 했다'라는 뜻으로 사용되었으며, ②의 '세웠다'는 '큰일이나 훌륭한 일을 해냈다'의 뜻으로 사용되었습니다. 따라서 '계획, 방법 등을 정했거나 짰다'의 뜻으로 쓰인 ③이 정답입니다.

5 보기 에 제시된 두 낱말은 비슷한말끼리 묶인 유의 관계입니다. ①, ②, ④은 반대말끼리 묶인 반의 관계입니다. 보기 와 같이 비슷한 뜻의 낱말 관계로 이루어진 것은 ③입니다.

6 제시된 글은 거미와 뱀의 모습에 대해 설명하고 있습니다. 초성을 참고했을 때, 빈칸에는 '다른 것에 비하여 특별히 눈에 뜨이는 점'이라는 뜻을 지닌 '특징'을 넣는 것이 적절합니다.

매체 자료에 대해 알아볼까요?

이 글은 문화유산 소개 계획서입니다. 소개 계획서는 어떤 대상을 사람들에게 어떻게 소개할지에 대한 계획이 담긴 글입니다. 소개 계획서에는 소개할 대상과 내용, 소개 방법 등에 대한 내용이 들어가야 합니다.

도움말

1 '㉡차지하기'의 기본형 '차지하다'는 '사물이나 공간 따위를 자기 것으로 가지다'라는 뜻의 낱말이며, '특징 차지하기'라는 표현은 어색한 표현입니다. 따라서 '차지하기' 대신, '둘 이상의 사물을 견주어 서로 간의 유사점, 차이점을 살펴보기'라는 뜻의 '비교하기'가 들어가야 합니다.

2 ㉮의 앞부분에 제시된 '자료를 종류별로'라는 부분으로 미루어 봤을 때, '공통점과 차이점을 바탕으로 무리 짓는 것'을 뜻하는 '분류'가 들어가야 합니다.

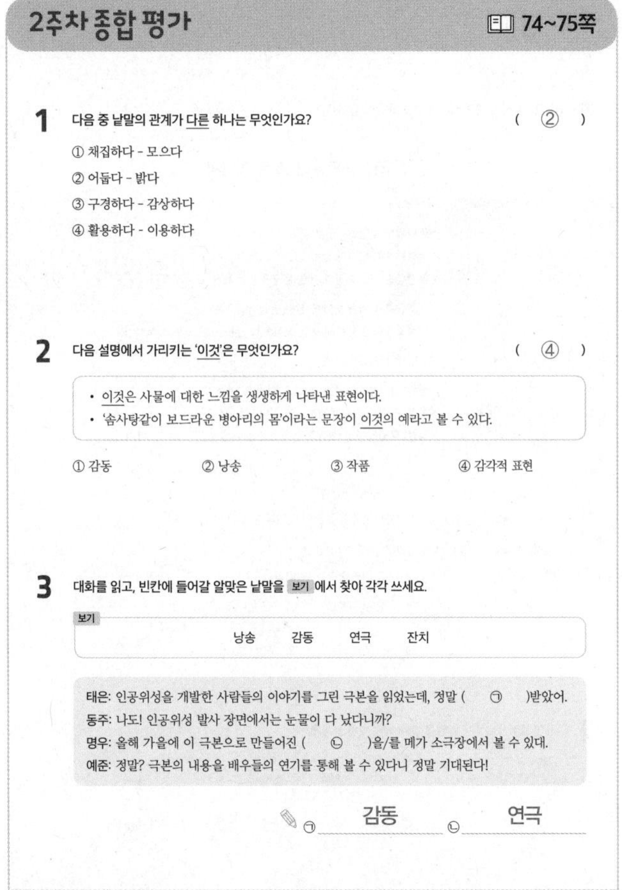

2주차 종합 평가 74~75쪽

1 다음 중 낱말의 관계가 다른 하나는 무엇인가요? (②)

① 채집하다 - 모으다
② 어둡다 - 밝다
③ 구경하다 - 감상하다
④ 활용하다 - 이용하다

2 다음 설명에서 가리키는 '이것'은 무엇인가요? (④)

- 이것은 사물에 대한 느낌을 생생하게 나타낸 표현이다.
- '솜사탕같이 보드라운 병아리의 몸'이라는 문장이 이것의 예라고 볼 수 있다.

① 감동 ② 낭송 ③ 작품 ④ 감각적 표현

3 대화를 읽고, 빈칸에 들어갈 알맞은 낱말을 보기 에서 찾아 각각 쓰세요.

보기: 낭송 감동 연극 잔치

태은: 인공위성을 개발한 사람들의 이야기를 그린 극본을 읽었는데, 정말 (㉠)받았어.
동주: 나도! 인공위성 발사 장면에서는 눈물이 다 났다니까?
명우: 올해 가을에 이 극본으로 만들어진 (㉡)을/를 메가 소극장에서 볼 수 있대.
예준: 정말? 극본의 내용을 배우들의 연기를 통해 볼 수 있다니 정말 기대된다!

㉠ 감동 ㉡ 연극

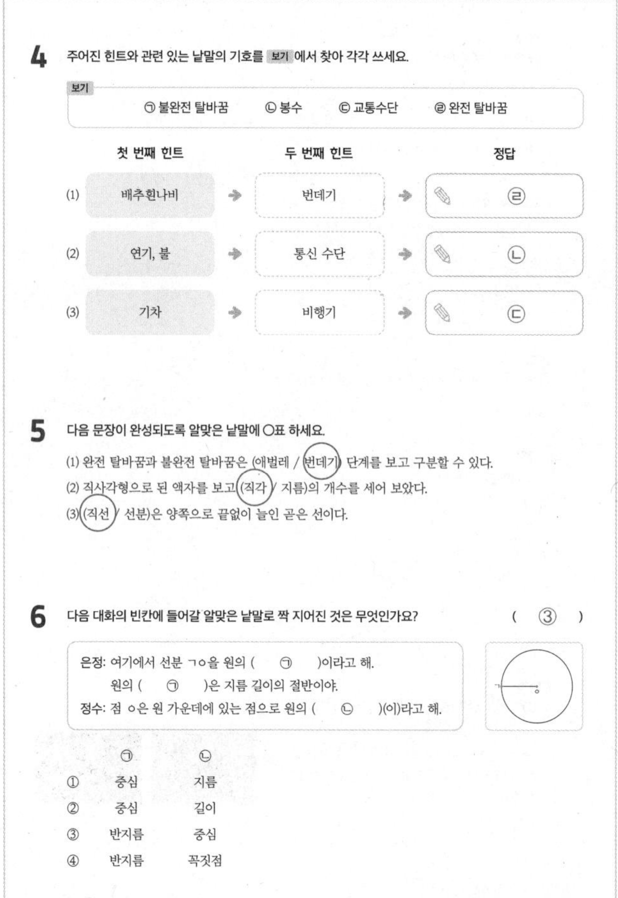

4 주어진 힌트와 관련 있는 낱말의 기호를 보기 에서 찾아 각각 쓰세요.

보기: ㉠ 불완전 탈바꿈 ㉡ 봉수 ㉢ 교통수단 ㉣ 완전 탈바꿈

	첫 번째 힌트	두 번째 힌트	정답
(1)	배추흰나비	번데기	㉣
(2)	연기, 불	통신 수단	㉡
(3)	기차	비행기	㉢

5 다음 문장이 완성되도록 알맞은 낱말에 ○표 하세요.

(1) 완전 탈바꿈과 불완전 탈바꿈은 (애벌레 / 번데기) 단계를 보고 구분할 수 있다.
(2) 직사각형으로 된 액자를 보고 (직각 / 지름)의 개수를 세어 보았다.
(3) (직선 / 선분)은 양쪽으로 끝없이 늘인 곧은 선이다.

6 다음 대화의 빈칸에 들어갈 알맞은 낱말로 짝 지어진 것은 무엇인가요? (③)

은정: 여기에서 선분 ㄱㅇ을 원의 (㉠)이라고 해.
원의 (㉠)은 지름 길이의 절반이야.
정수: 점 ㅇ은 원 가운데에 있는 점으로 원의 (㉡)(이)라고 해.

	㉠	㉡
①	중심	지름
②	중심	길이
③	반지름	중심
④	반지름	꼭짓점

도움말

1 ①, ③, ④은 비슷한말끼리 묶인 유의 관계입니다. ② '어둡다'는 '빛이 없어 밝지 아니하다'라는 뜻, '밝다'는 '불빛 따위가 있어 환하다'라는 뜻으로, 반대말끼리 묶인 반의 관계임을 알 수 있습니다.

2 '사물에 대한 느낌을 보거나 만지는 것처럼 생생하게 나타낸 표현'을 '감각적 표현'이라고 합니다. 병아리의 몸을 솜사탕에 빗대어 표현하였으므로 이는 '감각적 표현'의 예라고 할 수 있습니다. 따라서 답은 ④입니다.

3 ㉠에는 '크게 느끼어 마음이 움직임'을 뜻하는 '감동'을 넣어 '감동받았어.'라는 표현으로 완성할 수 있습니다. 명우의 말에서 ㉡을 소극장에서 볼 수 있다는 부분과 예준의 말에서 배우들의 연기를 통해 볼 수 있다는 말을 미루어 봤을 때, ㉡에는 '배우가 극본에 따라 어떤 사건이나 인물을 말과 동작으로 관객에게 보여 주는 예술'을 뜻하는 '연극'이 들어가야 합니다.

도움말

4 (1) '배추흰나비'와 '번데기'는 '곤충이 알에서 태어나 번데기 단계를 거쳐 어른벌레로 자라는 과정'을 뜻하는 '㉣ 완전 탈바꿈'과 관련 있습니다. (2) '연기, 불'과 '통신 수단'을 통해 '낮에는 연기로, 밤에는 불을 피워 먼 곳까지 정보를 전달하는 통신 방법'을 뜻하는 '㉡ 봉수'임을 알 수 있습니다. (3) '기차'와 '비행기'를 통해 '이동하거나 물건을 옮기는 데 쓰는 방법이나 도구'를 뜻하는 '㉢ 교통수단'임을 알 수 있습니다.

5 (1) 완전 탈바꿈과 불완전 탈바꿈은 번데기 과정의 유무를 보고 판단할 수 있습니다. 따라서 빈칸에는 '번데기'가 들어가야 합니다. (2) 직사각형 모양의 액자에서는 원에서 볼 수 있는 지름이 없으며, '두 직선이 만나서 이루는 90°의 각'인 '직각'을 찾아볼 수 있습니다. 따라서 빈칸에는 '직각'이 들어가야 합니다. (3) '양쪽으로 끝없이 늘인 곧은 선'은 '직선'이므로 빈칸에는 '직선'이 들어가야 합니다.

6 '원의 중심과 원 위의 한 점을 이은 선분'을 '반지름'이라고 합니다. 원의 반지름은 지름 길이의 절반입니다. 원 가운데에 있는 점 ㅇ을 '원의 중심'이라고 합니다. 그러므로 ㉠에는 '반지름', ㉡에는 '중심'이 들어가야 합니다.

1일차 국어 어휘

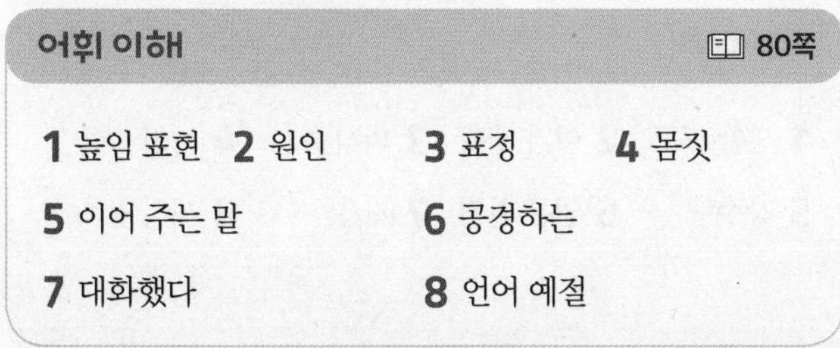

어휘 이해 80쪽

1 높임 표현 **2** 원인 **3** 표정 **4** 몸짓
5 이어 주는 말 **6** 공경하는
7 대화했다 **8** 언어 예절

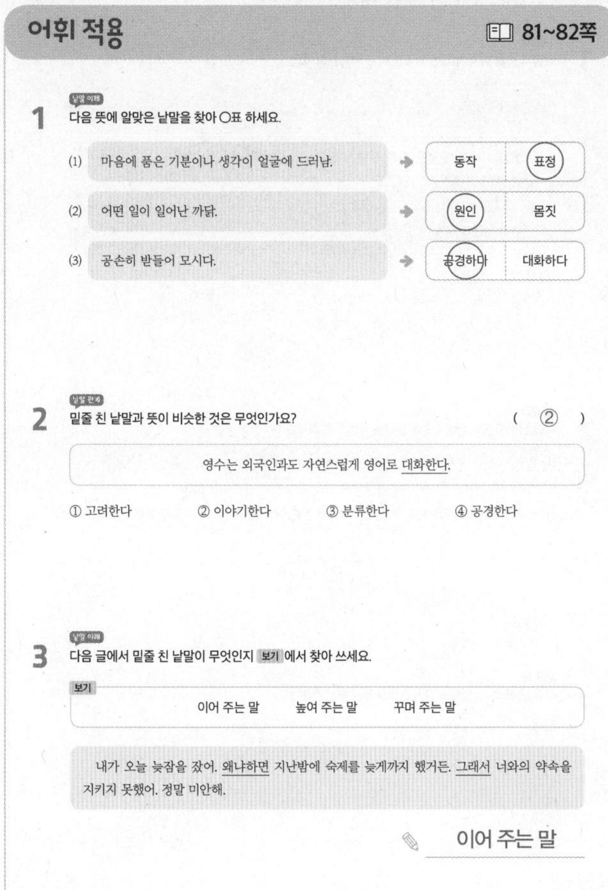

어휘 적용 81~82쪽

1 다음 뜻에 알맞은 낱말을 찾아 ○표 하세요.

(1) 마음에 품은 기분이나 생각이 얼굴에 드러남. → 동작 / (표정)

(2) 어떤 일이 일어난 까닭. → (원인) / 몸짓

(3) 공손히 받들어 모시다. → (공경하다) / 대화하다

2 밑줄 친 낱말과 뜻이 비슷한 것은 무엇인가요? (②)

영수는 외국인과도 자연스럽게 영어로 대화한다.

① 고려한다 ② 이야기한다 ③ 분류한다 ④ 공경한다

3 다음 글에서 밑줄 친 낱말이 무엇인지 보기 에서 찾아 쓰세요.

보기: 이어 주는 말 높여 주는 말 꾸며 주는 말

내가 오늘 늦잠을 잤어. 왜냐하면 지난밤에 숙제를 늦게까지 했거든. 그래서 너와의 약속을 지키지 못했어. 정말 미안해.

이어 주는 말

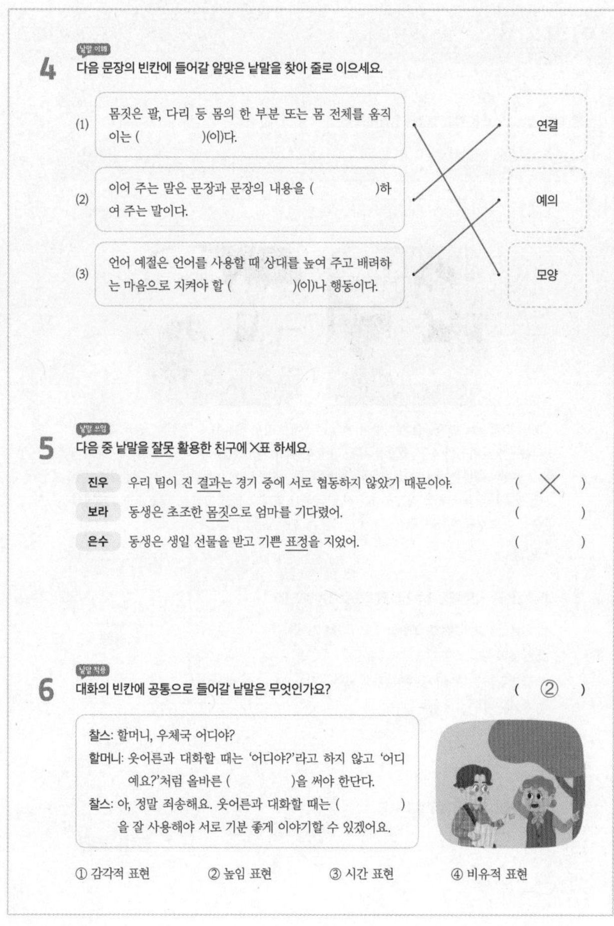

4 다음 문장의 빈칸에 들어갈 알맞은 낱말을 찾아 줄로 이으세요.

(1) 몸짓은 팔, 다리 등 몸의 한 부분 또는 몸 전체를 움직이는 ( )(이)다. — 모양

(2) 이어 주는 말은 문장과 문장의 내용을 ( )하여 주는 말이다. — 연결

(3) 언어 예절은 언어를 사용할 때 상대를 높여 주고 배려하는 마음으로 지켜야 할 ( )(이)나 행동이다. — 예의

5 다음 중 낱말을 잘못 활용한 친구에 ×표 하세요.

진우: 우리 팀이 진 결과는 경기 중에 서로 협동하지 않았기 때문이야. (×)

보라: 동생은 초조한 몸짓으로 엄마를 기다렸어. ( )

은수: 동생은 생일 선물을 받고 기쁜 표정을 지었어. ( )

6 대화의 빈칸에 공통으로 들어갈 낱말은 무엇인가요? (②)

찰스: 할머니, 우체국 어디야?
할머니: 웃어른과 대화할 때는 '어디야?'라고 하지 않고 '어디 예요?'처럼 올바른 ( )을 써야 한단다.
찰스: 아, 정말 죄송해요. 웃어른과 대화할 때는 ( )을 잘 사용해야 서로 기분 좋게 이야기할 수 있겠어요.

① 감각적 표현 ② 높임 표현 ③ 시간 표현 ④ 비유적 표현

도움말

1 (1) '마음에 품은 기분이나 생각이 얼굴에 드러남'을 뜻하는 낱말은 '표정'입니다. (2) '어떤 일이 일어난 까닭'을 뜻하는 낱말은 '원인'입니다. (3) '공손히 받들어 모시다'를 뜻하는 낱말은 '공경하다'입니다.

2 '대화한다'는 '서로 이야기를 주고받는다'라는 뜻으로, 이와 비슷한 낱말은 '말한다' 또는 '이야기한다'입니다. 따라서 정답은 ②입니다. '고려한다'는 '생각하고 헤아려 본다'라는 뜻이며, '분류한다'는 '종류에 따라서 가른다'라는 뜻입니다. '공경한다'는 '공손히 받들어 모신다'라는 뜻입니다.

3 제시된 글에서 밑줄 친 '왜냐하면', '그래서'는 문장과 문장 사이를 연결하는 낱말입니다. 이와 같이 여러 문장이 올 때, 문장과 문장을 자연스럽게 이어 주는 낱말을 '이어 주는 말'이라고 합니다. '꾸며 주는 말'은 뒤에 오는 말을 꾸며 그 뜻을 자세히 설명해 주는 말입니다.

도움말

4 (1) '몸짓'의 뜻은 '팔, 다리 등 몸의 한 부분 또는 몸 전체를 움직이는 모양'이므로, 빈칸에 '모양'이 들어가야 합니다. (2) '이어 주는 말'의 뜻은 '문장과 문장의 내용을 연결하여 주는 말'이므로, 빈칸에는 '연결'이 들어가야 합니다. (3) '언어 예절'의 뜻은 '언어를 사용할 때 상대를 높여 주고 배려하는 마음으로 지켜야 할 예의나 행동'이므로, 빈칸에는 '예의'가 들어가야 합니다.

5 진우는 우리 팀이 진 까닭을 경기 중에 서로 협동하지 않았기 때문이라고 말하고 있습니다. '어떤 일이 일어난 까닭'을 '원인'이라고 하므로, '결과'가 아니라 '원인'이라는 낱말을 활용하는 것이 적절합니다.

6 웃어른과 대화할 때에는 '어떤 사람을 높이기 위한 표현'인 '높임 표현'을 바르게 사용해야 서로 기분 좋게 대화할 수 있습니다. 따라서 빈칸에 공통으로 들어갈 낱말은 '높임 표현'입니다.

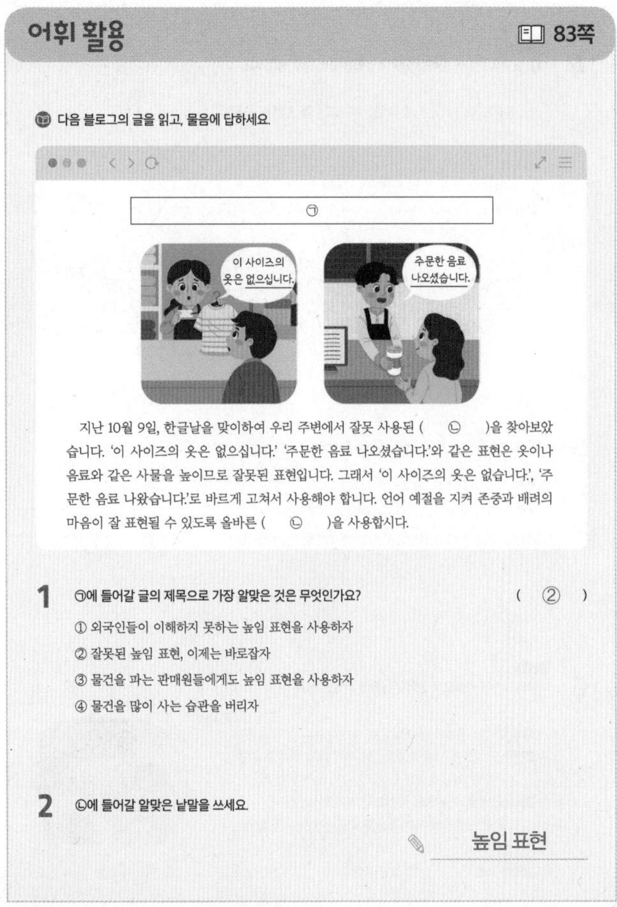

어휘 활용 83쪽

문해 다음 블로그의 글을 읽고, 물음에 답하세요.

㉠

지난 10월 9일, 한글날을 맞이하여 우리 주변에서 잘못 사용된 (㉡)을 찾아보았습니다. '이 사이즈의 옷은 없으십니다.' '주문한 음료 나오셨습니다.'와 같은 표현은 옷이나 음료와 같은 사물을 높이므로 잘못된 표현입니다. 그래서 '이 사이즈의 옷은 없습니다.', '주문한 음료 나왔습니다.'로 바르게 고쳐서 사용해야 합니다. 언어 예절을 지켜 존중과 배려의 마음이 잘 표현될 수 있도록 올바른 (㉡)을 사용합시다.

1 ㉠에 들어갈 글의 제목으로 가장 알맞은 것은 무엇인가요? (②)

① 외국인들이 이해하지 못하는 높임 표현을 사용하자
② 잘못된 높임 표현, 이제는 바로잡자
③ 물건을 파는 판매원들에게도 높임 표현을 사용하자
④ 물건을 많이 사는 습관을 버리자

2 ㉡에 들어갈 알맞은 낱말을 쓰세요.

높임 표현

매체 자료에 대해 알아볼까요?

블로그는 자신의 관심사와 관련된 글을 올리는 인터넷 누리집입니다. 블로그에서는 읽는 사람이 글을 편하게 읽을 수 있도록 길지 않은 분량의 글을 사진이나 그림과 함께 제시합니다. 이 글에서는 잘못된 높임 표현에 대해 알려 주고 있습니다.

도움말

1 이 글은 사람을 높이는 것이 아닌, 옷이나 음료와 같은 사물을 높이는 '잘못된 높임 표현'에 대한 내용을 담고 있습니다. 그리고 이러한 잘못된 높임 표현을 바르게 고쳐 사용해야 한다고 이야기하고 있습니다. 그러므로 제목으로 가장 알맞은 것은 '잘못된 높임 표현, 이제는 바로잡자'가 가장 알맞습니다.

2 본문 2행에 제시된 '이 사이즈의 옷은 없으십니다.' '주문한 음료 나오셨습니다.'와 같은 표현은 사물을 높이는 잘못된 높임 표현의 예입니다. 또한, 본문 3~4행에서 잘못된 높임 표현을 바르게 고쳐서 사용해야 한다고 이야기하고 있으며, 이것은 올바른 높임 표현을 사용해야 한다는 뜻과 같습니다. 그러므로 ㉡에 들어갈 알맞은 낱말은 '높임 표현'입니다.

2일차 사회 어휘

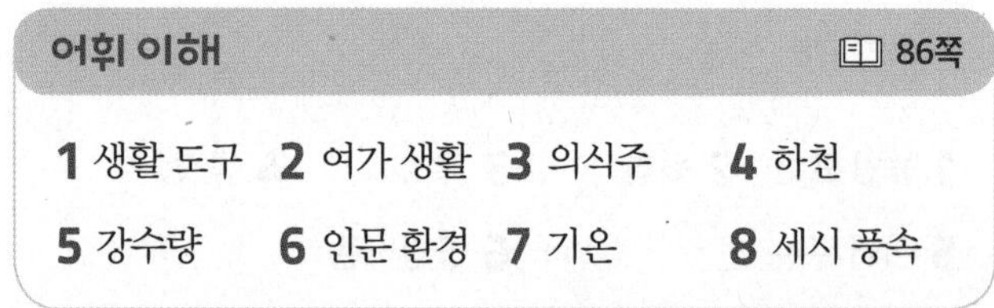

어휘 이해 86쪽

1 생활 도구 **2** 여가 생활 **3** 의식주 **4** 하천
5 강수량 **6** 인문 환경 **7** 기온 **8** 세시 풍속

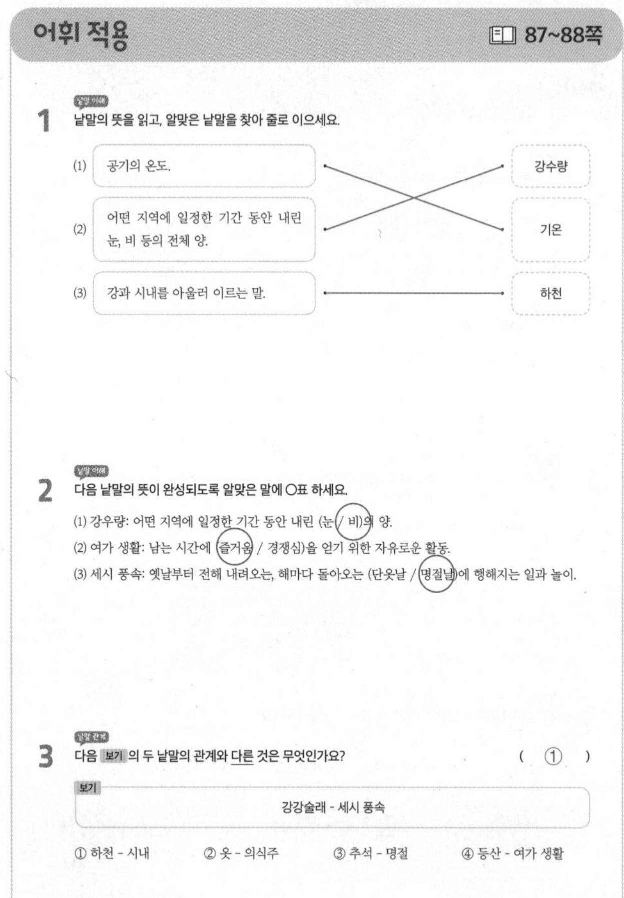

어휘 적용 87~88쪽

1 낱말 이해 낱말의 뜻을 읽고, 알맞은 낱말을 찾아 줄로 이으세요.

(1) 공기의 온도. — 기온
(2) 어떤 지역에 일정한 기간 동안 내린 눈, 비 등의 전체 양. — 강수량
(3) 강과 시내를 아울러 이르는 말. — 하천

2 낱말 이해 다음 낱말의 뜻이 완성되도록 알맞은 말에 ○표 하세요.

(1) 강우량: 어떤 지역에 일정한 기간 동안 내린 (눈 / (비))의 양.
(2) 여가 생활: 남는 시간에 ((즐거움) / 경쟁심)을 얻기 위한 자유로운 활동.
(3) 세시 풍속: 옛날부터 전해 내려오는, 해마다 돌아오는 (단옷날 / (명절날))에 행해지는 일과 놀이.

3 낱말 관계 다음 보기 의 두 낱말의 관계와 다른 것은 무엇인가요? (①)

보기
강강술래 - 세시 풍속

① 하천 - 시내 ② 옷 - 의식주 ③ 추석 - 명절 ④ 등산 - 여가 생활

도움말

1 (1) '공기의 온도'를 뜻하는 낱말은 '기온'입니다. (2) '어떤 지역에 일정한 기간 동안 내린 눈, 비 등의 전체 양'을 '강수량'이라고 합니다. (3) '강과 시내를 아울러 이르는 말'을 뜻하는 낱말은 '하천'입니다.

2 (1) '강우량'은 '어떤 지역에 일정한 기간 동안 내린 비의 양'을 뜻하므로, 빈칸에 들어갈 낱말은 '비'입니다. '어떤 지역에 일정한 기간 동안 내린 눈의 양'은 '강설량'이라고 합니다. (2) '여가 생활'은 '남는 시간에 즐거움을 얻기 위한 자유로운 활동'을 뜻하므로, 빈칸에 들어갈 낱말은 '즐거움'입니다. (3) '세시 풍속'은 '옛날부터 전해 내려오는, 해마다 돌아오는 명절날에 행해지는 일과 놀이'를 뜻하므로, 빈칸에 들어갈 낱말은 '명절날'입니다.

3 보기 에 제시된 두 낱말의 관계는 '강강술래'가 '세시 풍속'에 포함되는 '포함 관계'입니다. ②, ③, ④에서 '옷'은 '의식주'에, '추석'은 '명절'에, '등산'은 '여가 생활'에 포함되는 '포함 관계'입니다. ①의 '하천'과 '시내'는 비슷한말끼리 묶인 '유의 관계'입니다.

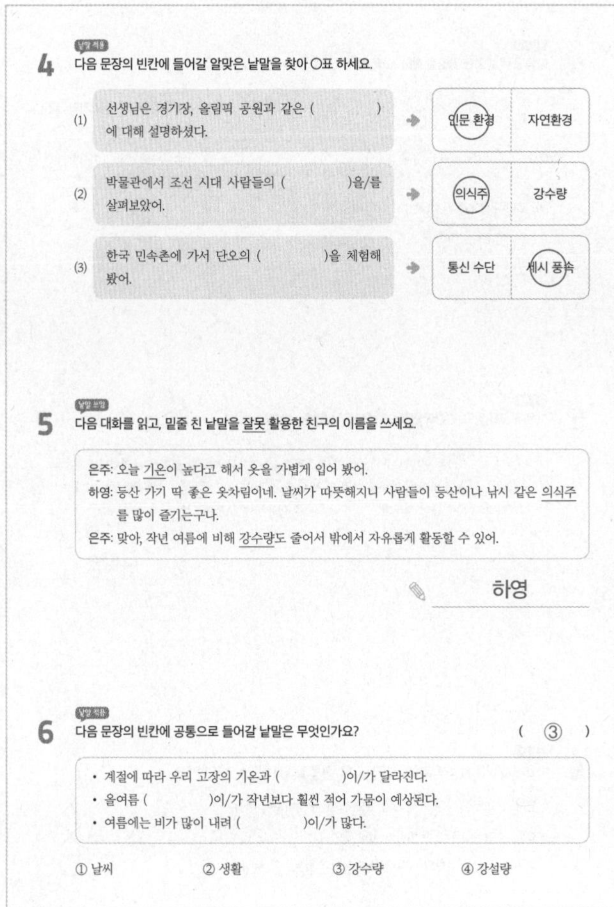
4 낱말 적용 다음 문장의 빈칸에 들어갈 알맞은 낱말을 찾아 ○표 하세요.

(1) 선생님은 경기장, 올림픽 공원과 같은 (　　　) 에 대해 설명하셨다. → 인문 환경(○) / 자연환경

(2) 박물관에서 조선 시대 사람들의 (　　　)을/를 살펴보았어. → 의식주(○) / 강수량

(3) 한국 민속촌에 가서 단오의 (　　　)을 체험해 봤어. → 통신 수단 / 세시 풍속(○)

5 낱말 오답 다음 대화를 읽고, 밑줄 친 낱말을 잘못 활용한 친구의 이름을 쓰세요.

은주: 오늘 기온이 높다고 해서 옷을 가볍게 입어 봤어.
하영: 등산 가기 딱 좋은 옷차림이네. 날씨가 따뜻해지니 사람들이 등산이나 낚시 같은 의식주를 많이 즐기는구나.
은주: 맞아, 작년 여름에 비해 강수량도 줄어서 밖에서 자유롭게 활동할 수 있어.

하영

6 낱말 적용 다음 문장의 빈칸에 공통으로 들어갈 낱말은 무엇인가요? (③)

- 계절에 따라 우리 고장의 기온과 (　　　)이/가 달라진다.
- 올여름 (　　　)이/가 작년보다 훨씬 적어 가뭄이 예상된다.
- 여름에는 비가 많이 내려 (　　　)이/가 많다.

① 날씨　② 생활　③ 강수량　④ 강설량

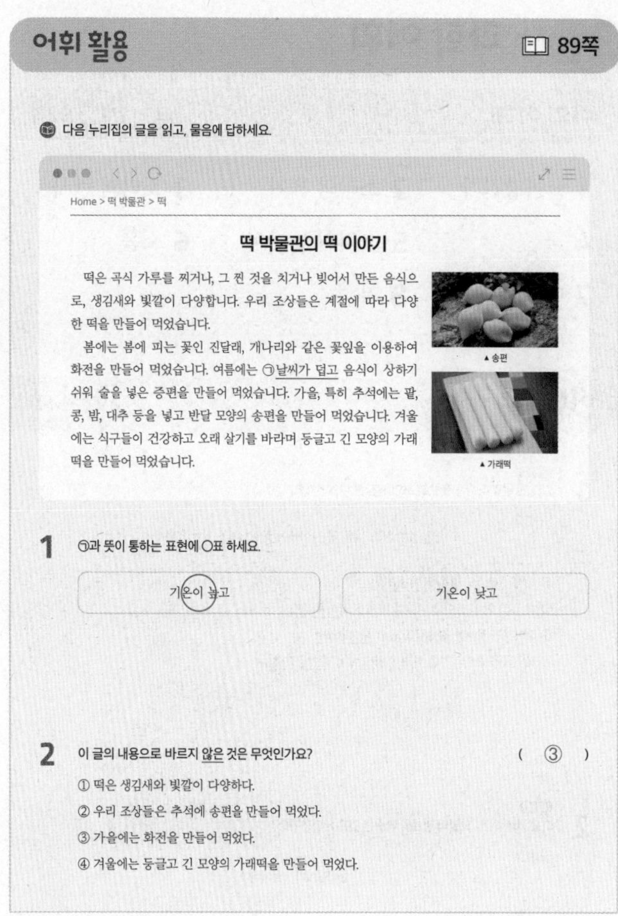
어휘 활용 89쪽

다음 누리집의 글을 읽고, 물음에 답하세요.

Home > 떡 박물관 > 떡

떡 박물관의 떡 이야기

떡은 곡식 가루를 찌거나, 그 찐 것을 치거나 빚어서 만든 음식으로, 생김새와 빛깔이 다양합니다. 우리 조상들은 계절에 따라 다양한 떡을 만들어 먹었습니다.

봄에는 봄에 피는 꽃인 진달래, 개나리와 같은 꽃잎을 이용하여 화전을 만들어 먹었습니다. 여름에는 ㉠날씨가 덥고 음식이 상하기 쉬워 술을 넣은 증편을 만들어 먹었습니다. 가을, 특히 추석에는 팥, 콩, 밤, 대추 등을 넣고 반달 모양의 송편을 만들어 먹었습니다. 겨울에는 식구들이 건강하고 오래 살기를 바라며 둥글고 긴 모양의 가래떡을 만들어 먹었습니다.

▲ 송편

▲ 가래떡

1 ㉠과 뜻이 통하는 표현에 ○표 하세요.

기온이 높고(○) / 기온이 낮고

2 이 글의 내용으로 바르지 않은 것은 무엇인가요? (③)

① 떡은 생김새와 빛깔이 다양하다.
② 우리 조상들은 추석에 송편을 만들어 먹었다.
③ 가을에는 화전을 만들어 먹었다.
④ 겨울에는 둥글고 긴 모양의 가래떡을 만들어 먹었다.

도움말

4 (1) '과수원, 공장, 도로처럼 사람들이 만든 환경'을 뜻하는 '인문 환경'을 빈칸에 넣어 '선생님은 경기장, 올림픽 공원과 같은 인문 환경에 대해 설명하셨다.'라는 문장으로 완성할 수 있습니다. (2) '사람이 생활하는 데 있어 가장 기본이 되는 옷, 음식, 집을 가리키는 말'을 뜻하는 '의식주'를 넣어 '박물관에서 조선 시대 사람들의 의식주를 살펴보았어.'라는 문장으로 완성할 수 있습니다. (3) '옛날부터 전해 내려오는, 해마다 돌아오는 명절날에 행해지는 일과 놀이'를 뜻하는 '세시 풍속'을 넣어 '한국 민속촌에 가서 단오의 세시 풍속을 체험해 봤어.'라는 문장으로 완성할 수 있습니다.

5 하영이 말한 내용에서 '등산이나 낚시'는 의식주가 아닌, '남는 시간에 즐거움을 얻기 위한 자유로운 활동'을 뜻하는 '여가 생활'에 해당됩니다. 따라서 밑줄 친 낱말을 잘못 활용한 친구는 하영입니다.

6 빈칸에는 공통으로 '어떤 지역에 일정한 기간 동안 내린 눈, 비 등의 전체 양'을 뜻하는 '강수량'을 넣어 '계절에 따라 우리 고장의 기온과 강수량이 달라진다.', '올여름 강수량이 작년보다 훨씬 적어 가뭄이 예상된다.', '여름에는 비가 많이 내려 강수량이 많다.'라는 문장으로 완성할 수 있습니다. ④의 '강설량'은 '어떤 지역에 일정한 기간 동안 내린 눈의 양'을 뜻하므로, 답이 될 수 없습니다.

매체 자료에 대해 알아볼까요?

이 글은 떡 박물관 누리집에 게시된 글입니다. 이 글에서는 생김새와 빛깔이 다양한 떡을 설명하고 있습니다. 또한 내용에 어울리는 시각 자료를 제시하여 글의 이해를 돕고 있습니다.

도움말

1 날씨는 '그날그날의 비, 구름, 바람, 기온 따위가 나타나는 기상 상태'를 말하며, ㉠의 '날씨가 덥고'라는 표현은 '공기의 온도가 높고'라는 뜻과 통한다고 볼 수 있습니다. 또한, '공기의 온도'는 '기온'과 같은 말이므로, ㉠을 '기온이 높고'라는 표현과 바꿔 쓸 수 있습니다.

2 이 글에서 봄에는 진달래, 개나리와 같은 꽃잎을 이용하여 화전을 만들어 먹었다고 하였습니다. 따라서 ③의 내용은 바르지 않습니다.

3일차 과학 어휘

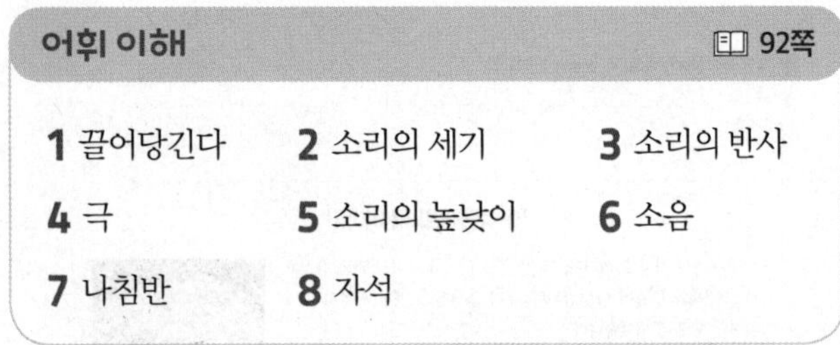

어휘 이해 92쪽

1 끌어당긴다 2 소리의 세기 3 소리의 반사
4 극 5 소리의 높낮이 6 소음
7 나침반 8 자석

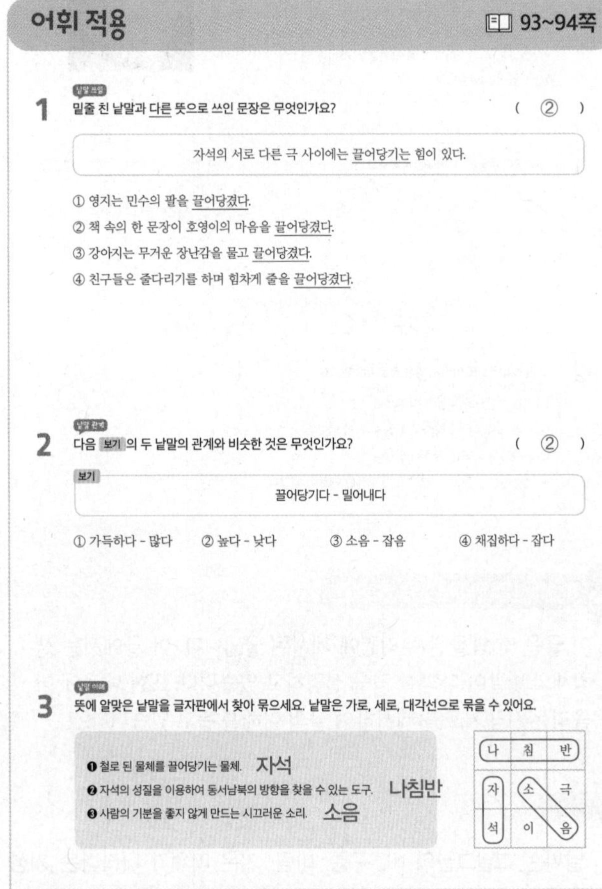

어휘 적용 93~94쪽

1 밑줄 친 낱말과 다른 뜻으로 쓰인 문장은 무엇인가요? (②)

자석의 서로 다른 극 사이에는 끌어당기는 힘이 있다.

① 영지는 민수의 팔을 끌어당겼다.
② 책 속의 한 문장이 호영이의 마음을 끌어당겼다.
③ 강아지는 무거운 장난감을 물고 끌어당겼다.
④ 친구들은 줄다리기를 하며 힘차게 줄을 끌어당겼다.

2 다음 보기 의 두 낱말의 관계와 비슷한 것은 무엇인가요? (②)

보기: 끌어당기다 - 밀어내다

① 가득하다 - 많다 ② 높다 - 낮다 ③ 소음 - 잡음 ④ 채집하다 - 잡다

3 뜻에 알맞은 낱말을 글자판에서 찾아 묶으세요. 낱말은 가로, 세로, 대각선으로 묶을 수 있어요.

❶ 철로 된 물체를 끌어당기는 물체. 자석
❷ 자석의 성질을 이용하여 동서남북의 방향을 찾을 수 있는 도구. 나침반
❸ 사람의 기분을 좋지 않게 만드는 시끄러운 소리. 소음

나	침	반
자	소	극
석	이	음

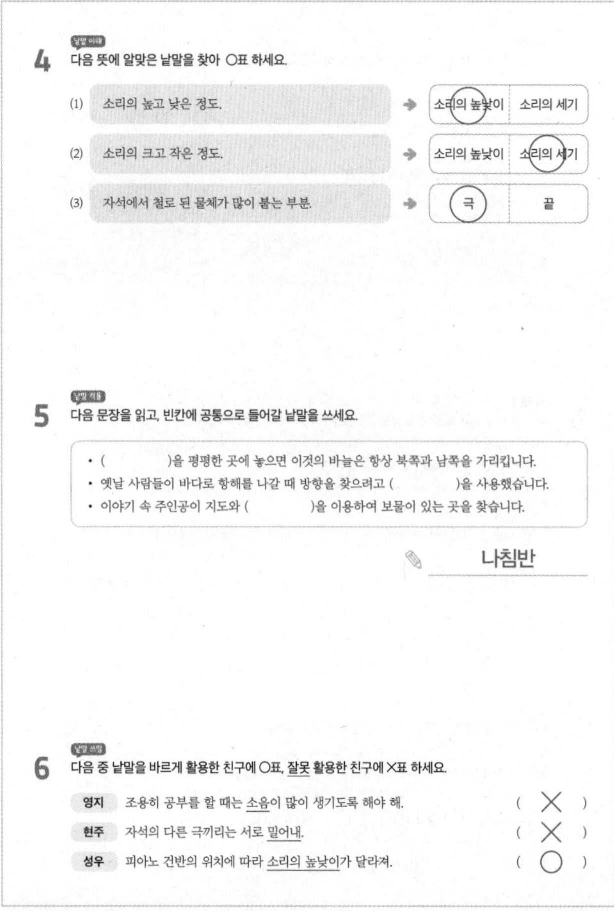

4 다음 뜻에 알맞은 낱말을 찾아 ○표 하세요.

(1) 소리의 높고 낮은 정도. → 소리의 높낮이(○) / 소리의 세기
(2) 소리의 크고 작은 정도. → 소리의 높낮이 / 소리의 세기(○)
(3) 자석에서 철로 된 물체가 많이 붙는 부분. → 극(○) / 끝

5 다음 문장을 읽고, 빈칸에 공통으로 들어갈 낱말을 쓰세요.

- (　　)을 평평한 곳에 놓으면 이것의 바늘은 항상 북쪽과 남쪽을 가리킵니다.
- 옛날 사람들이 바다로 항해를 나갈 때 방향을 찾으려고 (　　)을 사용했습니다.
- 이야기 속 주인공이 지도와 (　　)을 이용하여 보물이 있는 곳을 찾습니다.

나침반

6 다음 중 낱말을 바르게 활용한 친구에 ○표, 잘못 활용한 친구에 ×표 하세요.

영지 조용히 공부를 할 때는 소음이 많이 생기도록 해야 해. (×)
현주 자석의 다른 극끼리는 서로 밀어내. (×)
성우 피아노 건반의 위치에 따라 소리의 높낮이가 달라져. (○)

도움말

1 '끌어당기다'의 뜻에는 '끌어서 가까이 오게 하다', '어떤 쪽으로 남의 마음을 기울게 하다'라는 뜻이 있습니다. 제시된 문장과 ①, ③, ④의 밑줄 친 낱말은 첫 번째 뜻으로, ②의 밑줄 친 낱말은 두 번째 뜻으로 쓰였으므로 정답은 ②입니다.

2 보기 의 '끌어당기다'와 '밀어내다'는 반대말끼리 묶인 반의 관계이며, 이와 비슷한 관계는 ②입니다. ①, ③, ④는 비슷한말끼리 묶인 유의 관계에 해당합니다.

3 ❶ '철로 된 물체를 끌어당기는 물체'를 뜻하는 낱말은 '자석'입니다. ❷ '자석의 성질을 이용하여 동서남북의 방향을 찾을 수 있는 도구'를 뜻하는 낱말은 '나침반'입니다. ❸ '사람의 기분을 좋지 않게 만드는 시끄러운 소리'를 뜻하는 낱말은 '소음'입니다.

도움말

4 (1) '소리의 높고 낮은 정도'는 '소리의 높낮이'라고 합니다. (2) '소리의 크고 작은 정도'는 '소리의 세기'라고 합니다. (3) '자석에서 철로 된 물체가 많이 붙는 부분'은 '극'이라고 합니다.

5 평평한 곳에 놓으면 바늘이 항상 북쪽과 남쪽을 가리키고, 방향을 찾기 위해 사용되며, 지도와 함께 쓰여 길을 찾는 물건은 나침반입니다. 따라서 빈칸에 공통으로 들어갈 낱말은 '나침반'입니다.

6 '조용히'는 '사람의 기분을 좋지 않게 만드는 시끄러운 소리'를 뜻하는 '소음'과 상반되는 표현이며, 자석의 서로 다른 극인 N극과 S극은 서로 밀어내지 않고 끌어당기므로, 밑줄 친 낱말을 잘못 활용한 친구는 영지와 현주입니다. '소리의 높낮이'는 '소리의 높고 낮은 정도'를 뜻하므로, 성우는 밑줄 친 낱말을 바르게 활용했습니다.

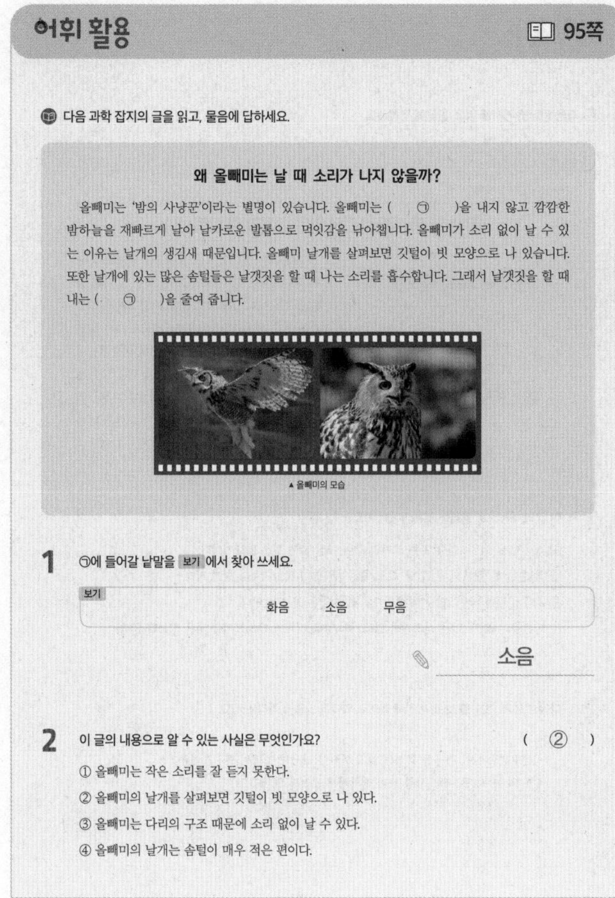

어휘 활용

95쪽

다음 과학 잡지의 글을 읽고, 물음에 답하세요.

왜 올빼미는 날 때 소리가 나지 않을까?

올빼미는 '밤의 사냥꾼'이라는 별명이 있습니다. 올빼미는 (　　㉠　　)을 내지 않고 깜깜한 밤하늘을 재빠르게 날아 날카로운 발톱으로 먹잇감을 낚아챕니다. 올빼미가 소리 없이 날 수 있는 이유는 날개의 생김새 때문입니다. 올빼미 날개를 살펴보면 깃털이 빗 모양으로 나 있습니다. 또한 날개에 있는 많은 솜털들은 날갯짓을 할 때 나는 소리를 흡수합니다. 그래서 날갯짓을 할 때 내는 (　　㉠　　)을 줄여 줍니다.

▲ 올빼미의 모습

1 ㉠에 들어갈 낱말을 보기 에서 찾아 쓰세요.

보기: 화음　소음　무음

✎ 소음

2 이 글의 내용으로 알 수 있는 사실은 무엇인가요? (②)

① 올빼미는 작은 소리를 잘 듣지 못한다.
② 올빼미의 날개를 살펴보면 깃털이 빗 모양으로 나 있다.
③ 올빼미는 다리의 구조 때문에 소리 없이 날 수 있다.
④ 올빼미의 날개는 솜털이 매우 적은 편이다.

매체 자료에 대해 알아볼까요?

이 글은 잡지에 실리는 글입니다. 잡지는 정기적으로 발행되는 출판물(책)이며, 잡지의 성격에 따라 다양한 글이 실립니다. 이 글에서는 소음을 내지 않고 날아다니는 올빼미에 대해 다루고 있습니다.

도움말

1 세 번째 문장에서 '올빼미가 소리 없이 날 수 있는 이유는'이라는 부분과 다섯 번째 문장에서 '솜털들은 날갯짓을 할 때 나는 소리를 흡수합니다.'라는 부분을 보았을 때, ㉠에 공통으로 들어갈 낱말은 '사람의 기분을 좋지 않게 만드는 시끄러운 소리'를 뜻하는 '소음'입니다.

2 네 번째 문장에서 올빼미 날개의 깃털이 빗 모양으로 나 있는 것을 확인할 수 있으므로, ②이 정답입니다.

4일차 수학 어휘

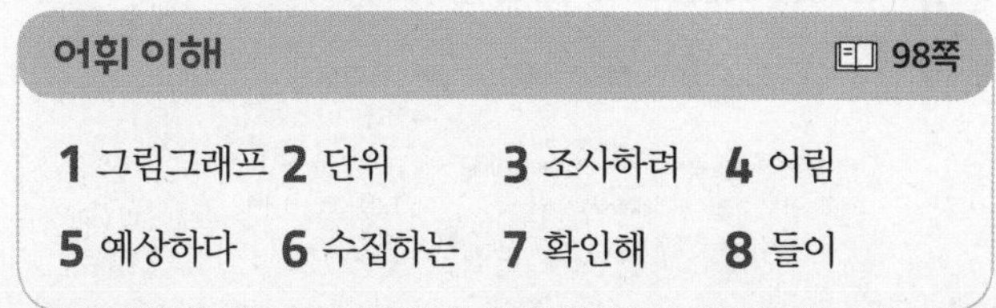

어휘 이해

98쪽

1 그림그래프 **2** 단위 **3** 조사하려 **4** 어림
5 예상하다 **6** 수집하는 **7** 확인해 **8** 들이

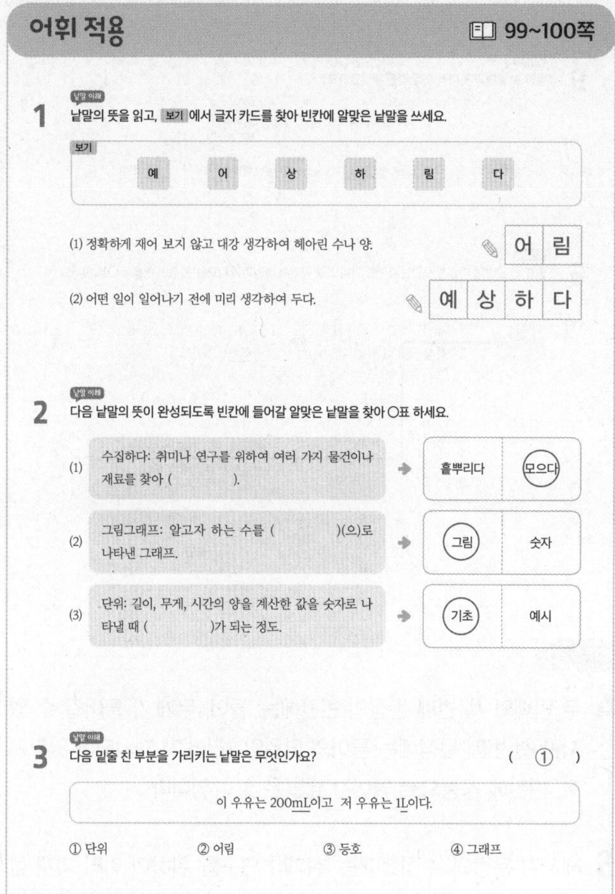

어휘 적용

99~100쪽

1 낱말의 뜻을 읽고, 보기 에서 글자 카드를 찾아 빈칸에 알맞은 낱말을 쓰세요.

보기: 예　어　상　하　림　다

(1) 정확하게 재어 보지 않고 대강 생각하여 헤아린 수나 양. ✎ 어 림

(2) 어떤 일이 일어나기 전에 미리 생각하여 두다. ✎ 예 상 하 다

2 다음 낱말의 뜻이 완성되도록 빈칸에 들어갈 알맞은 낱말을 찾아 ○표 하세요.

(1) 수집하다: 취미나 연구를 위하여 여러 가지 물건이나 재료를 찾아 (　　　). → 흩뿌리다 / (모으다)

(2) 그림그래프: 알고자 하는 수를 (　　　)(으)로 나타낸 그래프. → (그림) / 숫자

(3) 단위: 길이, 무게, 시간의 양을 계산한 값을 숫자로 나타낼 때 (　　　)가 되는 정도. → (기초) / 예시

3 다음 밑줄 친 부분을 가리키는 낱말은 무엇인가요? (①)

이 우유는 200mL이고 저 우유는 1L이다.

① 단위　② 어림　③ 등호　④ 그래프

도움말

1 (1) '정확하게 재어 보지 않고 대강 생각하여 헤아린 수나 양'을 뜻하는 낱말은 '어림'입니다. (2) '어떤 일이 일어나기 전에 미리 생각하여 두다'를 뜻하는 낱말은 '예상하다'입니다.

2 (1) '수집하다'는 '취미나 연구를 위하여 여러 가지 물건이나 재료를 찾아 모으다'의 뜻이므로, 빈칸에 '모으다'가 들어가야 합니다. (2) '그림그래프'는 '알고자 하는 수를 그림으로 나타낸 그래프'를 뜻하므로, 빈칸에 '그림'이 들어가야 합니다. (3) '단위'는 '길이, 무게, 시간의 양을 계산한 값을 숫자로 나타낼 때 기초가 되는 정도'의 뜻이므로, 빈칸에 '기초'가 들어가야 합니다.

3 밑줄 친 부분은 '길이, 무게, 시간의 양을 계산한 값을 숫자로 나타낼 때 기초가 되는 정도'인 '단위'에 해당되며, 밀리리터(mL)와 리터(L)는 들이를 나타내는 단위입니다. 따라서 정답은 ①입니다.

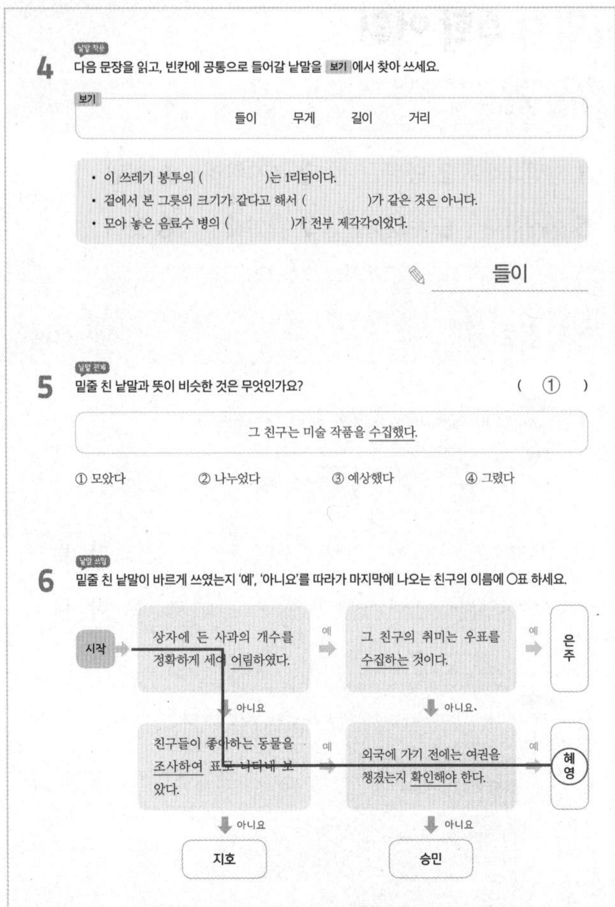

4 다음 문장을 읽고, 빈칸에 공통으로 들어갈 낱말을 보기 에서 찾아 쓰세요.

보기: 들이 무게 길이 거리

- 이 쓰레기 봉투의 ( )는 1리터이다.
- 겉에서 본 그릇의 크기가 같다고 해서 ( )가 같은 것은 아니다.
- 모아 놓은 음료수 병의 ( )가 전부 제각각이었다.

들이

5 밑줄 친 낱말과 뜻이 비슷한 것은 무엇인가요? (①)

그 친구는 미술 작품을 수집했다.

① 모았다 ② 나누었다 ③ 예상했다 ④ 그렸다

6 밑줄 친 낱말이 바르게 쓰였는지 '예', '아니요'를 따라가 마지막에 나오는 친구의 이름에 ○표 하세요.

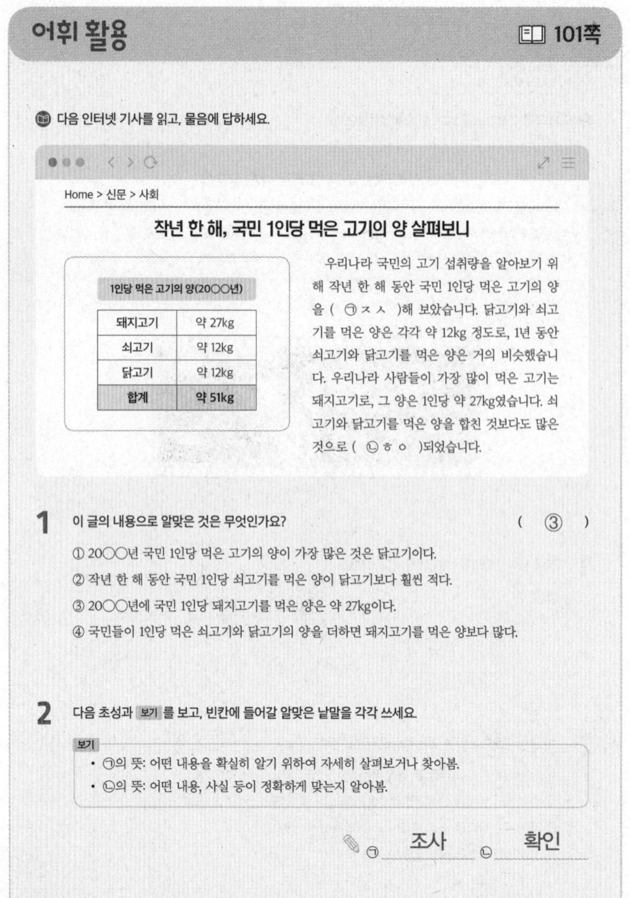

어휘 활용 101쪽

다음 인터넷 기사를 읽고, 물음에 답하세요.

Home > 신문 > 사회

작년 한 해, 국민 1인당 먹은 고기의 양 살펴보니

1인당 먹은 고기의 양(20○○년)

돼지고기	약 27kg
쇠고기	약 12kg
닭고기	약 12kg
합계	약 51kg

우리나라 국민의 고기 섭취량을 알아보기 위해 작년 한 해 동안 국민 1인당 먹은 고기의 양을 (㉠ㅈㅅ)해 보았습니다. 닭고기와 쇠고기를 먹은 양은 각각 약 12kg 정도로, 1년 동안 쇠고기와 닭고기를 먹은 양은 거의 비슷했습니다. 우리나라 사람들이 가장 많이 먹은 고기는 돼지고기로, 그 양은 1인당 약 27kg였습니다. 쇠고기와 닭고기를 먹은 양을 합친 것보다도 많은 것으로 (㉡ㅎㅇ)되었습니다.

1 이 글의 내용으로 알맞은 것은 무엇인가요? (③)

① 20○○년 국민 1인당 먹은 고기의 양이 가장 많은 것은 닭고기이다.
② 작년 한 해 동안 국민 1인당 쇠고기를 먹은 양이 닭고기보다 훨씬 적다.
③ 20○○년에 국민 1인당 돼지고기를 먹은 양은 약 27kg이다.
④ 국민들이 1인당 먹은 쇠고기와 닭고기의 양을 더하면 돼지고기를 먹은 양보다 많다.

2 다음 초성과 보기 를 보고, 빈칸에 들어갈 알맞은 낱말을 각각 쓰세요.

보기
- ㉠의 뜻: 어떤 내용을 확실히 알기 위하여 자세히 살펴보거나 찾아봄.
- ㉡의 뜻: 어떤 내용, 사실 등이 정확하게 맞는지 알아봄.

㉠ 조사 ㉡ 확인

도움말

4 두 번째와 세 번째 문장의 빈칸에는 '들이, 무게'가 들어갈 수 있지만 첫 번째 문장에는 들이의 단위인 '1리터'가 제시되어 있으므로, 빈칸에 공통으로 들어갈 낱말은 '들이'입니다.

5 제시된 문장의 '수집했다'는 '취미나 연구를 위하여 여러 가지 물건이나 재료를 찾아 모았다'라는 뜻이며, 이와 비슷한 뜻의 낱말은 '모았다'입니다.

6 첫 번째 상자의 문장에서 '어림'의 뜻은 '정확하게 재어 보지 않고 대강 생각하여 헤아린 수나 양'이므로, '정확하게 세어 어림하였다.'라는 표현은 잘못된 표현입니다. 따라서 '아니요'를 따라 그 아래 상자로 가야 합니다. '조사하여'의 기본형 '조사하다'의 뜻은 '어떤 내용을 확실히 알기 위하여 자세히 살펴보거나 찾아보다'이므로, 밑줄 친 낱말을 바르게 활용했습니다. '예'를 따라 오른쪽 상자로 이동합니다. '확인해야'의 기본형 '확인하다'는 '어떤 내용, 사실 등이 정확하게 맞는지 알아보다'를 뜻합니다. '여권을 챙겼는지 확인해야 한다.'는 바른 표현이므로 '예'를 따라가 마지막에 나오는 '혜영'에 ○표 합니다.

매체 자료에 대해 알아볼까요?

이 글은 기사입니다. 기사는 신문, 뉴스 등에서 어떠한 사실을 알리는 글로, 그 내용이 정확하고 분명해야 합니다. 제시된 글은 작년에 우리나라 국민 1인이 먹은 고기의 양을 객관적으로 알려 주는 기사입니다.

도움말

1 기사 본문 6~7행에 '우리나라 사람들이 가장 많이 먹은 고기는 돼지고기로, 그 양은 1인당 약 27kg였습니다.'라고 제시되어 있으며, 이와 같은 내용은 ③입니다.

2 '어떤 내용을 확실히 알기 위하여 자세히 살펴보거나 찾아봄'을 뜻하는 낱말은 '조사', '어떤 내용, 사실 등이 정확하게 맞는지 알아봄'을 뜻하는 낱말은 '확인'이므로, ㉠에는 '조사', ㉡에는 '확인'이 들어가야 합니다.

5일차 학습 도움 어휘

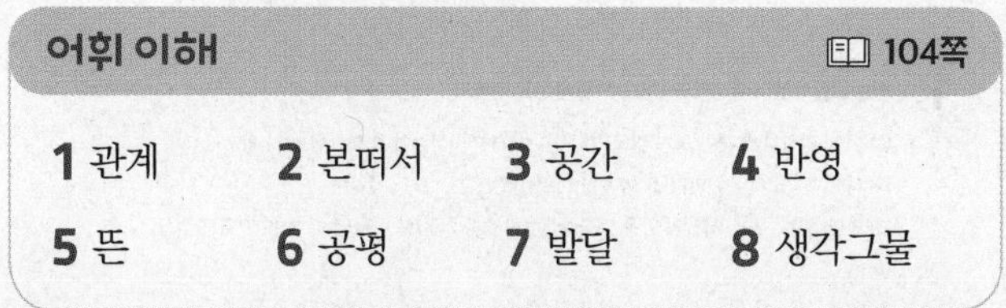

어휘 이해 104쪽

1 관계 2 본떠서 3 공간 4 반영
5 뜬 6 공평 7 발달 8 생각그물

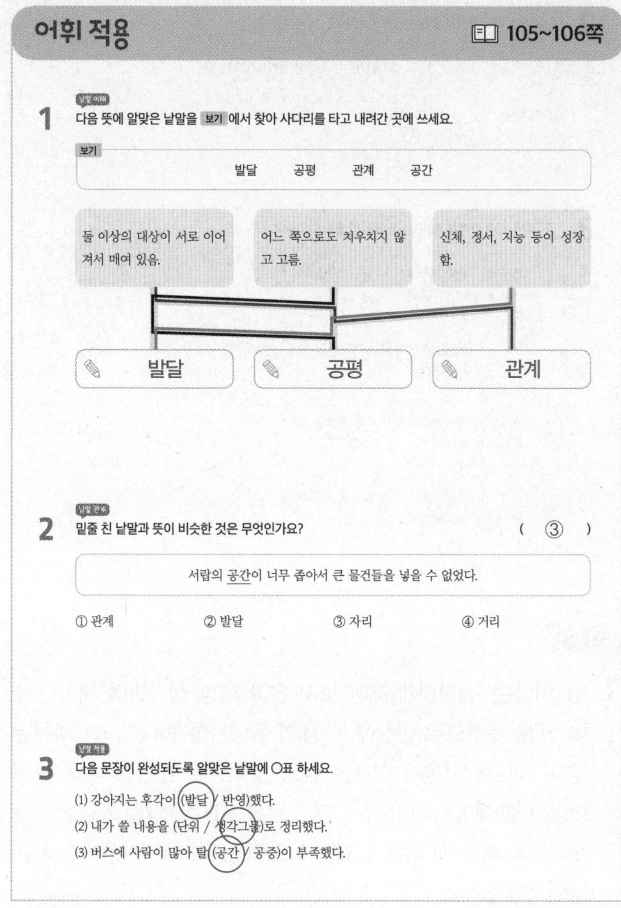

어휘 적용 105~106쪽

1 다음 뜻에 알맞은 낱말을 보기 에서 찾아 사다리를 타고 내려간 곳에 쓰세요.

보기: 발달 공평 관계 공간

둘 이상의 대상이 서로 이어져서 매여 있음.	어느 쪽으로도 치우치지 않고 고름.	신체, 정서, 지능 등이 성장함.
발달	공평	관계

2 밑줄 친 낱말과 뜻이 비슷한 것은 무엇인가요? (③)

서랍의 공간이 너무 좁아서 큰 물건들을 넣을 수 없었다.

① 관계 ② 발달 ③ 자리 ④ 거리

3 다음 문장이 완성되도록 알맞은 낱말에 ○표 하세요.

(1) 강아지는 후각이 (발달 / 반영)했다.
(2) 내가 쓸 내용을 (단위 / 생각그물)로 정리했다.
(3) 버스에 사람이 많아 탈 (공간 / 공중)이 부족했다.

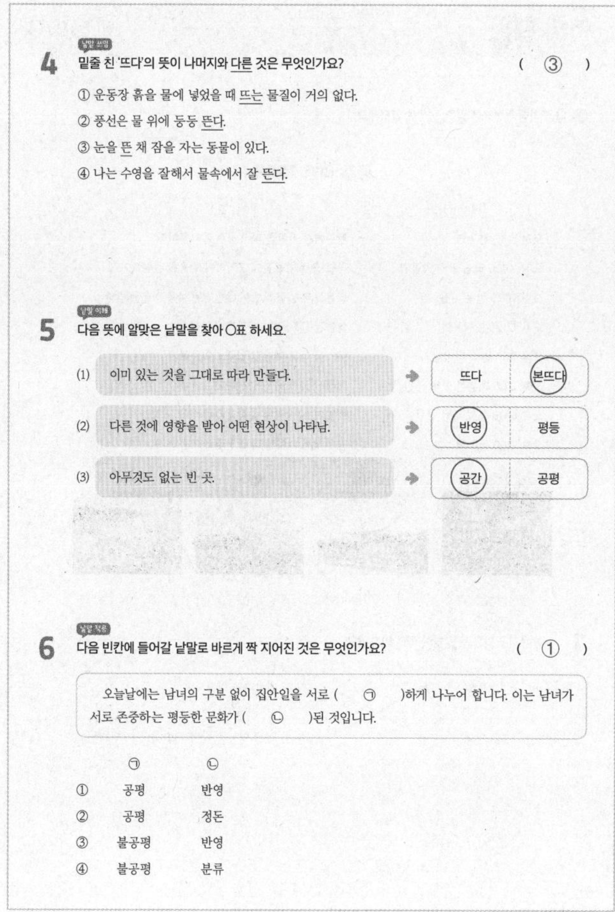

4 밑줄 친 '뜨다'의 뜻이 나머지와 다른 것은 무엇인가요? (③)

① 운동장 흙을 물에 넣었을 때 뜨는 물질이 거의 없다.
② 풍선은 물 위에 둥둥 뜬다.
③ 눈을 뜬 채 잠을 자는 동물이 있다.
④ 나는 수영을 잘해서 물속에서 잘 뜬다.

5 다음 뜻에 알맞은 낱말을 찾아 ○표 하세요.

(1) 이미 있는 것을 그대로 따라 만들다. → 뜨다 / 본뜨다
(2) 다른 것에 영향을 받아 어떤 현상이 나타남. → 반영 / 평등
(3) 아무것도 없는 빈 곳. → 공간 / 공평

6 다음 빈칸에 들어갈 낱말로 바르게 짝 지어진 것은 무엇인가요? (①)

오늘날에는 남녀의 구분 없이 집안일을 서로 (㉠)하게 나누어 합니다. 이는 남녀가 서로 존중하는 평등한 문화가 (㉡)된 것입니다.

	㉠	㉡
①	공평	반영
②	공평	정돈
③	불공평	반영
④	불공평	분류

도움말

1 '둘 이상의 대상이 서로 이어져서 매여 있음'을 뜻하는 낱말은 '관계', '어느 쪽으로도 치우치지 않고 고름'을 뜻하는 낱말은 '공평', '신체, 정서, 지능 등이 성장함'을 뜻하는 낱말은 '발달'입니다.

2 '공간'은 '아무것도 없는 빈 곳'을 뜻합니다. 이와 비슷한 뜻의 낱말로 '자리', '장소' 등이 있습니다.

3 (1) 빈칸에 '신체, 정서, 지능 등이 성장함'을 뜻하는 낱말인 '발달'을 넣어 '강아지는 후각이 발달했다.'라는 문장으로 완성할 수 있습니다. (2) 빈칸에 '떠오르는 생각 등을 선으로 연결하여 쓰는 방법'을 뜻하는 '생각그물'을 넣어 '내가 쓸 내용을 생각그물로 정리했다.'라는 문장으로 완성할 수 있습니다. (3) 빈칸에 '아무것도 없는 빈 곳'을 뜻하는 '공간'을 넣어 '버스에 사람이 많아 탈 공간이 부족했다.'라는 문장으로 완성할 수 있습니다.

도움말

4 '뜨다'는 '물속이나 땅 위에서 가라앉거나 내려앉지 않고, 물 위나 공중에 있거나 위쪽으로 솟아오르다'의 뜻도 있고 '감았던 눈을 벌리다'의 뜻도 있습니다. ①, ②, ④에서 쓰인 '뜨다'는 첫 번째 뜻으로, ③에서 쓰인 '뜨다'는 두 번째 뜻으로 쓰였습니다. 따라서 밑줄 친 낱말의 뜻이 나머지와 다른 뜻으로 쓰인 것은 ③입니다.

5 (1) '이미 있는 것을 그대로 따라 만들다'를 뜻하는 낱말은 '본뜨다'입니다. (2) '다른 것에 영향을 받아 어떤 현상이 나타남'을 뜻하는 낱말은 '반영'입니다. (3) '아무것도 없는 빈 곳'을 뜻하는 낱말은 '공간'입니다.

6 ㉠에는 '어느 쪽으로도 치우치지 않고 고름'을 뜻하는 '공평'을 넣어 '오늘날에는 남녀의 구분 없이 집안일을 서로 공평하게 나누어 합니다.'라는 문장으로 완성할 수 있습니다. ㉡에는 '다른 것에 영향을 받아 어떤 현상이 나타남'을 뜻하는 '반영'을 넣어 '이는 남녀가 서로 존중하는 평등한 문화가 반영된 것입니다.'라는 문장으로 완성할 수 있습니다.

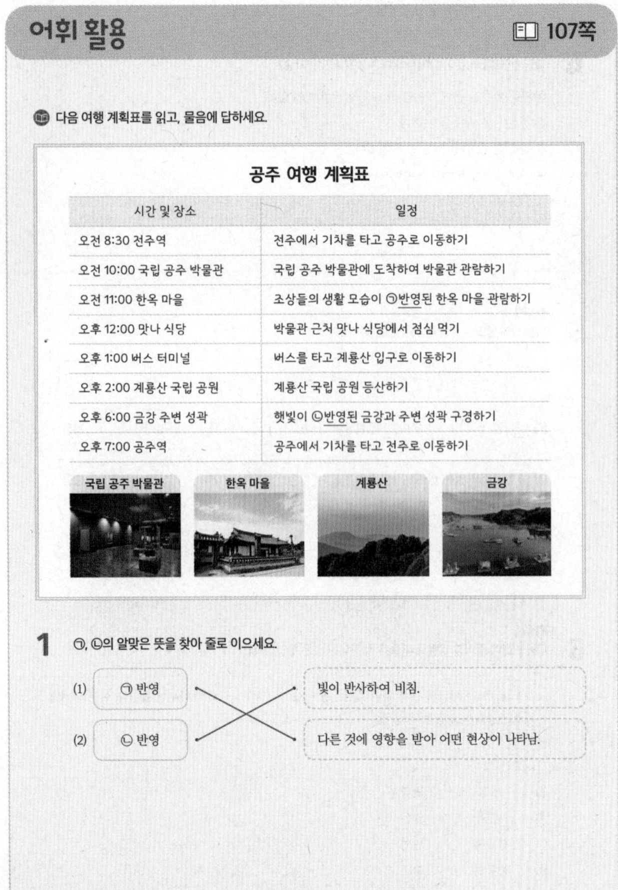
어휘 활용 107쪽

다음 여행 계획표를 읽고, 물음에 답하세요.

공주 여행 계획표

시간 및 장소	일정
오전 8:30 전주역	전주에서 기차를 타고 공주로 이동하기
오전 10:00 국립 공주 박물관	국립 공주 박물관에 도착하여 박물관 관람하기
오전 11:00 한옥 마을	조상들의 생활 모습이 ㉠반영된 한옥 마을 관람하기
오후 12:00 맛나 식당	박물관 근처 맛나 식당에서 점심 먹기
오후 1:00 버스 터미널	버스를 타고 계룡산 입구로 이동하기
오후 2:00 계룡산 국립 공원	계룡산 국립 공원 등산하기
오후 6:00 금강 주변 성곽	햇빛이 ㉡반영된 금강과 주변 성곽 구경하기
오후 7:00 공주역	공주에서 기차를 타고 전주로 이동하기

1 ㉠, ㉡의 알맞은 뜻을 찾아 줄로 이으세요.

(1) ㉠ 반영 — 다른 것에 영향을 받아 어떤 현상이 나타남.

(2) ㉡ 반영 — 빛이 반사하여 비침.

이 글은 여행 계획표입니다. 여행 계획표에는 여행 시간과 장소 등을 적습니다. 여행 계획표는 블로그에서도 쉽게 접할 수 있습니다. 제시된 여행 계획표에서는 시간과 장소의 흐름에 따라 공주 여행 일정이 간략하게 쓰여 있습니다.

도움말

1 '반영'은 여러 뜻이 있는 낱말입니다. ㉠은 '다른 것에 영향을 받아 어떤 현상이 나타남'을 뜻합니다. ㉡은 '빛이 반사하여 비침'을 뜻합니다.

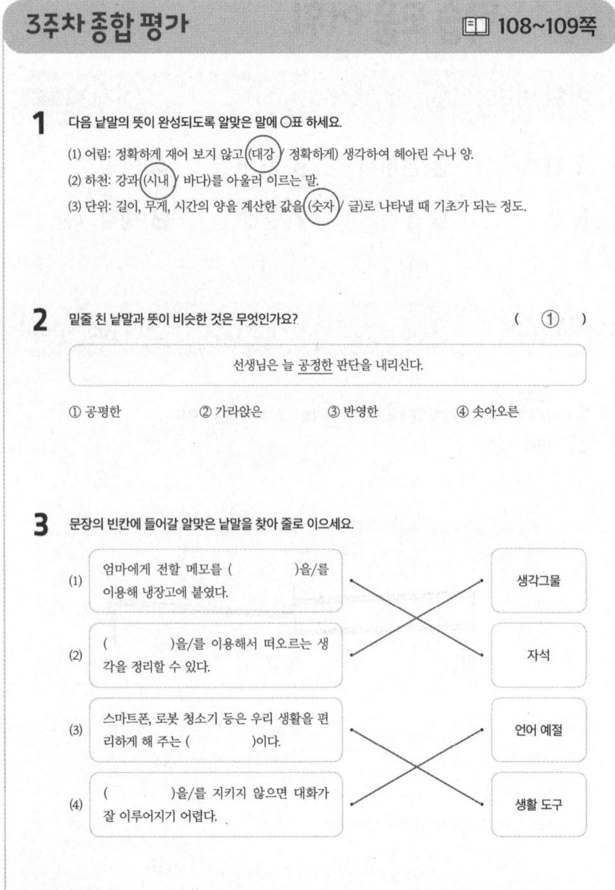
3주차 종합 평가 108~109쪽

1 다음 낱말의 뜻이 완성되도록 알맞은 말에 ○표 하세요.

(1) 어림: 정확하게 재어 보지 않고(대강 / 정확하게) 생각하여 헤아린 수나 양. (대강에 ○)

(2) 하천: 강과(시내 / 바다)를 아울러 이르는 말. (시내에 ○)

(3) 단위: 길이, 무게, 시간의 양을 계산한 값을(숫자 / 글)로 나타낼 때 기초가 되는 정도. (숫자에 ○)

2 밑줄 친 낱말과 뜻이 비슷한 것은 무엇인가요? (①)

선생님은 늘 공정한 판단을 내리신다.

① 공평한 ② 가라앉은 ③ 반영한 ④ 솟아오른

3 문장의 빈칸에 들어갈 알맞은 낱말을 찾아 줄로 이으세요.

(1) 엄마에게 전할 메모를 (　　　)을/를 이용해 냉장고에 붙였다. — 자석

(2) (　　　)을/를 이용해서 떠오르는 생각을 정리할 수 있다. — 생각그물

(3) 스마트폰, 로봇 청소기 등은 우리 생활을 편리하게 해 주는 (　　　)이다. — 생활 도구

(4) (　　　)을/를 지키지 않으면 대화가 잘 이루어지기 어렵다. — 언어 예절

도움말

1 (1) '어림'은 '정확하게 재어 보지 않고 대강 생각하여 헤아린 수나 양'을 뜻하므로 빈칸에 '대강'이 들어가야 합니다. (2) '하천'은 '강과 시내를 아울러 이르는 말'을 뜻하므로 빈칸에 '시내'가 들어가야 합니다. (3) '단위'는 '길이, 무게, 시간의 양을 계산한 값을 숫자로 나타낼 때 기초가 되는 정도'를 뜻하므로, 빈칸에 '숫자'가 들어가야 합니다.

2 제시된 문장에서 '공정한'의 뜻은 '공평하고 올바른'입니다. 이와 비슷한 뜻의 낱말은 '어느 쪽으로도 치우치지 않고 고른'을 뜻하는 '공평한'입니다. 따라서 정답은 ①입니다.

3 (1) '철로 된 물체를 끌어당기는 물체'를 뜻하는 '자석'을 빈칸에 넣어 문장을 완성할 수 있습니다. (2) '떠오르는 생각 등을 선으로 연결하여 쓰는 방법'을 뜻하는 '생각그물'을 빈칸에 넣어 문장을 완성할 수 있습니다. (3) '사람들이 생활하는 데 필요한 여러 가지 물건'을 뜻하는 '생활 도구'를 빈칸에 넣어 문장을 완성할 수 있습니다. (4) '언어를 사용할 때 상대를 높여 주고 배려하는 마음으로 지켜야 할 예의나 행동'을 뜻하는 '언어 예절'을 빈칸에 넣어 문장을 완성할 수 있습니다.

4 대화의 빈칸에 공통으로 들어갈 낱말을 보기 에서 찾아 쓰세요.

보기
단위 분수 공간 방향

지우: 우리 주변에서 사용되는 (   )에는 무엇이 있을까?
민지: 동물이나 벌레 등을 셀 때 '마리'라는 (   )을/를 사용해.
은영: 풀이나 배추 같은 것을 셀 때 쓰는 '포기'라는 (   )도 있어.
호영: 들이를 나타내는 'mL, L'라는 (   )도 있고, 무게를 나타내는 'g, kg'이라는 (   )도 있어.

✎ 단위

5 다음 설명에서 가리키는 '이것'은 무엇인가요? (②)

- 이것의 한쪽 끝은 항상 남쪽을 가리키고, 다른 한쪽 끝은 항상 북쪽을 가리킵니다.
- 이것을 이용하면 바다나 사막에서도 방향을 찾을 수 있습니다.

① 시계 ② 나침반 ③ 자석 ④ 계산기

6 다음 글을 읽고, 빈칸에 들어갈 낱말을 보기 에서 찾아 각각 쓰세요.

보기
기온 강수량 예상합니다 분류합니다

인천, 서울, 춘천, 강릉은 맑고 화창한 날씨가 계속될 것으로 보입니다. 낮에는 바람이 다소 불겠지만 한낮에는 (㉠)이 15℃까지 올라 어제보다 따뜻하겠습니다. 다만 대전, 광주, 부산 등에는 비구름이 몰려와 소나기가 내릴 것으로 (㉡). 외출하실 때 우산을 준비해 주시기 바랍니다.

✎ ㉠ 기온 ㉡ 예상합니다

도움말

4 '길이, 무게, 시간의 양을 계산한 값을 숫자로 나타낼 때 기초가 되는 정도'를 '단위'라고 합니다. '마리'는 동물이나 벌레를 세는 단위입니다. '포기'는 풀이나 배추를 셀 때 쓰는 단위입니다. '리터(L), 밀리리터(mL)'는 들이를 나타내는 단위입니다. 따라서 빈칸에 공통으로 들어갈 낱말은 '단위'입니다.

5 한쪽 끝은 남쪽을, 다른 한쪽 끝은 북쪽을 항상 가리키며, 바다나 사막에서도 방향을 찾을 수 있도록 하는 것은 '나침반'입니다.

6 ㉠의 앞뒤 내용에서 '한낮에 15℃까지 오른다.'라고 하였으므로 ㉠에는 '공기의 온도'를 가리키는 '기온'이 들어가야 합니다. ㉡에는 '소나기가 내릴 것', '외출하실 때 우산을 준비해 주시기 바랍니다.'라는 내용으로 보아 '어떤 일이 일어나기 전에 미리 생각하여 둡니다'라는 뜻의 '예상합니다'가 들어가야 합니다.

4주

1일차 국어 어휘

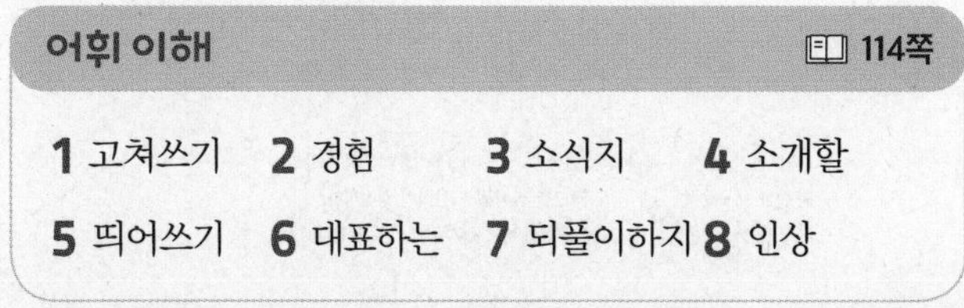
어휘 이해 114쪽

1 고쳐쓰기 2 경험 3 소식지 4 소개할
5 띄어쓰기 6 대표하는 7 되풀이하지 8 인상

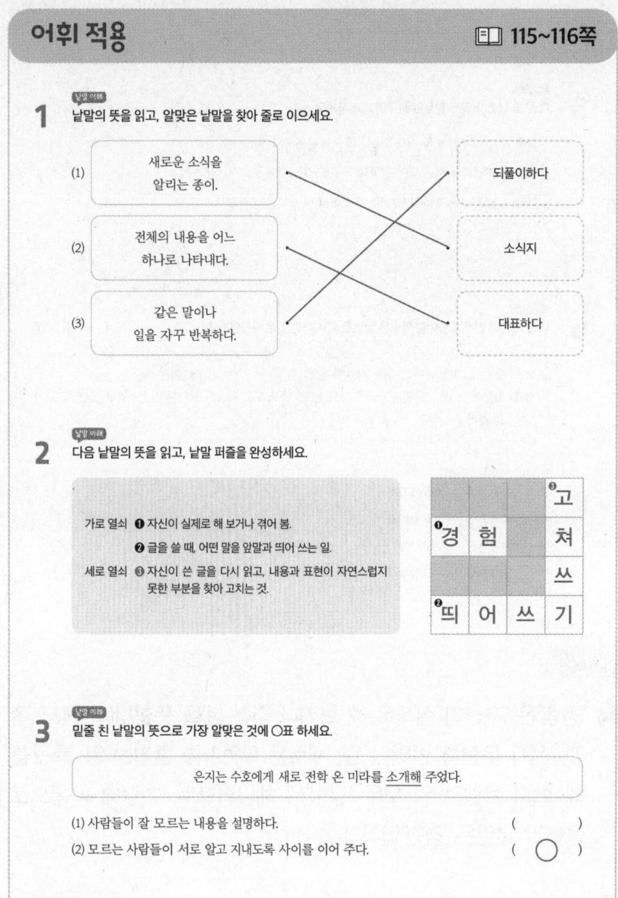
어휘 적용 115~116쪽

낱말 이해
1 낱말의 뜻을 읽고, 알맞은 낱말을 찾아 줄로 이으세요.

(1) 새로운 소식을 알리는 종이. — 소식지
(2) 전체의 내용을 어느 하나로 나타내다. — 대표하다
(3) 같은 말이나 일을 자꾸 반복하다. — 되풀이하다

낱말 이해
2 다음 낱말의 뜻을 읽고, 낱말 퍼즐을 완성하세요.

가로 열쇠 ❶ 자신이 실제로 해 보거나 겪어 봄.
❷ 글을 쓸 때, 어떤 말을 앞말과 띄어 쓰는 일.
세로 열쇠 ❸ 자신이 쓴 글을 다시 읽고, 내용과 표현이 자연스럽지 못한 부분을 찾아 고치는 것.

			❸고
❶경	험		쳐
			쓰
❷띄	어	쓰	기

낱말 이해
3 밑줄 친 낱말의 뜻으로 가장 알맞은 것에 ○표 하세요.

은지는 수호에게 새로 전학 온 미라를 소개해 주었다.

(1) 사람들이 잘 모르는 내용을 설명하다. ( )
(2) 모르는 사람들이 서로 알고 지내도록 사이를 이어 주다. (○)

도움말

1 (1) '새로운 소식을 알리는 종이'를 '소식지'라고 합니다. (2) '전체의 내용을 어느 하나로 나타내다'의 뜻을 가진 낱말은 '대표하다'입니다. (3) '같은 말이나 일을 자꾸 반복하다'는 '되풀이하다'입니다.

2 ❶ '자신이 실제로 해 보거나 겪어 봄'을 뜻하는 낱말은 '경험'입니다. ❷ '글을 쓸 때, 어떤 말을 앞말과 띄어 쓰는 일'을 '띄어쓰기'라고 합니다. ❸ '자신이 쓴 글을 다시 읽고, 내용과 표현이 자연스럽지 못한 부분을 찾아 고치는 것'을 뜻하는 낱말은 '고쳐쓰기'입니다.

3 '소개하다'는 '사람들이 잘 모르는 내용을 설명하다' 또는 '모르는 사람들이 서로 알고 지내도록 사이를 이어 주다'라는 뜻이 있습니다. 제시된 문장은 '은지가 미라와 수호가 서로 알고 지내도록 사이를 이어 주다.'라는 맥락으로 이해할 수 있기 때문에 밑줄 친 낱말의 뜻으로 알맞은 것은 (2)입니다.

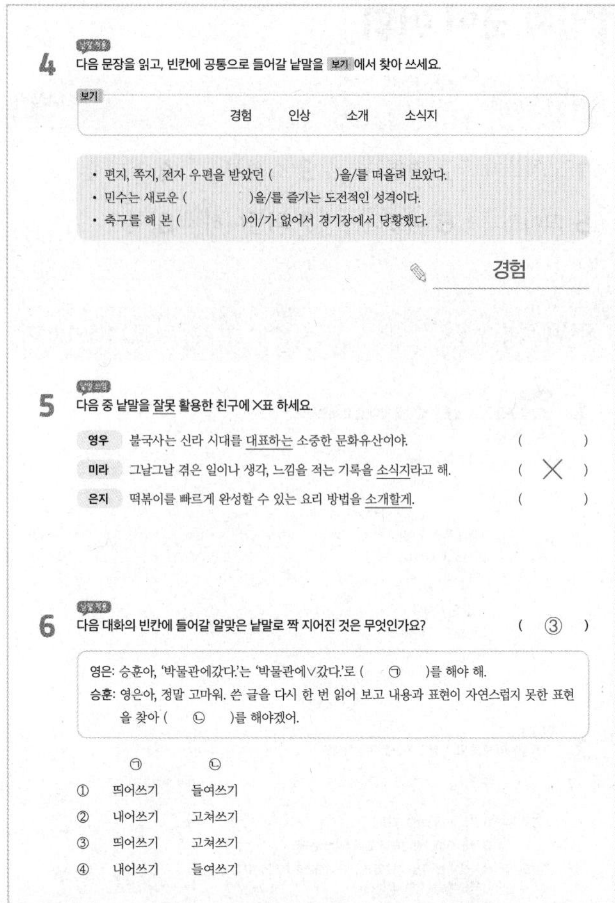

낱말 적용

4 다음 문장을 읽고, 빈칸에 공통으로 들어갈 낱말을 보기 에서 찾아 쓰세요.

보기
경험 인상 소개 소식지

- 편지, 쪽지, 전자 우편을 받았던 ( )을/를 떠올려 보았다.
- 민수는 새로운 ( )을/를 즐기는 도전적인 성격이다.
- 축구를 해 본 ( )이/가 없어서 경기장에서 당황했다.

✎ 경험

낱말 쓰임

5 다음 중 낱말을 잘못 활용한 친구에 ×표 하세요.

영우 불국사는 신라 시대를 대표하는 소중한 문화유산이야. ( )
미라 그날그날 겪은 일이나 생각, 느낌을 적는 기록을 소식지라고 해. (×)
은지 떡볶이를 빠르게 완성할 수 있는 요리 방법을 소개할게. ( )

낱말 적용

6 다음 대화의 빈칸에 들어갈 알맞은 낱말로 짝 지어진 것은 무엇인가요? (③)

영은: 승훈아, '박물관에갔다.'는 '박물관에∨갔다.'로 (㉠)를 해야 해.
승훈: 영은아, 정말 고마워. 쓴 글을 다시 한 번 읽어 보고 내용과 표현이 자연스럽지 못한 표현을 찾아 (㉡)를 해야겠어.

	㉠	㉡
①	띄어쓰기	들여쓰기
②	내어쓰기	고쳐쓰기
③	띄어쓰기	고쳐쓰기
④	내어쓰기	들여쓰기

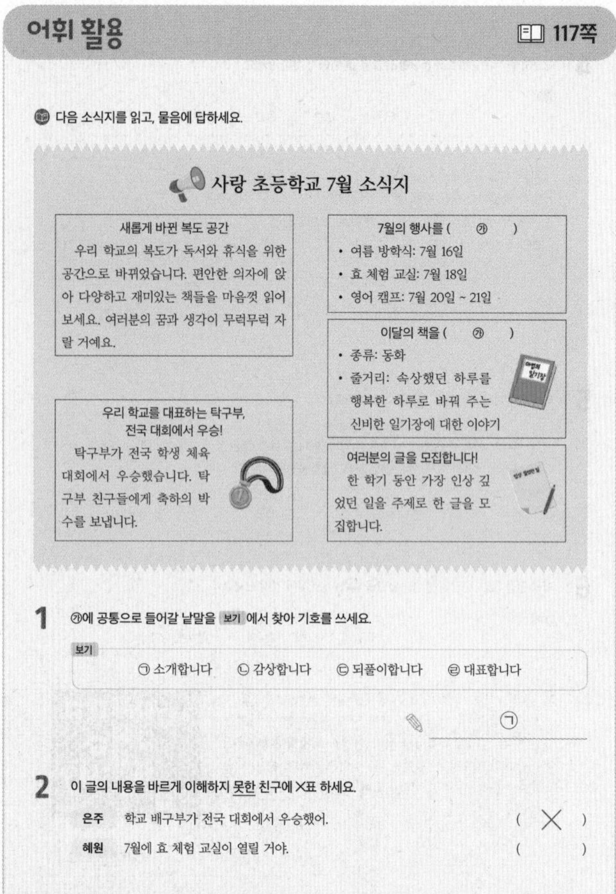

어휘 활용

📖 117쪽

다음 소식지를 읽고, 물음에 답하세요.

사랑 초등학교 7월 소식지

새롭게 바뀐 복도 공간
우리 학교의 복도가 독서와 휴식을 위한 공간으로 바뀌었습니다. 편안한 의자에 앉아 다양하고 재미있는 책들을 마음껏 읽어 보세요. 여러분의 꿈과 생각이 무럭무럭 자랄 거예요.

7월의 행사를 (㉮)
- 여름 방학식: 7월 16일
- 효 체험 교실: 7월 18일
- 영어 캠프: 7월 20일 ~ 21일

이달의 책을 (㉮)
- 종류: 동화
- 줄거리: 속상했던 하루를 행복한 하루로 바꿔 주는 신비한 일기장에 대한 이야기

우리 학교를 대표하는 탁구부, 전국 대회에서 우승!
탁구부가 전국 학생 체육 대회에서 우승했습니다. 탁구부 친구들에게 축하의 박수를 보냅니다.

여러분의 글을 모집합니다!
한 학기 동안 가장 인상 깊었던 일을 주제로 한 글을 모집합니다.

1 ㉮에 공통으로 들어갈 낱말을 보기 에서 찾아 기호를 쓰세요.

보기
㉠ 소개합니다 ㉡ 감상합니다 ㉢ 되풀이합니다 ㉣ 대표합니다

✎ ㉠

2 이 글의 내용을 바르게 이해하지 못한 친구에 ×표 하세요.

은주 학교 배구부가 전국 대회에서 우승했어. (×)
혜원 7월에 효 체험 교실이 열릴 거야. ( )

도움말

4 '경험'은 '자신이 실제로 해 보거나 겪어 봄'을 뜻합니다. 편지, 쪽지, 전자 우편을 받았던 일, 새로운 무언가를 즐기는 일, 축구를 해 보지 못했던 일 모두 '경험'에 해당되므로, 빈칸에 공통으로 들어갈 낱말은 '경험'입니다.

5 미라가 한 말에서 '소식지'는 '새로운 소식을 알리는 종이'를 뜻합니다. '그날그날 겪은 일이나 생각, 느낌을 적는 기록'은 '일기'에 해당하므로, 밑줄 친 낱말을 잘못 활용한 친구는 미라입니다.

6 영은이는 '박물관에'와 '갔다' 사이를 띄어 써야 한다고 말하고 있습니다. 따라서 ㉠에는 '띄어쓰기'가 들어가야 합니다. 승훈의 말에서 '쓴 글을 다시 한 번 읽어 보고, 내용과 표현이 자연스럽지 못한 표현을 찾아보는 것'은 고쳐 써 보는 활동에 해당합니다. 따라서 ㉡에 들어갈 알맞은 낱말은 '고쳐쓰기'입니다.

매체 자료에 대해 알아볼까요?

이 글은 소식지입니다. 소식지는 어떤 단체의 새로운 소식을 알리는 인쇄물로, 학교, 공공 기관 등에서 볼 수 있습니다. 이 글에는 새롭게 바뀐 복도 공간, 탁구부의 우승, 이달의 행사 등 다양한 소식을 알리는 내용이 담겨 있습니다.

도움말

1 ㉮와 관련된 내용은 '7월의 행사'와 '이달의 책'입니다. ㉮에는 이러한 내용을 사람들에게 전한다는 맥락의 단어가 어울립니다. 따라서 ㉮에는 '사람들이 잘 모르는 내용을 설명합니다'라는 뜻인 '소개합니다'가 들어가야 합니다.

2 소식지의 왼쪽 아래에 '우리 학교를 대표하는 탁구부, 전국 대회에서 우승!'이라는 내용이 있으므로, 이 글의 내용을 바르게 이해하지 못한 친구는 은주입니다.

2일차 사회 어휘

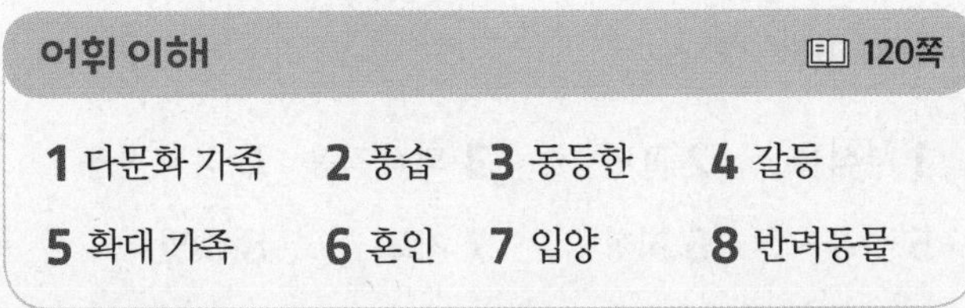

어휘 이해
120쪽
1 다문화 가족
2 풍습
3 동등한
4 갈등
5 확대 가족
6 혼인
7 입양
8 반려동물

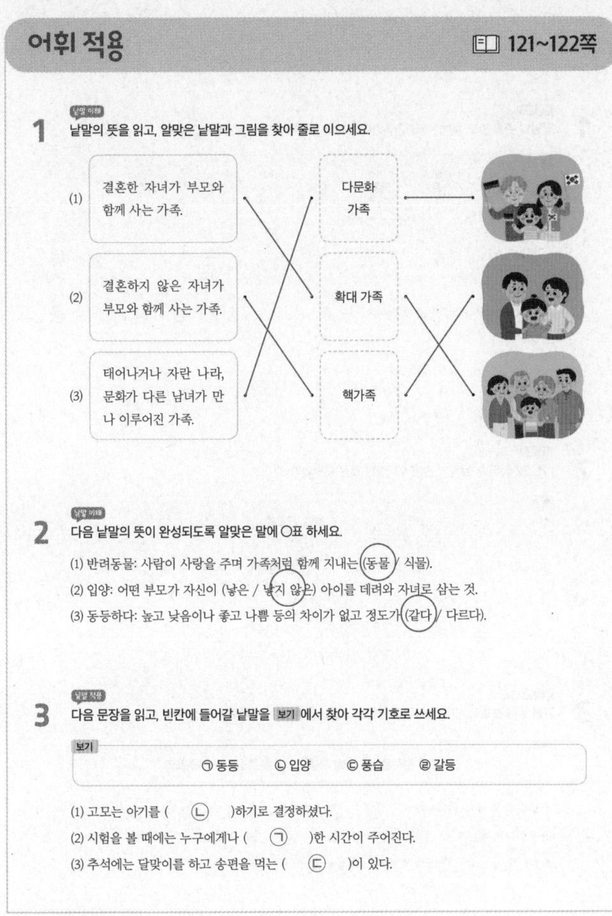

어휘 적용
121~122쪽
1 낱말의 뜻을 읽고, 알맞은 낱말과 그림을 찾아 줄로 이으세요.
(1) 결혼한 자녀가 부모와 함께 사는 가족.
(2) 결혼하지 않은 자녀가 부모와 함께 사는 가족.
(3) 태어나거나 자란 나라, 문화가 다른 남녀가 만나 이루어진 가족.
다문화 가족
확대 가족
핵가족
2 다음 낱말의 뜻이 완성되도록 알맞은 말에 ○표 하세요.
(1) 반려동물: 사람이 사랑을 주며 가족처럼 함께 지내는 (동물 / 식물).
(2) 입양: 어떤 부모가 자신이 (낳은 / 낳지 않은) 아이를 데려와 자녀로 삼는 것.
(3) 동등하다: 높고 낮음이나 좋고 나쁨 등의 차이가 없고 정도가 (같다 / 다르다).
3 다음 문장을 읽고, 빈칸에 들어갈 낱말을 보기 에서 찾아 각각 기호로 쓰세요.
보기
㉠ 동등 ㉡ 입양 ㉢ 풍습 ㉣ 갈등
(1) 고모는 아기를 (㉡)하기로 결정하셨다.
(2) 시험을 볼 때에는 누구에게나 (㉠)한 시간이 주어진다.
(3) 추석에는 달맞이를 하고 송편을 먹는 (㉢)이 있다.

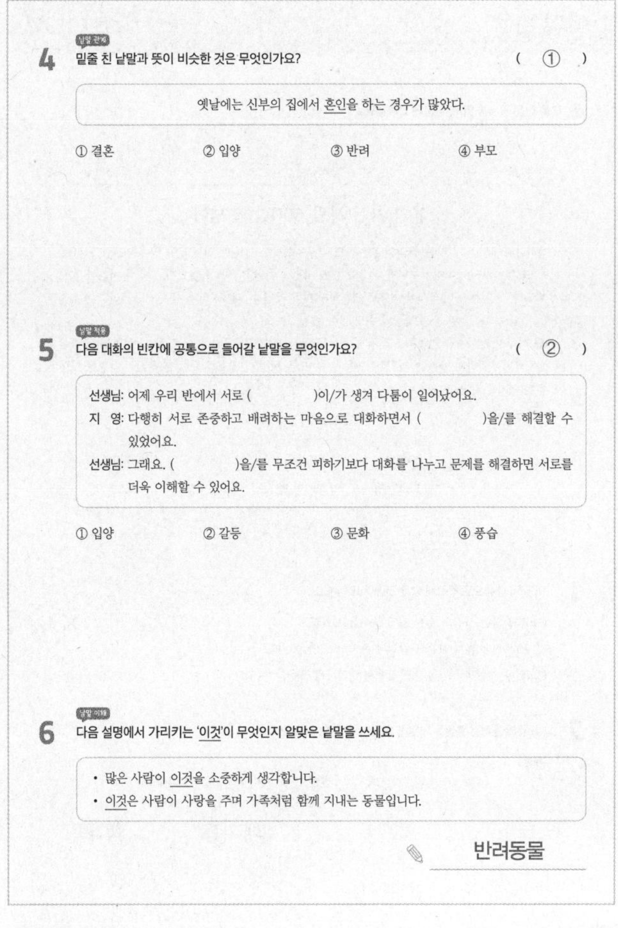

4 밑줄 친 낱말과 뜻이 비슷한 것은 무엇인가요? (①)
옛날에는 신부의 집에서 혼인을 하는 경우가 많았다.
① 결혼 ② 입양 ③ 반려 ④ 부모
5 다음 대화의 빈칸에 공통으로 들어갈 낱말은 무엇인가요? (②)
선생님: 어제 우리 반에서 서로 ( )이/가 생겨 다툼이 일어났어요.
지 영: 다행히 서로 존중하고 배려하는 마음으로 대화하면서 ( )을/를 해결할 수 있었어요.
선생님: 그래요. ( )을/를 무조건 피하기보다 대화를 나누고 문제를 해결하면 서로를 더욱 이해할 수 있어요.
① 입양 ② 갈등 ③ 문화 ④ 풍습
6 다음 설명에서 가리키는 '이것'이 무엇인지 알맞은 낱말을 쓰세요.
• 많은 사람이 이것을 소중하게 생각합니다.
• 이것은 사람이 사랑을 주며 가족처럼 함께 지내는 동물입니다.
반려동물

도움말

1 (1) '결혼한 자녀가 부모와 함께 사는 가족'은 '확대 가족'이며, 세 번째 그림에 해당합니다. (2) '결혼하지 않은 자녀가 부모와 함께 사는 가족'은 '핵가족'이며, 두 번째 그림에 해당합니다. (3) '태어나거나 자란 나라, 문화가 다른 남녀가 만나 이루어진 가족'은 '다문화 가족'이며 첫 번째 그림에 해당합니다.

2 (1) '반려동물'은 '사람이 사랑을 주며 가족처럼 함께 지내는 동물'입니다. (2) '입양'은 '어떤 부모가 자신이 낳지 않은 아이를 데려와 자녀로 삼는 것'을 말합니다. (3) '동등하다'는 '높고 낮음이나 좋고 나쁨 등의 차이가 없고 정도가 같다'를 뜻합니다.

3 (1) 빈칸에 '어떤 부모가 자신이 낳지 않은 아이를 데려와 자녀로 삼는 것'을 뜻하는 '입양'을 넣어 문장을 완성할 수 있습니다. (2) 빈칸에 '높고 낮음이나 좋고 나쁨 등의 차이가 없고 정도가 같음'을 뜻하는 '동등'을 넣어 문장을 완성할 수 있습니다. (3) 빈칸에 '옛날부터 전해 오는 생활 습관'인 '풍습'을 넣어 문장을 완성할 수 있습니다.

도움말

4 혼인은 '남자와 여자가 부부가 되어 가정을 이루는 일'을 뜻하며 이와 비슷한 뜻의 낱말은 '결혼'입니다.

5 선생님이 한 말에서 '다툼이 일어났어요.', '이것을 피하기보다 대화를 나누고 문제를 해결하면 서로를 더욱 이해할 수 있어요.'라는 내용에서 빈칸에 들어갈 낱말을 짐작할 수 있습니다. 또한, 지영이 한 말에서 '대화하면서 이것을 해결할 수 있었어요.'라는 내용을 통해 정답을 찾아볼 수 있습니다. 빈칸에 공통으로 들어갈 낱말은 '서로 생각이나 마음이 맞지 않아 다투는 상황'을 뜻하는 '갈등'이 적절합니다.

6 '많은 사람이 소중하게 생각하는 것', '가족처럼 함께 지내는 동물'이라는 내용으로 미루어 '이것'은 '반려동물'임을 알 수 있습니다. '반려동물'은 '사람이 사랑을 주며 가족처럼 함께 지내는 동물'입니다.

어휘 활용 123쪽

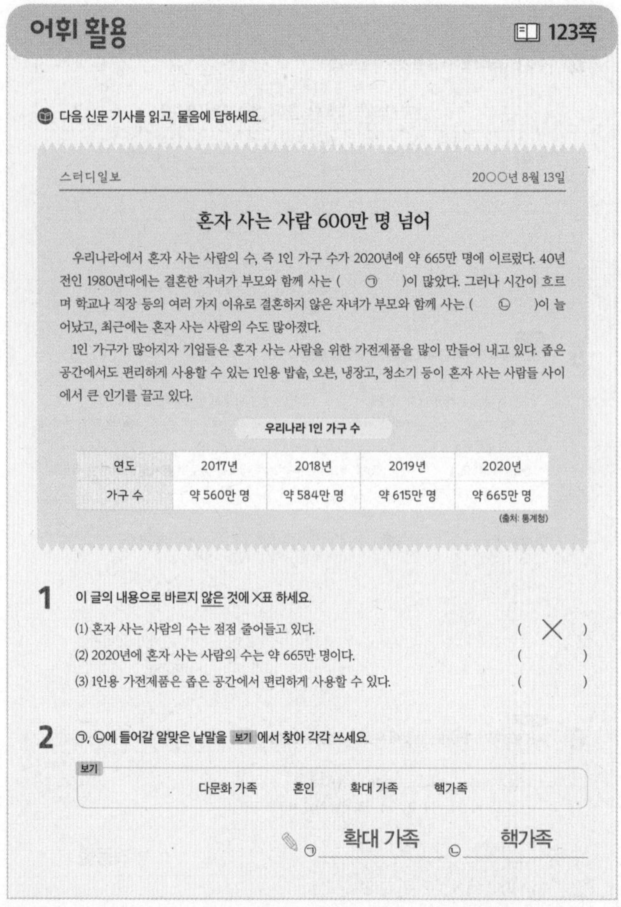

다음 신문 기사를 읽고, 물음에 답하세요.

스터디일보 20○○년 8월 13일

혼자 사는 사람 600만 명 넘어

우리나라에서 혼자 사는 사람의 수, 즉 1인 가구 수가 2020년에 약 665만 명에 이르렀다. 40년 전인 1980년대에는 결혼한 자녀가 부모와 함께 사는 (㉠)이 많았다. 그러나 시간이 흐르며 학교나 직장 등의 여러 가지 이유로 결혼하지 않은 자녀가 부모와 함께 사는 (㉡)이 늘어났고, 최근에는 혼자 사는 사람의 수도 많아졌다.

1인 가구가 많아지자 기업들은 혼자 사는 사람을 위한 가전제품을 많이 만들어 내고 있다. 좁은 공간에서도 편리하게 사용할 수 있는 1인용 밥솥, 오븐, 냉장고, 청소기 등이 혼자 사는 사람들 사이에서 큰 인기를 끌고 있다.

우리나라 1인 가구 수

연도	2017년	2018년	2019년	2020년
가구 수	약 560만 명	약 584만 명	약 615만 명	약 665만 명

(출처: 통계청)

1 이 글의 내용으로 바르지 않은 것에 ×표 하세요.

(1) 혼자 사는 사람의 수는 점점 줄어들고 있다. (×)

(2) 2020년에 혼자 사는 사람의 수는 약 665만 명이다. ( )

(3) 1인용 가전제품은 좁은 공간에서 편리하게 사용할 수 있다. ( )

2 ㉠, ㉡에 들어갈 알맞은 낱말을 보기 에서 찾아 각각 쓰세요.

보기: 다문화 가족 혼인 확대 가족 핵가족

㉠ 확대 가족 ㉡ 핵가족

매체 자료에 대해 알아볼까요?

기사는 신문, 뉴스, 잡지 등에서 어떠한 사실을 육하원칙에 따라 알리는 글입니다. 이 글은 우리나라의 1인 가구가 많아진다는 사실을 '우리나라 1인 가구 수'를 나타내는 객관적인 자료와 함께 나타냈습니다.

도움말

1 본문 3~4행의 내용을 살펴보았을 때, 혼자 사는 사람의 수는 점점 늘어나고 있음을 알 수 있습니다. 따라서 글의 내용으로 바르지 않은 것은 (1)입니다. (2)의 내용은 본문 1행에서, (3)의 내용은 본문 5~7행에서 확인할 수 있습니다.

2 ㉠의 앞부분에 '결혼한 자녀가 부모와 함께 사는'이라는 내용이 제시되어 있으므로, ㉠에는 '결혼한 자녀가 부모와 함께 사는 가족'을 뜻하는 '확대 가족'이 들어가야 합니다. ㉡의 앞부분에 '결혼하지 않은 자녀가 부모와 함께 사는'이라는 내용이 있으므로, ㉡에는 '결혼하지 않은 자녀가 부모와 함께 사는 가족'을 뜻하는 '핵가족'이 들어가야 합니다.

3일차 과학 어휘

어휘 이해 126쪽

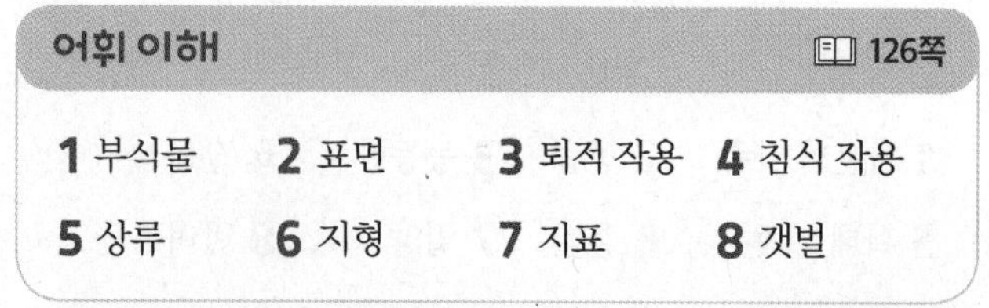

1 부식물 **2** 표면 **3** 퇴적 작용 **4** 침식 작용
5 상류 **6** 지형 **7** 지표 **8** 갯벌

어휘 적용 127~128쪽

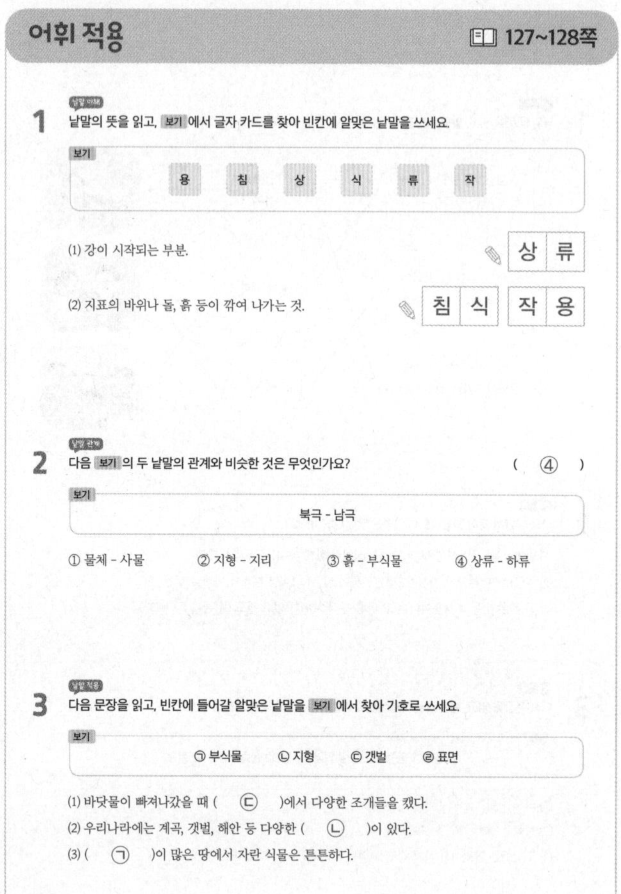

1 낱말의 뜻을 읽고, 보기 에서 글자 카드를 찾아 빈칸에 알맞은 낱말을 쓰세요.

보기: 용 침 상 식 류 작

(1) 강이 시작되는 부분. 상류

(2) 지표의 바위나 돌, 흙 등이 깎여 나가는 것. 침식 작용

2 다음 보기 의 두 낱말의 관계와 비슷한 것은 무엇인가요? (④)

보기: 북극 - 남극

① 물체 - 사물 ② 지형 - 지리 ③ 흙 - 부식물 ④ 상류 - 하류

3 다음 문장을 읽고, 빈칸에 들어갈 알맞은 낱말을 보기 에서 찾아 기호로 쓰세요.

보기: ㉠ 부식물 ㉡ 지형 ㉢ 갯벌 ㉣ 표면

(1) 바닷물이 빠져나갔을 때 (㉢)에서 다양한 조개들을 캤다.

(2) 우리나라에는 계곡, 갯벌, 해안 등 다양한 (㉡)이 있다.

(3) (㉠)이 많은 땅에서 자란 식물은 튼튼하다.

도움말

1 (1) '강이 시작되는 부분'을 '상류'라고 합니다. (2) '지표의 바위나 돌, 흙 등이 깎여 나가는 것'을 '침식 작용'이라고 합니다.

2 보기 의 '북극'과 '남극'은 서로 반대되는 뜻을 가진 낱말입니다. ④ '상류'와 '하류'는 각각 '강이 시작되는 부분'과 '강이 끝나는 부분'을 뜻하므로 반의 관계의 낱말입니다.

3 (1) '바닷물이 들어왔다 빠져나갔을 때 나타나며, 부드러운 흙으로 이루어진 넓고 평평한 땅'을 뜻하는 '갯벌'을 빈칸에 넣어 '바닷물이 빠져나갔을 때 갯벌에서 다양한 조개들을 캤다.'라는 문장으로 완성할 수 있습니다. (2) '땅의 모양이나 생김새'라는 뜻의 '지형'을 빈칸에 넣어 '우리나라에는 계곡, 갯벌, 해안 등 다양한 지형이 있다.'라는 문장으로 완성할 수 있습니다. (3) '식물의 뿌리나 줄기, 죽은 곤충 등이 오랫동안 썩어서 만들어진 것'을 뜻하는 '부식물'을 넣어 '부식물이 많은 땅에서 자란 식물은 튼튼하다.'라는 문장으로 완성할 수 있습니다.

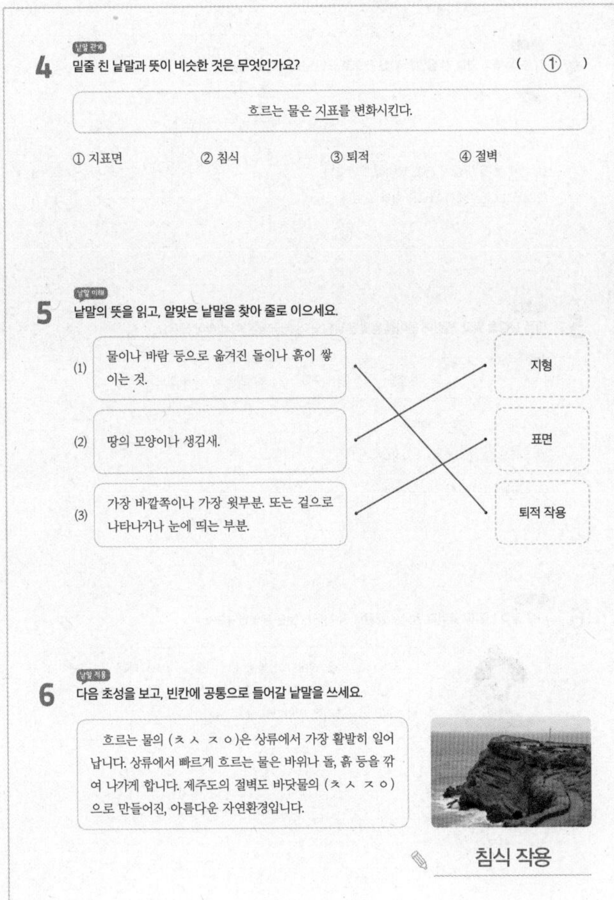

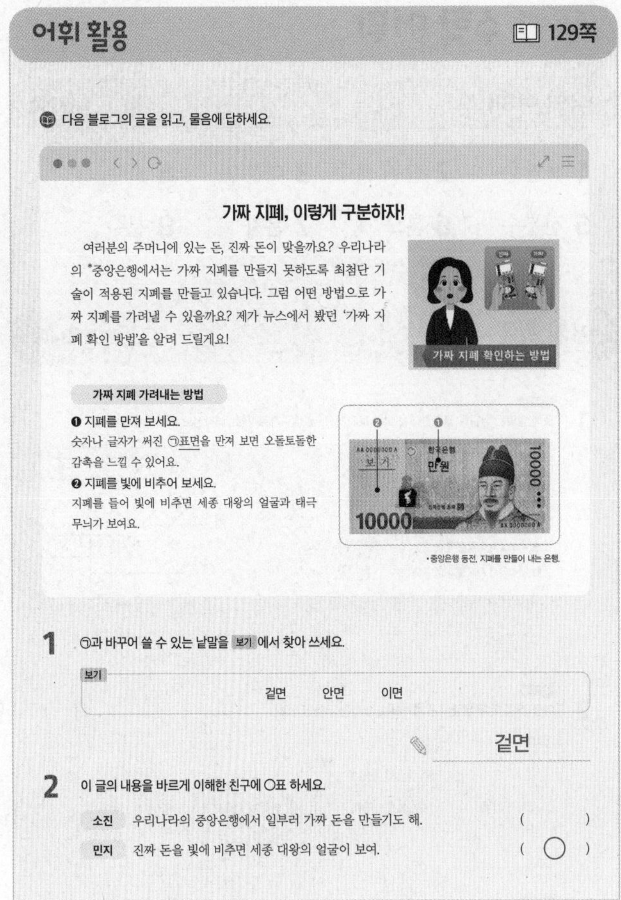

도움말

4 '지표'는 '땅의 겉면'을 말하며, 이와 비슷한 뜻의 낱말은 '지표면'입니다.

5 (1) '물이나 바람 등으로 옮겨진 돌이나 흙이 쌓이는 것'은 '퇴적 작용'입니다. (2) '땅의 모양이나 생김새'를 뜻하는 낱말은 '지형'입니다. (3) '가장 바깥쪽이나 가장 윗부분. 또는 겉으로 나타나거나 눈에 띄는 부분.'을 '표면'이라고 합니다.

6 1행 '상류에서 가장 활발히 일어납니다.'와 2행 '상류에서 빠르게 흐르는 물은 바위나 돌, 흙 등을 깎여 나가게 합니다.'라는 내용으로 미루어 보았을 때, 빈칸에 공통으로 들어갈 낱말은 '지표의 바위나 돌, 흙 등이 깎여 나가는 것'을 뜻하는 '침식 작용'이 적절합니다.

매체 자료에 대해 알아볼까요?

블로그는 자신의 관심사와 관련된 글을 올리는 인터넷 누리집입니다. 블로그에서는 읽는 사람이 글을 편하게 읽을 수 있도록 길지 않은 분량의 글을 사진이나 그림과 함께 제시합니다. 이 글에는 가짜 지폐를 가려내는 방법에 대한 내용이 담겨 있습니다.

도움말

1 '가장 바깥쪽이나 가장 윗부분'을 '표면'이라고 합니다. 비슷한말로는 '겉면'이 있습니다. 그러므로 '㉠표면'과 바꾸어 쓸 수 있는 말은 '겉면'입니다.

2 '가짜 지폐 가려내는 방법'의 ❷번 내용을 살펴보면, '지폐를 들어 빛에 비추면 세종 대왕의 얼굴과 태극 무늬가 보인다.'고 하였습니다. 그러므로 이 글의 내용을 바르게 이해한 친구는 민지입니다. 2행에서 우리나라의 중앙은행에서는 가짜 지폐를 만들지 못하도록 최첨단 기술이 적용된 지폐를 만들고 있다고 하였으므로, 우리나라의 중앙은행에서 가짜 돈을 만든다고 말한 소진이는 이 글의 내용을 바르게 이해하지 못했습니다.

4일차 수학 어휘

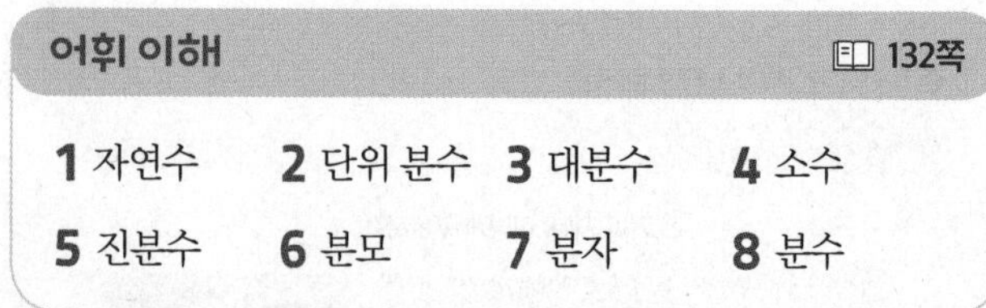

어휘 이해 📖 132쪽

1 자연수	2 단위 분수	3 대분수	4 소수
5 진분수	6 분모	7 분자	8 분수

어휘 적용 📖 133~134쪽

낱말 이해

1 뜻에 알맞은 낱말을 글자판에서 찾아 묶으세요. 낱말은 가로, 세로, 대각선으로 묶을 수 있어요.

❶ 분자가 분모보다 작은 분수. 진분수
❷ 1부터 시작하여 하나씩 더하여 얻을 수 있는 수. 자연수
❸ 소수를 나타낼 때 쓰는 점. 소수점
❹ 분수에서 가로줄 위에 있는 수. 분자
❺ 분수에서 가로줄 아래에 있는 수. 분모

단	소	수	점
분	로	진	영
단	자	분	모
자	연	수	주

낱말 관계

2 다음 보기 의 두 낱말의 관계와 비슷한 것은 무엇인가요? (③)

보기
진분수 - 가분수

① 행복 - 기쁨 ② 소개 - 안내 ③ 더하기 - 빼기 ④ 정리 - 정돈

낱말 이해

3 낱말의 뜻을 읽고, 알맞은 낱말을 찾아 줄로 이으세요.

(1) 자연수와 진분수로 이루어진 분수. — 대분수
(2) 분수에서 분자가 1인 분수. — 단위 분수
(3) 0.1, 0.2, 0.3과 같이 0보다 크고 1보다 작은 수. — 소수

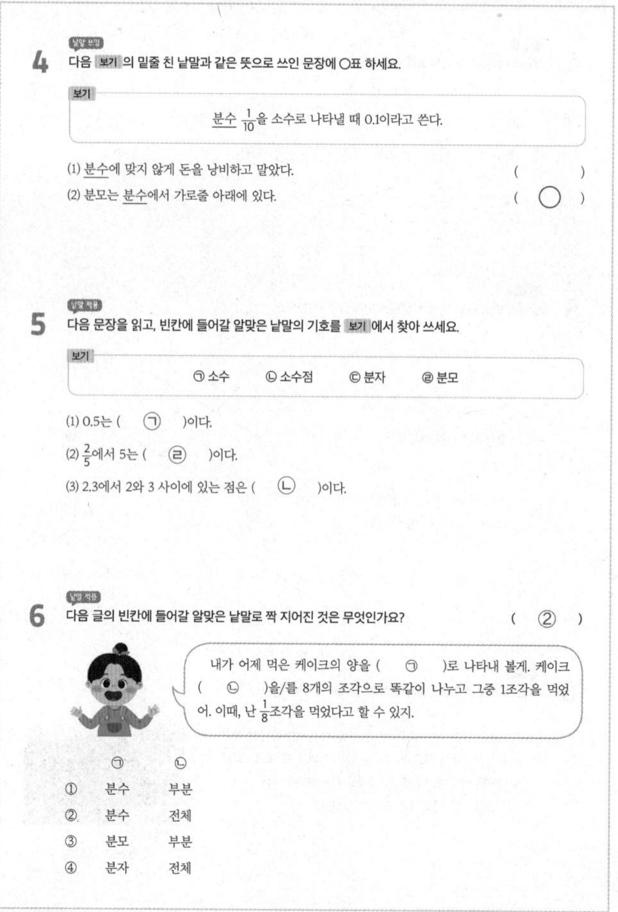

낱말 적용

4 다음 보기 의 밑줄 친 낱말과 같은 뜻으로 쓰인 문장에 ○표 하세요.

보기
분수 $\frac{1}{10}$을 소수로 나타낼 때 0.1이라고 쓴다.

(1) 분수에 맞지 않게 돈을 낭비하고 말았다. ( )
(2) 분모는 분수에서 가로줄 아래에 있다. (○)

낱말 적용

5 다음 문장을 읽고, 빈칸에 들어갈 알맞은 낱말의 기호를 보기 에서 찾아 쓰세요.

보기
㉠ 소수 ㉡ 소수점 ㉢ 분자 ㉣ 분모

(1) 0.5는 (㉠)이다.
(2) $\frac{2}{5}$에서 5는 (㉣)이다.
(3) 2.3에서 2와 3 사이에 있는 점은 (㉡)이다.

낱말 적용

6 다음 글의 빈칸에 들어갈 알맞은 낱말로 짝 지어진 것은 무엇인가요? (②)

내가 어제 먹은 케이크의 양을 (㉠)로 나타내 볼게. 케이크 (㉡)을/를 8개의 조각으로 똑같이 나누고 그중 1조각을 먹었어. 이때, 난 $\frac{1}{8}$조각을 먹었다고 할 수 있지.

	㉠	㉡
①	분수	부분
②	분수	전체
③	분모	부분
④	분자	전체

도움말

1 ❶ '분자가 분모보다 작은 분수'를 뜻하는 낱말은 '진분수'입니다. ❷ '1부터 시작하여 하나씩 더하여 얻을 수 있는 수'는 '자연수'입니다. ❸ '소수를 나타낼 때 쓰는 점'을 뜻하는 낱말은 '소수점'입니다. ❹ '분수에서 가로줄 위에 있는 수'를 '분자'라고 합니다. ❺ '분수에서 가로줄 아래에 있는 수'를 '분모'라고 합니다.

2 '분자가 분모보다 작은 분수'를 뜻하는 '진분수'와 '분자가 분모와 같거나 분모보다 큰 분수'를 뜻하는 '가분수'는 서로 반대되는 뜻의 낱말입니다. '덧셈을 함'을 뜻하는 '더하기'와 '뺄셈을 함'을 뜻하는 '빼기'도 서로 반대되는 뜻을 지닌 낱말입니다. ①, ②, ④은 서로 비슷한 뜻의 낱말로 묶인 유의 관계에 해당합니다.

3 (1) '자연수와 진분수로 이루어진 분수'를 '대분수'라고 합니다. (2) '분수에서 분자가 1인 분수'를 '단위 분수'라고 합니다. (3) '0.1, 0.2, 0.3과 같이 0보다 크고 1보다 작은 수'를 '소수'라고 합니다.

도움말

4 '분수'는 '전체를 똑같이 몇으로 나누었을 때 전체에 대한 부분을 나타내는 수'라는 뜻도 있고, '자기 형편에 맞는 정도'라는 뜻도 있습니다. 보기 의 밑줄 친 '분수'는 첫 번째 뜻으로 쓰였으며, 이와 같은 뜻으로 쓰인 문장은 (2)에 해당합니다. (1)의 문장은 두 번째 뜻으로 쓰였습니다.

5 (1) 0.5는 '0.1, 0.2, 0.3과 같이 0보다 크고 1보다 작은 수'를 뜻하는 '소수'에 해당합니다. (2) 제시된 분수의 5는 가로줄 아래에 있으므로 '분모'에 해당합니다. (3) 2.3에서 2와 3 사이에 있는 점을 '소수점'이라고 합니다.

6 마지막 줄에 있는 '$\frac{1}{8}$ 조각을 먹었다고 할 수 있지.'라는 부분으로 미루어 보았을 때, 자신이 먹은 케이크의 양을 '분수'로 나타낸 것을 알 수 있습니다. 따라서 ㉠에는 '분수'가 들어가야 합니다. '분수'는 '전체를 똑같이 몇으로 나누었을 때 전체에 대한 부분을 나타내는 수'를 말하며, 케이크를 8개의 조각으로 똑같이 나누었다고 하였으므로, ㉡에는 '전체'가 들어가야 합니다.

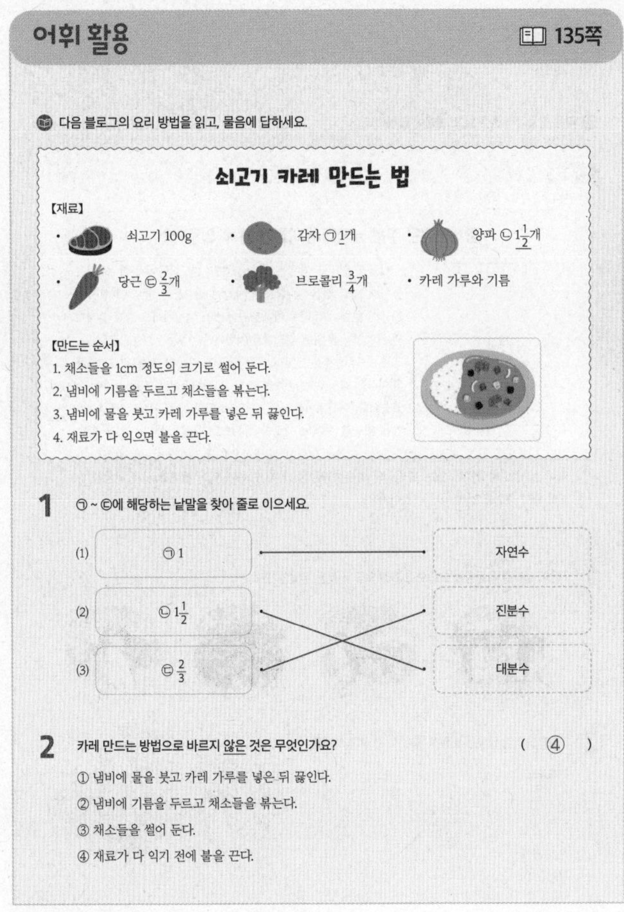

매체 자료에 대해 알아볼까요?

여러 가지 요리를 만드는 방법이나 요리에 대한 지식이 적혀 있는 내용은 요리책, 블로그, 소셜 미디어, 방송 프로그램 등 많은 매체에서 접할 수 있습니다.

도움말

1 (1) 1은 '1부터 시작하여 하나씩 더하여 얻을 수 있는 수'인 '자연수'에 해당합니다. (2) $1\frac{1}{2}$은 '자연수와 진분수로 이루어진 분수'를 뜻하는 '대분수'에 해당합니다. (3) $\frac{2}{3}$는 '분자가 분모보다 작은 분수'이므로 '진분수'에 해당합니다.

2 【만드는 순서】의 내용을 살펴보면 '4. 재료가 다 익으면 불을 끈다.'라고 하였습니다. 따라서 '재료가 다 익기 전에 불을 끈다.'라는 ④의 내용은 글의 내용과 맞지 않습니다.

5일차 학습 도움 어휘

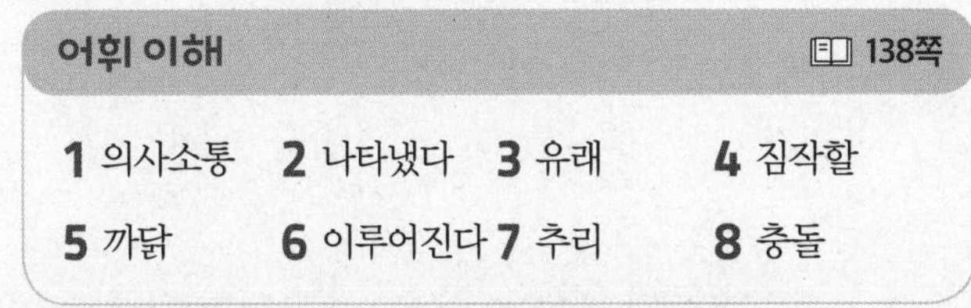

어휘 이해
138쪽
1 의사소통 2 나타냈다 3 유래 4 짐작할
5 까닭 6 이루어진다 7 추리 8 충돌

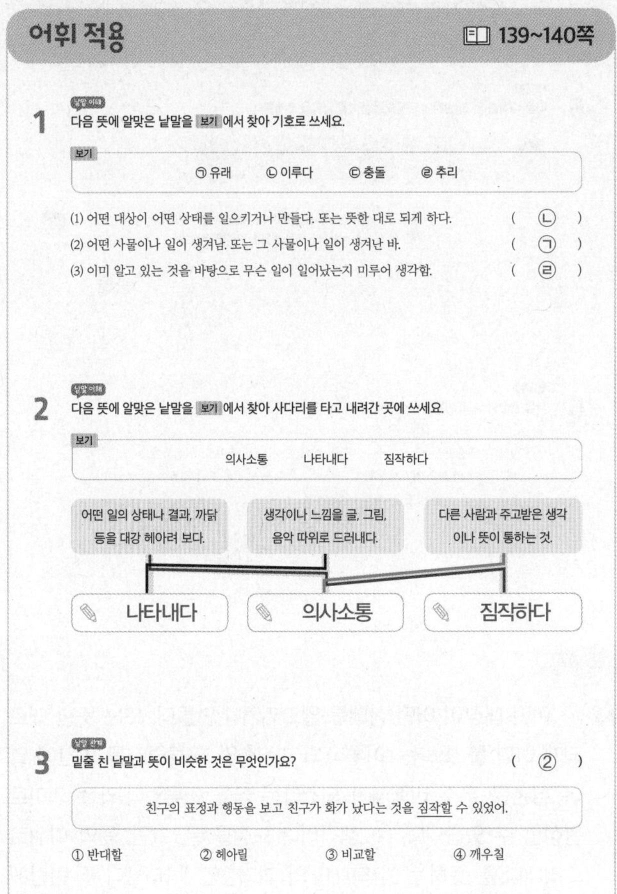

도움말

1 (1) '어떤 대상이 어떤 상태를 일으키거나 만들다. 또는 뜻한 대로 되게 하다.'를 뜻하는 낱말은 '㉡ 이루다'입니다. (2) '어떤 사물이나 일이 생겨남. 또는 그 사물이나 일이 생겨난 바.'를 뜻하는 낱말은 '㉠ 유래'입니다. (3) '이미 알고 있는 것을 바탕으로 무슨 일이 일어났는지 미루어 생각함'을 뜻하는 낱말은 '㉣ 추리'입니다.

2 '어떤 일의 상태나 결과, 까닭 등을 대강 헤아려 보다'는 '짐작하다'입니다. '생각이나 느낌을 글, 그림, 음악 따위로 드러내다'를 뜻하는 낱말은 '나타내다'입니다. '다른 사람과 주고받은 생각이나 뜻이 통하는 것'은 '의사소통'입니다.

3 '짐작할'의 기본형 '짐작하다'는 '어떤 일의 상태나 결과, 까닭 등을 대강 헤아려 보다'라는 뜻입니다. 이와 비슷한 뜻의 낱말은 '미루어 생각하다'라는 뜻을 지닌 '헤아리다'이므로, 정답은 ②입니다.

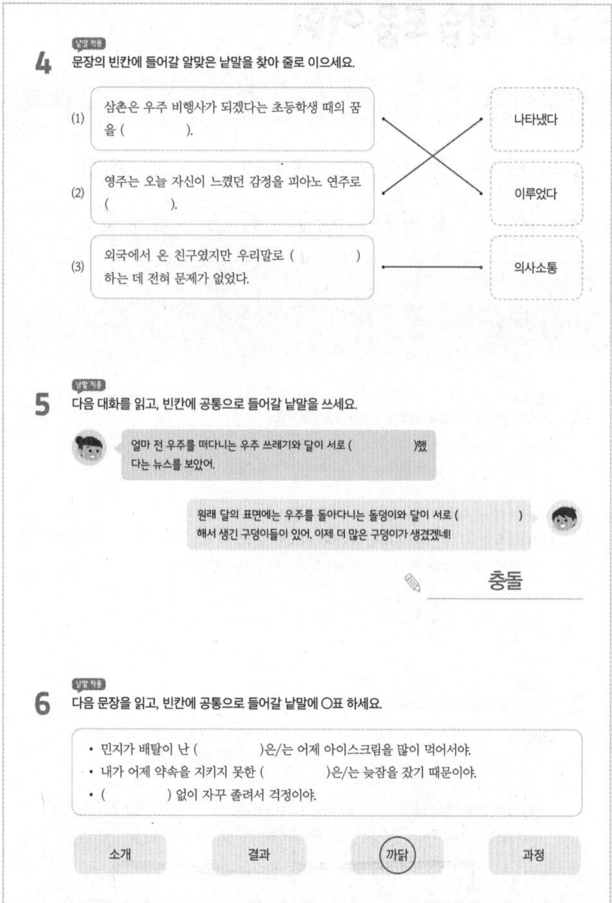
낱말 적용

4 문장의 빈칸에 들어갈 알맞은 낱말을 찾아 줄로 이으세요.

(1) 삼촌은 우주 비행사가 되겠다는 초등학생 때의 꿈을 (   ).

(2) 영주는 오늘 자신이 느꼈던 감정을 피아노 연주로 (   ).

(3) 외국에서 온 친구였지만 우리말로 (   ) 하는 데 전혀 문제가 없었다.

나타냈다

이루었다

의사소통

낱말 적용

5 다음 대화를 읽고, 빈칸에 공통으로 들어갈 낱말을 쓰세요.

얼마 전 우주를 떠다니는 우주 쓰레기와 달이 서로 (   )했다는 뉴스를 보았어.

원래 달의 표면에는 우주를 돌아다니는 돌덩이와 달이 서로 (   )해서 생긴 구덩이들이 있어. 이제 더 많은 구덩이가 생겼겠네!

충돌

낱말 적용

6 다음 문장을 읽고, 빈칸에 공통으로 들어갈 낱말에 ○표 하세요.

• 민지가 배탈이 난 (   )은/는 어제 아이스크림을 많이 먹어서야.
• 내가 어제 약속을 지키지 못한 (   )은/는 늦잠을 잤기 때문이야.
• (   ) 없이 자꾸 졸려서 걱정이야.

소개　결과　까닭　과정

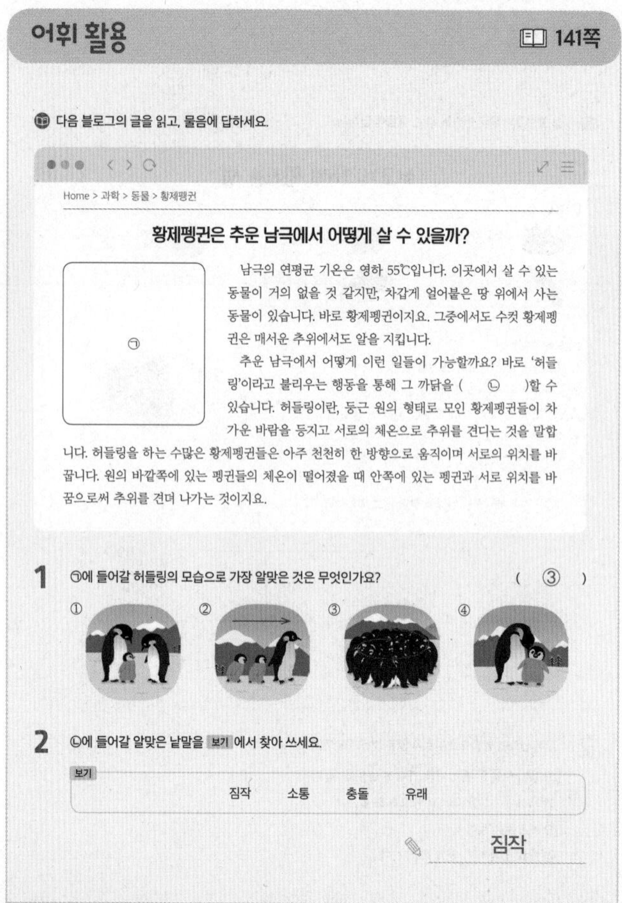
어휘 활용

141쪽

①~② 다음 블로그의 글을 읽고, 물음에 답하세요.

Home > 과학 > 동물 > 황제펭귄

황제펭귄은 추운 남극에서 어떻게 살 수 있을까?

㉠

남극의 연평균 기온은 영하 55℃입니다. 이곳에서 살 수 있는 동물이 거의 없을 것 같지만, 차갑게 얼어붙은 땅 위에서 사는 동물이 있습니다. 바로 황제펭귄이지요. 그중에서도 수컷 황제펭귄은 매서운 추위에서도 알을 지킵니다.

추운 남극에서 어떻게 이런 일들이 가능할까요? 바로 '허들링'이라고 불리우는 행동을 통해 그 까닭을 (㉡)할 수 있습니다. 허들링이란, 둥근 원의 형태로 모인 황제펭귄들이 차가운 바람을 등지고 서로의 체온으로 추위를 견디는 것을 말합니다. 허들링을 하는 수많은 황제펭귄들은 아주 천천히 한 방향으로 움직이며 서로의 위치를 바꿉니다. 원의 바깥쪽에 있는 펭귄들의 체온이 떨어졌을 때 안쪽에 있는 펭귄과 서로 위치를 바꿈으로써 추위를 견뎌 나가는 것이지요.

1 ㉠에 들어갈 허들링의 모습으로 가장 알맞은 것은 무엇인가요? (③)

① ② ③ ④

2 ㉡에 들어갈 알맞은 낱말을 보기 에서 찾아 쓰세요.

보기: 짐작　소통　충돌　유래

짐작

도움말

4 (1) '어떤 대상이 어떤 상태를 일으키거나 만들다. 또는 뜻한 대로 되게 하다.'를 뜻하는 '이루다'의 과거형인 '이루었다'를 빈칸에 넣어 '삼촌은 우주 비행사가 되겠다는 꿈을 이루었다.'라는 의미로 완성할 수 있습니다. (2) '생각이나 느낌을 글, 그림, 음악 따위로 드러내다'를 뜻하는 '나타내다'의 과거형인 '나타냈다'를 빈칸에 넣어 '영주는 자신이 느꼈던 감정을 피아노 연주로 나타냈다.'라는 문장으로 완성할 수 있습니다. (3) '다른 사람과 주고받은 생각이나 뜻이 통하는 것'을 뜻하는 '의사소통'을 빈칸에 넣어 '외국에서 온 친구와 의사소통을 하는 데 문제가 없었다.'라는 의미의 문장으로 완성할 수 있습니다.

5 빈칸에 '서로 맞부딪치거나 맞섬'을 뜻하는 '충돌'을 넣어 '우주 쓰레기와 달이 서로 충돌했다는 뉴스를 보았어.', '우주를 돌아다니는 돌덩이와 달이 서로 충돌해서 생긴 구덩이들이 있어.'라는 문장으로 완성할 수 있습니다.

6 제시된 첫 번째와 두 번째 문장에서 빈칸의 앞부분에는 결과, 뒷부분에는 이유에 해당하는 내용이 제시되었으므로, 빈칸에는 '일이 생기게 된 이유'를 뜻하는 '까닭'이 들어가야 합니다. 또한, 세 번째 문장의 빈칸에 '까닭'을 넣어 '까닭 없이 자꾸 졸려서 걱정이야.'라는 문장으로 완성할 수 있습니다.

매체 자료에 대해 알아볼까요?

블로그는 자신의 관심사에 따라 자유롭게 감상평, 일기, 정보 등을 올리는 온라인 매체로 다양한 형식의 글이 이미지와 함께 제시됩니다. 이 글은 추운 남극에서 살아남을 수 있는 황제펭귄의 행동인 '허들링'에 대해 이야기하고 있습니다.

도움말

1 두 번째 문단에서 허들링의 의미를 구체적으로 설명하고 있습니다. 둥근 원의 형태로 모인다고 하였고, 천천히 한 방향으로 움직인다고 하였으므로, 이를 가장 잘 나타낸 모습은 ③입니다.

2 이 글에서는 황제펭귄이 추운 남극에서 살아남을 수 있는 까닭을 허들링으로 보고 있습니다. 따라서 ㉡에는 '어떤 일의 상태나 결과, 까닭 등을 대강 헤아려 봄'이라는 뜻의 낱말인 '짐작'을 넣어 '바로 '허들링'이라고 불리우는 행동을 통해 그 까닭을 짐작할 수 있습니다.'라는 문장으로 완성할 수 있습니다.

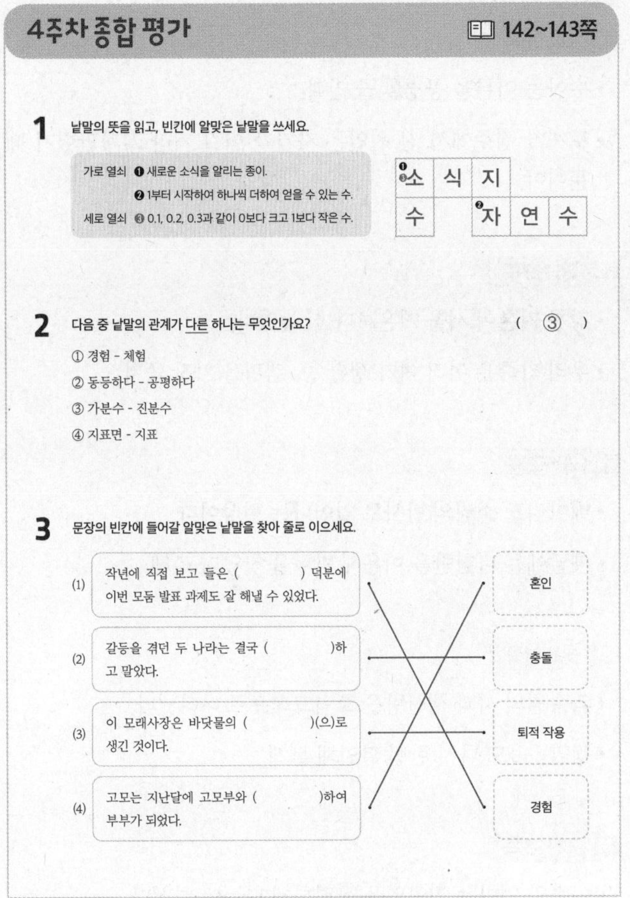

4주차 종합 평가 142~143쪽

1 낱말의 뜻을 읽고, 빈칸에 알맞은 낱말을 쓰세요.

가로 열쇠 ❶ 새로운 소식을 알리는 종이.
❷ 1부터 시작하여 하나씩 더하여 얻을 수 있는 수.
세로 열쇠 ❸ 0.1, 0.2, 0.3과 같이 0보다 크고 1보다 작은 수.

❶❸소	식	지	
수		❷자	연	수

2 다음 중 낱말의 관계가 다른 하나는 무엇인가요? (③)

① 경험 - 체험
② 동등하다 - 공평하다
③ 가분수 - 진분수
④ 지표면 - 지표

3 문장의 빈칸에 들어갈 알맞은 낱말을 찾아 줄로 이으세요.

(1) 작년에 직접 보고 들은 ( ) 덕분에 이번 모둠 발표 과제도 잘 해낼 수 있었다.
(2) 갈등을 겪던 두 나라는 결국 ( )하고 말았다.
(3) 이 모래사장은 바닷물의 ( )(으)로 생긴 것이다.
(4) 고모는 지난달에 고모부와 ( )하여 부부가 되었다.

혼인 / 충돌 / 퇴적 작용 / 경험

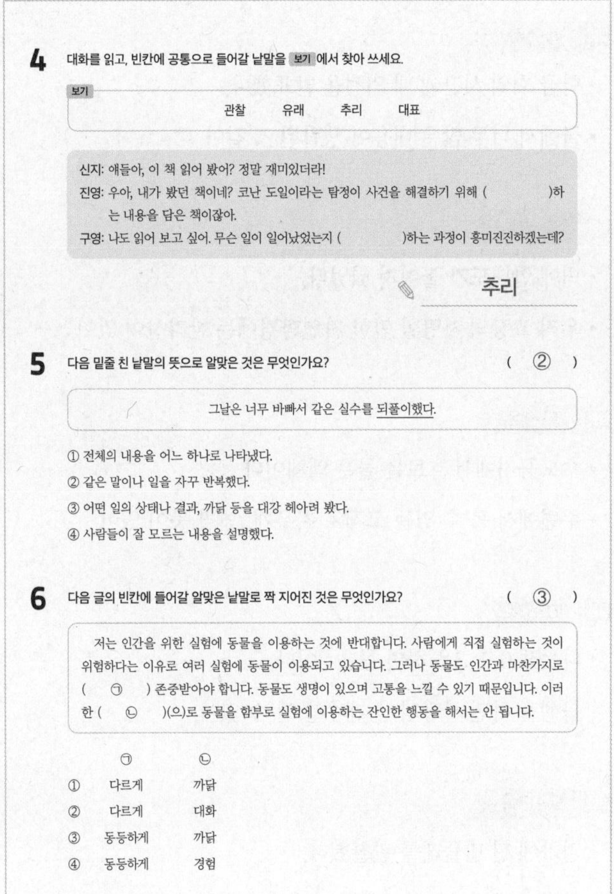

4 대화를 읽고, 빈칸에 공통으로 들어갈 낱말을 보기 에서 찾아 쓰세요.

보기: 관찰 유래 추리 대표

신지: 애들아, 이 책 읽어 봤어? 정말 재미있더라!
진영: 우아, 내가 봤던 책이네? 코난 도일이라는 탐정이 사건을 해결하기 위해 ( )하는 내용을 담은 책이잖아.
구영: 나도 읽어 보고 싶어. 무슨 일이 일어났었는지 ( )하는 과정이 흥미진진하겠는데?

추리

5 다음 밑줄 친 낱말의 뜻으로 알맞은 것은 무엇인가요? (②)

그날은 너무 바빠서 같은 실수를 되풀이했다.

① 전체의 내용을 어느 하나로 나타냈다.
② 같은 말이나 일을 자꾸 반복했다.
③ 어떤 일의 상태나 결과, 까닭 등을 대강 헤아려 봤다.
④ 사람들이 잘 모르는 내용을 설명했다.

6 다음 글의 빈칸에 들어갈 알맞은 낱말로 짝 지어진 것은 무엇인가요? (③)

저는 인간을 위한 실험에 동물을 이용하는 것에 반대합니다. 사람에게 직접 실험하는 것이 위험하다는 이유로 여러 실험에 동물이 이용되고 있습니다. 그러나 동물도 인간과 마찬가지로 (㉠) 존중받아야 합니다. 동물도 생명이 있으며 고통을 느낄 수 있기 때문입니다. 이러한 (㉡)(으)로 동물을 함부로 실험에 이용하는 잔인한 행동을 해서는 안 됩니다.

	㉠	㉡
①	다르게	까닭
②	다르게	대화
③	동등하게	까닭
④	동등하게	경험

도움말

1 ❶ '새로운 소식을 알리는 종이'는 '소식지'입니다. ❷ '1부터 시작하여 하나씩 더하여 얻을 수 있는 수'는 '자연수'입니다. ❸ '0.1, 0.2, 0.3과 같이 0보다 크고 1보다 작은 수'는 '소수'입니다.

2 ①, ②, ④은 서로 비슷한 뜻으로 이루어진 낱말 관계이며, ③은 서로 반대되는 뜻으로 이루어진 낱말 관계에 해당됩니다. 따라서 ③이 정답입니다.

3 (1) '작년에 직접 보고 들은'이라는 내용을 통해 빈칸에는 '자신이 실제로 해 보거나 겪어 봄'을 뜻하는 '경험'이 들어가야 합니다. (2) '갈등을 겪던 두 나라'라는 내용으로 미루어 보아 빈칸에는 '서로 맞부딪치거나 맞섬'을 뜻하는 '충돌'이 들어가야 합니다. (3) 모래사장은 바닷물에 의해 옮겨진 돌이나 흙이 쌓여서 만들어진 것이므로 빈칸에는 '퇴적 작용'이 들어가야 합니다. (4) '남자와 여자가 부부가 되어 가정을 이루는 일'을 뜻하는 '혼인'을 빈칸에 넣어 '고모는 지난달에 고모부와 혼인하여 부부가 되었다.'라는 문장으로 완성할 수 있습니다.

도움말

4 진영의 말에서 '탐정이 사건을 해결하기 위해'라는 내용으로 미루어 보아 빈칸에는 '이미 알고 있는 것을 바탕으로 무슨 일이 일어났는지 미루어 생각함'을 뜻하는 '추리'가 들어가야 함을 알 수 있습니다.

5 '되풀이했다'의 기본형인 '되풀이하다'는 '같은 말이나 일을 자꾸 반복하다'라는 뜻이므로 밑줄 친 낱말의 알맞은 뜻은 ②입니다. ①은 '대표했다', ③은 '짐작했다', ④은 '소개했다'의 뜻입니다.

6 세 번째 문장에서 '동물도 인간과 마찬가지로 존중받아야 합니다.'라는 내용으로 보아 ㉠에는 '높고 낮음이나 좋고 나쁨 등의 차이가 없고 정도가 같게'의 뜻을 가진 '동등하게'가 들어가야 합니다. ㉡이 있는 문장의 내용은 글쓴이의 주장을, 그 밖의 문장은 주장을 뒷받침하는 이유를 제시하고 있으므로, ㉡에는 '일이 생기게 된 이유'라는 뜻의 '까닭'이 들어가야 합니다.

어휘 활용 노트

* 활동 2와 4의 예시 답안입니다.

4~5쪽

- 학급 회의 시간에 내 의견을 발표했다.
- 글에서 너무 많은 내용이 생략된 것 같아.

6~7쪽

- 벽에 안내도가 붙여져 있었다.
- 우리 고장의 자랑할 만한 자연환경에는 한라산이 있어.

8~9쪽

- 수도꼭지에서 흐르는 물은 액체이다.
- 주변에서 볼 수 있는 고체로 지우개, 연필 등이 있어.

10~11쪽

- 나눗셈 6 ÷ 3을 하면 몫은 2이다.
- 곱셈을 하면 사탕의 총 개수를 알 수 있어.

12~13쪽

- 길가에 핀 민들레를 관찰했다.
- 인터넷이 생기면서 소통하는 방법에 변화가 생겼어.

14~15쪽

- 고슴도치의 모습을 밤송이에 빗댈 수 있다.
- 영화 감상하는 것이 내 취미야.

16~17쪽

- 시간이 흐르며 통신 수단이 발달했다.
- 집 앞에 버스 정류장이 있어서 교통수단 중, 버스를 가장 자주 이용해.

18~19쪽

- 배추흰나비는 완전 탈바꿈을 하는 곤충이다.
- 부화하는 동물에는 펭귄, 뱀 등이 있어.

20~21쪽

- 직각삼각형에는 직각이 있다.
- 도로에 다니는 자동차 바퀴에서도 원을 찾을 수 있어.

22~23쪽

- 수컷 사자는 갈기가 있다는 특징이 있다.
- 응, 봤어. 상대 선수와 우리 선수들 모두 최선을 다하더라고!

24~25쪽

- 수아는 어른을 공경할 줄 안다.
- 토끼가 경주에서 진 원인은 자기가 이길 거라고 자만했기 때문이야.

26~27쪽

- 강릉 기온이 서울 기온보다 더 높았다.
- 우리 가족은 여러 여가 생활 중, 캠핑을 가장 즐겨.

28~29쪽

- 메아리도 소리의 반사로 일어나는 현상이다.
- 옛날에는 나침반을 이용해 방향을 찾았다고 해.

30~31쪽

- 과수원의 사과 생산량을 그림그래프로 나타냈다.
- 정말? 나도 다시 한번 확인해 볼게.

32~33쪽

- 아빠와 엄마는 집안일을 공평하게 나누어 하신다.
- 기차, 비행기 등 교통수단도 발달했어.

34~35쪽

- 예은이가 친구들에게 책을 소개했다.
- 내게 가장 인상 깊었던 경험은 갯벌 체험이었어.

36~37쪽

- 반려동물을 사랑으로 보살펴야 한다.
- 응, 친구와 오해가 생겨 갈등을 겪은 적이 있어.

38~39쪽

- 갯벌에서 부지런히 움직이는 작은 게들을 보았다.
- 그럼, 강이 시작되는 부분을 상류라고 해.

40~41쪽

- 피자 8조각 중, 2조각을 분수로 나타내 보았다.
- 자연수는 1, 3, 5야.

42~43쪽

- 소년은 발자국을 보고 추리를 시작했다.
- 응, 한국어를 잘해서 의사소통에 어려움이 없었어.

초등문해력

어휘 활용의 힘

정답과 해설

메가스터디BOOKS

www.megastudybooks.com

내용 문의 | 02-6984-6926 구입 문의 | 02-6984-6868,9 *파본은 구입처에서 교환해 드립니다.

특별 부록

초등 문해력 어휘 활용의 힘

나만의 어휘 활용노트

초등학교 학년 반 이름

메가스터디BOOKS

초등 문해력 어휘 활용의 힘

「나만의 「어휘 활용노트

어휘 활용 노트, 나를 소개할게!

나는 어휘를 활용해 자유롭게 문장을 쓰면서 복습 효과를 높이는 노트야.

매일 사용하는 친구들은 이 노트를 다 쓸 때 쯤이면 '어휘의 마술사'가 될 수 있지.

쓰고자 하는 어휘를 마음껏 활용해 근사한 문장을 만들어 낼 수 있다고!

2가지 활용법이 있어!

2가지 사용 방법 중, 더 수월하게 사용할 수 있는 방법으로 선택해 봐.

노트를 끝까지 활용하는 데 도움이 될 거야.

활용 1

1일차 학습을 끝낸 다음, **노트를 바로 활용하는 거야.**
방금 학습한 어휘를 활용해 바로 문장을 쓴다면
공부한 내용을 더 오래 기억할 수 있겠지?

활용 2

1일차 학습을 끝낸 **다음 날, 노트를 활용하는 거야.**
새로운 학습을 하기 전, 어제 학습한 어휘를 떠올려 보면
복습 효과를 훨씬 더 높일 수 있어.

4가지 활동을 살펴봐!

나는 어디에서나 볼 수 있는 흔한 노트가 아니야.

친구들이 재미있게 문장을 쓸 수 있도록 여러 활동으로 이루어져 있지!

어떤 활동이 있는지 살펴볼까?

활동 ❶ 문장 따라 쓰기

「초등 문해력 어휘 활용의 힘」에서 배운 다양한 예시 문장들을 따라 쓰며 낱말의 뜻을 떠올려 봐!

활동 ❸ 자유 문장 쓰기

자유롭게 문장을 쓰며 낱말의 뜻과 쓰임을 정확하게 익혔는지 알아보자!

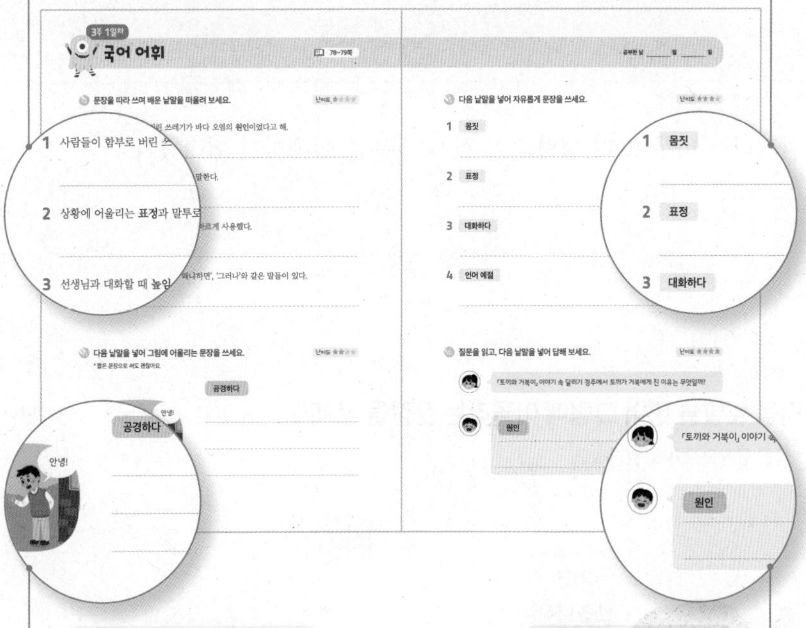
3주 1일차
국어 어휘
문장을 따라 쓰며 배운 낱말을 떠올려 보세요.
1 사람들이 함부로 버린 쓰레기가 바다 오염의 원인이었다고 해.
2 상황에 어울리는 표정과 말투로
3 선생님과 대화할 때 높임
다음 낱말을 넣어 그림에 어울리는 문장을 쓰세요.
공경하다
안녕!
다음 낱말을 넣어 자유롭게 문장을 쓰세요.
1 몸짓
2 표정
3 대화하다
4 언어 예절
질문을 읽고, 다음 낱말을 넣어 답해 보세요.
「토끼와 거북이」 이야기
원인

활동 ❷ 어울리는 문장 쓰기

그림 또는 사진에 어울리는 문장을 학습한 낱말을 이용해 만들어 보자!

활동 ❹ 답변 문장 쓰기

다양한 상황 속 질문에 적절한 답변을 쓰며 **어휘 활용의 힘**을 완성해 봐!

* '나만의 어휘 활용 노트'의 예시 답안은 '정답과 해설'의 36쪽을 참고해 주세요.

국어 어휘

10~11쪽

문장을 따라 쓰며 배운 낱말을 떠올려 보세요.

난이도 ★★★★

1 **중심 문장**은 문단에서 가장 중요한 내용을 담고 있는 문장이다.

2 몇 개의 **문단**이 모여서 한 편의 글이 된다.

3 친구와의 약속을 잊지 않으려고 **메모**를 했어.

4 줄거리가 너무 많이 **생략**되어 전체 내용을 이해하기 어려웠어.

다음 낱말을 넣어 그림에 어울리는 문장을 쓰세요.

난이도 ★★★★

* 짧은 문장으로 써도 괜찮아요.

의견

공부한 날 ______ 월 ______ 일

다음 낱말을 넣어 자유롭게 문장을 쓰세요. 난이도 ★★★★

1 중심 생각

2 안내문

3 의견

4 국어사전

질문을 읽고, 다음 낱말을 넣어 답해 보세요. 난이도 ★★★★

이 글을 읽는데 무슨 내용인지 잘 모르겠어. 어떤 이유 때문일까?

생략

사회 어휘

16~17쪽

문장을 따라 쓰며 배운 낱말을 떠올려 보세요.

난이도 ★☆☆☆

1 약속 장소의 **위치**가 집에서 너무 멀어.

2 우리 **고장**은 아름다운 자연환경으로 둘러싸여 있다.

3 바다 위로 솟아 있는 모습이 촛대와 비슷해 '촛대 바위'라는 **지명**이 붙여졌다.

4 우리 고장의 주요 장소를 **백지도**에 나타냈다.

다음 낱말을 넣어 그림에 어울리는 문장을 쓰세요.

난이도 ★★☆☆

* 짧은 문장으로 써도 괜찮아요.

안내도

공부한 날 ______ 월 ______ 일

다음 낱말을 넣어 자유롭게 문장을 쓰세요. 난이도 ★★★★

1 생활 모습

2 문화유산

3 자연환경

4 고장

질문을 읽고, 다음 낱말을 넣어 답해 보세요. 난이도 ★★★★

우리 고장에는 푸른 숲, 산과 같은 자연환경이 있어 정말 좋아!
너희 고장에도 자랑할 만한 자연환경이 있니?

자연환경

과학 어휘

22~23쪽

문장을 따라 쓰며 배운 낱말을 떠올려 보세요. 난이도 ★★★★

1 빵을 만들 때 밀가루라는 **물질**이 사용된다.

2 나무, 플라스틱은 **고체**이다.

3 고무는 쉽게 구부러지는 **성질**이 있다.

4 공기는 **기체**이고 물은 액체이다.

다음 낱말을 넣어 그림에 어울리는 문장을 쓰세요. 난이도 ★★★★

* 짧은 문장으로 써도 괜찮아요.

액체

공부한 날 ________ 월 ________ 일

다음 낱말을 넣어 자유롭게 문장을 쓰세요.

난이도 ★★★★

1 물체

____

2 상태

____

3 부피

____

4 기체

____

질문을 읽고, 다음 낱말을 넣어 답해 보세요.

난이도 ★★★★

액체에는 물, 우유, 주스 등이 있고, 우리 주변에서 쉽게 볼 수 있어.
그럼 우리 주변에서 볼 수 있는 고체에는 무엇이 있을까?

고체

____

____

수학 어휘

28~29쪽

문장을 따라 쓰며 배운 낱말을 떠올려 보세요.

난이도 ★★★★

1 21 나누기 3은 7로 **나누어떨어진다.**

2 오늘 끝내지 못한 숙제의 **나머지**는 내일 해야지.

3 세 자리 수의 뺄셈을 정확하게 하기 위해서는 **받아내림**을 잘해야 한다.

4 여기 남은 피자 조각은 영수의 **몫**이야.

다음 낱말을 넣어 그림에 어울리는 문장을 쓰세요.

난이도 ★★★★

* 짧은 문장으로 써도 괜찮아요.

나눗셈

$6 \div 3 = 2$

$$\begin{array}{r} 2 \\ 3\overline{)\,6} \\ 6 \\ \hline 0 \end{array}$$

공부한 날 ________ 월 ________ 일

다음 낱말을 넣어 자유롭게 문장을 쓰세요. 난이도 ★★★★

1 몫

2 곱셈

3 나누는 수

4 받아올림

질문을 읽고, 다음 낱말을 넣어 답해 보세요. 난이도 ★★★★

주머니 1개에 사탕이 5개씩 들어 있어. 그렇다면 6개의 주머니에 든 사탕의 총 개수를 어떻게 알 수 있을까?

곱셈

학습 도움 어휘

34~35쪽

문장을 따라 쓰며 배운 낱말을 떠올려 보세요. 난이도 ★★★★

1 나무는 단단한 정도에 따라 그 **쓰임새**가 다르다고 해.

2 어머니께 편지를 **전달**해 드렸다.

3 소중한 자연환경을 지키려면 절약을 **실천**해야 한다.

4 나뭇잎의 색깔이나 모양에 따라 비슷한 것끼리 **무리 짓기**를 했다.

다음 낱말을 넣어 그림에 어울리는 문장을 쓰세요. 난이도 ★★★★

* 짧은 문장으로 써도 괜찮아요.

관찰

다음 낱말을 넣어 자유롭게 문장을 쓰세요. 난이도 ★★★★

1 덜다

2 구하다

3 실천

4 쓰임새

질문을 읽고, 다음 낱말을 넣어 답해 보세요. 난이도 ★★★★

과학 기술이 발전하면서 사람들의 생활 모습은 어떻게 달라졌을까?

변화

국어 어휘

44~45쪽

문장을 따라 쓰며 배운 낱말을 떠올려 보세요.

난이도 ★★★★

1 그 노래의 가사에는 **감각적 표현**이 많아.

2 **연극**이 끝나고 배우들이 인사하자 관객들은 의자에서 일어나 박수를 쳤다.

3 재미있게 읽었거나 **감동**을 받은 책을 친구에게 소개하는 시간을 가졌다.

4 **극본**에는 표정, 몸짓, 말투를 직접 알려 주는 부분이 있다.

다음 낱말을 넣어 그림에 어울리는 문장을 쓰세요.

난이도 ★★★★

* 짧은 문장으로 써도 괜찮아요.

빗대다

다음 낱말을 넣어 자유롭게 문장을 쓰세요. 난이도 ★★★★

1 작품

2 감동

3 연극

4 낭송

질문을 읽고, 다음 낱말을 넣어 답해 보세요. 난이도 ★★★★

내 취미는 반려동물과 산책하기야.
너는 어떤 취미가 있니?

감상하다

사회 어휘

50~51쪽

문장을 따라 쓰며 배운 낱말을 떠올려 보세요. 난이도 ★★★★

1 옛날 사람들은 **방**을 붙여 소식을 알렸다.

2 옛날에는 적이 쳐들어오면 **봉수**로 소식을 전했다.

3 이 소식을 전하는 데 하루가 **소요되었다.**

4 **자율 주행** 자동차는 우리가 미래에 이용하게 될 교통수단이다.

다음 낱말을 넣어 그림에 어울리는 문장을 쓰세요. 난이도 ★★★★

* 짧은 문장으로 써도 괜찮아요.

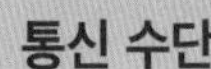

공부한 날 ________ 월 ________ 일

다음 낱말을 넣어 자유롭게 문장을 쓰세요. 난이도 ★★★★

1 인공위성

2 전기 자동차

3 봉수

4 소요되다

질문을 읽고, 다음 낱말을 넣어 답해 보세요. 난이도 ★★★★

우리나라에는 지하철, 버스처럼 여러 교통수단이 있어.
네가 가장 자주 이용하는 교통수단과 그 이유는 무엇이니?

교통수단

과학 어휘

56~57쪽

문장을 따라 쓰며 배운 낱말을 떠올려 보세요. 난이도 ★★★★

1 잠자리는 **불완전 탈바꿈**을 하는 곤충이다.

2 배추흰나비의 몸은 머리, 가슴, 배로 **구분할** 수 있다.

3 오늘 해녀들이 미역을 **채집하는** 모습을 봤어!

4 닭이 자라는 과정을 통해 **동물의 한살이**를 살펴볼 수 있다.

다음 낱말을 넣어 그림에 어울리는 문장을 쓰세요. 난이도 ★★★★

* 짧은 문장으로 써도 괜찮아요.

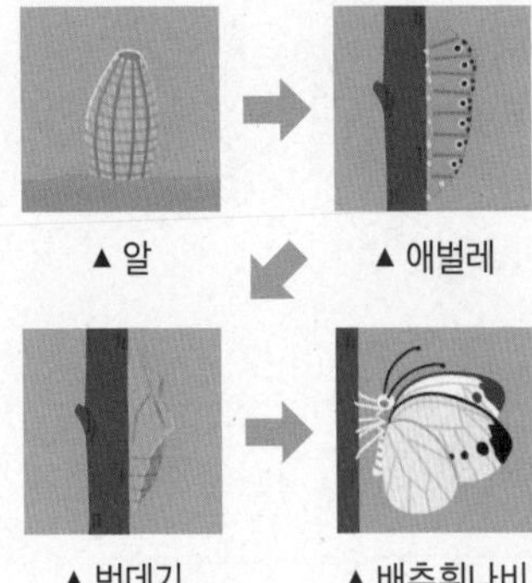
▲ 알 ▲ 애벌레 ▲ 번데기 ▲ 배추흰나비

완전 탈바꿈

공부한 날 ________ 월 ________ 일

다음 낱말을 넣어 자유롭게 문장을 쓰세요.

난이도 ★★★★

1 활용하다

2 채집하다

3 구분하다

4 번데기

질문을 읽고, 다음 낱말을 넣어 답해 보세요.

난이도 ★★★★

동주야, 오늘 학교에서 닭의 한살이에 대해 배웠잖아.
병아리처럼 부화하는 동물에는 무엇이 있을까?

부화

수학 어휘

62~63쪽

문장을 따라 쓰며 배운 낱말을 떠올려 보세요. 난이도 ★☆☆☆

1 두 점을 곧게 이은 선을 **선분**이라고 한다.

2 사각형에는 4개의 변과 4개의 **꼭짓점**이 있다.

3 자전거의 바퀴는 **원**의 모양이다.

4 교실의 칠판과 책상에서 **직사각형** 모양을 찾을 수 있다.

다음 낱말을 넣어 그림에 어울리는 문장을 쓰세요. 난이도 ★★☆☆

* 짧은 문장으로 써도 괜찮아요.

직각

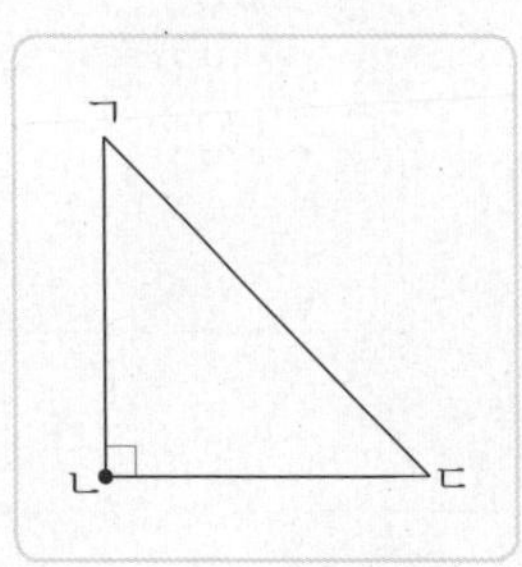

다음 낱말을 넣어 자유롭게 문장을 쓰세요. 난이도 ★★★★

1 지름

2 직선

3 각

4 직사각형

질문을 읽고, 다음 낱말을 넣어 답해 보세요. 난이도 ★★★★

우리 주변에서 다양한 도형을 찾을 수 있어.
직사각형 모양에는 창문과 책상이 있어. 원 모양에는 무엇이 있을까?

원

2주 5일차

학습 도움 어휘

68~69쪽

문장을 따라 쓰며 배운 낱말을 떠올려 보세요.

난이도 ★★★★

1 주장과 **관련** 있는 근거를 제시해야 한다.

2 민주가 달리기 신기록을 **세웠어**!

3 쓰레기는 종류별로 **분류**해 버려야 해.

4 영화의 첫 **장면**에서 푸르고 눈부신 바다가 펼쳐졌어.

다음 낱말을 넣어 그림에 어울리는 문장을 쓰세요.

난이도 ★★★★

* 짧은 문장으로 써도 괜찮아요.

특징

다음 낱말을 넣어 자유롭게 문장을 쓰세요. 난이도 ★★★★

1 예시

2 장면

3 특징

4 차지하다

질문을 읽고, 다음 낱말을 넣어 답해 보세요. 난이도 ★★★★

오늘 올림픽 경기 봤어?
우리나라와 브라질의 배구 경기가 정말 흥미진진했어!

상대

국어 어휘

78~79쪽

문장을 따라 쓰며 배운 낱말을 떠올려 보세요. 난이도 ★☆☆☆

1 사람들이 함부로 버린 쓰레기가 바다 오염의 **원인**이었다고 해.

2 상황에 어울리는 **표정**과 말투로 말한다.

3 선생님과 대화할 때 **높임 표현**을 바르게 사용했다.

4 **이어 주는 말**에는 '그래서', '왜냐하면', '그러나'와 같은 말들이 있다.

다음 낱말을 넣어 그림에 어울리는 문장을 쓰세요. 난이도 ★★☆☆

* 짧은 문장으로 써도 괜찮아요.

공경하다

공부한 날 ________ 월 ________ 일

다음 낱말을 넣어 자유롭게 문장을 쓰세요. 난이도 ★★★★

1 몸짓

2 표정

3 대화하다

4 언어 예절

질문을 읽고, 다음 낱말을 넣어 답해 보세요. 난이도 ★★★★

「토끼와 거북이」 이야기 속 달리기 경주에서 토끼가 거북에게 진 이유는 무엇일까?

원인

사회 어휘

84~85쪽

문장을 따라 쓰며 배운 낱말을 떠올려 보세요.

난이도 ★★★★

1 환경에 따라 **의식주**와 같은 생활 모습이 서로 다르게 나타난다.

2 학교와 병원, 시장과 공원도 **인문 환경**에 포함된다.

3 사람들은 박물관, 영화관 등의 인문 환경을 이용해 **여가 생활**을 한다.

4 추석의 **세시 풍속** 중 하나인 강강술래도 하고 달을 보며 소원도 빌어야지!

다음 낱말을 넣어 그림에 어울리는 문장을 쓰세요.

난이도 ★★★★

* 짧은 문장으로 써도 괜찮아요.

기온

다음 낱말을 넣어 자유롭게 문장을 쓰세요. 난이도 ★★★★

1 생활 도구

2 강수량

3 기온

4 하천

질문을 읽고, 다음 낱말을 넣어 답해 보세요. 난이도 ★★★★

여름이 되니 산이나 바다에서 여가 생활을 즐기는 사람들이 늘고 있어.
너희 가족은 어떤 여가 생활을 즐기니?

여가 생활

과학 어휘

90~91쪽

문장을 따라 쓰며 배운 낱말을 떠올려 보세요.

난이도 ★☆☆☆

1 실로폰은 음판의 길이에 따라 **소리의 높낮이**가 다르다.

2 자석의 극에는 N**극**과 S**극**이 있다.

3 바다에서 방향을 찾는 데 **나침반**이 큰 도움이 되었지!

4 자석과 철로 된 물체가 약간 떨어져 있어도 자석은 물체를 **끌어당긴다.**

다음 낱말을 넣어 그림에 어울리는 문장을 쓰세요.

난이도 ★★☆☆

* 짧은 문장으로 써도 괜찮아요.

소리의 반사

공부한 날 ______ 월 ______ 일

다음 낱말을 넣어 자유롭게 문장을 쓰세요. 난이도 ★★★★

1 자석

2 소음

3 끌어당기다

4 소리의 세기

질문을 읽고, 다음 낱말을 넣어 답해 보세요. 난이도 ★★★★

오늘날에는 휴대 전화 속 지도를 보며 길을 쉽게 찾을 수 있어.
그렇다면 옛날에는 어떻게 방향을 찾았을까?

나침반

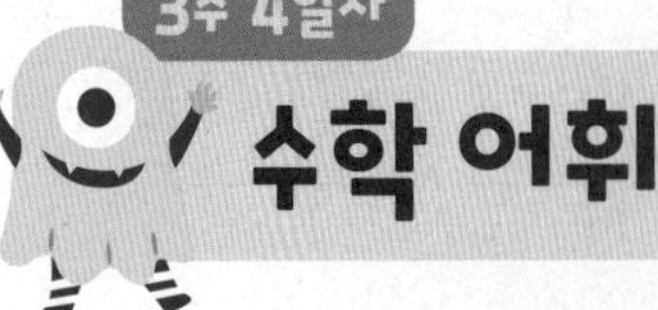

수학 어휘

96~97쪽

문장을 따라 쓰며 배운 낱말을 떠올려 보세요.

난이도 ★☆☆☆

1 길이의 **단위**인 센티미터(cm)를 사용해 나비의 길이를 나타냈다.

2 **들이**의 단위에는 리터(L)와 밀리리터(mL)가 있다.

3 비가 올 것을 **예상하고** 우산을 챙겨 나왔어.

4 다음 주에 있을 발표를 위해 도서관에 가서 자료를 **조사하려** 해.

다음 낱말을 넣어 그림에 어울리는 문장을 쓰세요.

난이도 ★★☆☆

* 짧은 문장으로 써도 괜찮아요.

그림그래프

과수원	생산량
가	
나	
다	

100상자 10상자

다음 낱말을 넣어 자유롭게 문장을 쓰세요. 난이도 ★★★★

1 어림

---

2 수집하다

---

3 예상하다

---

4 조사하다

질문을 읽고, 다음 낱말을 넣어 답해 보세요. 난이도 ★★★★

연우야, 네가 쓴 수학 문제의 풀이 과정을 보았는데, 틀린 부분이 있어.

확인하다

3주 5일차

학습 도움 어휘

102~103쪽

문장을 따라 쓰며 배운 낱말을 떠올려 보세요. 난이도 ★★★★

1 글에 쓸 내용을 **생각그물**로 정리해 보았다.

2 호수에 **반영**된 햇빛이 정말 아름다워!

3 기체는 **공간**을 차지하고 무게가 있다.

4 '같다 - 다르다'는 서로 뜻이 반대인 **관계**의 낱말이다.

다음 낱말을 넣어 그림에 어울리는 문장을 쓰세요. 난이도 ★★★★

* 짧은 문장으로 써도 괜찮아요.

공평

공부한 날 ________ 월 ________ 일

다음 낱말을 넣어 자유롭게 문장을 쓰세요. 난이도 ★★★★

1 뜨다

___

2 본뜨다

___

3 반영

___

4 공간

___

질문을 읽고, 다음 낱말을 넣어 답해 보세요. 난이도 ★★★★

먼 옛날에는 사람들이 오래 살지 못했지만, 의학 기술이 발달해 사람들의 수명이 늘어났다고 해. 과거에 비해 발달한 것에는 또 무엇이 있을까?

발달

___

___

4주 1일차

국어 어휘

112~113쪽

문장을 따라 쓰며 배운 낱말을 떠올려 보세요.

난이도 ★★★★

1 불국사 청운교는 경주를 **대표하는** 문화유산이야.

2 이번에는 저번에 했던 실수를 **되풀이하지** 않도록 노력할 거야!

3 지금까지 우리 반에서 있었던 일을 알려 주는 **소식지**를 만들어 보았다.

4 **고쳐쓰기**를 하면 잘못된 띄어쓰기나 표현을 바로잡을 수 있다.

다음 낱말을 넣어 그림에 어울리는 문장을 쓰세요.

난이도 ★★★★

* 짧은 문장으로 써도 괜찮아요.

소개하다

공부한 날 ________ 월 ________ 일

다음 낱말을 넣어 자유롭게 문장을 쓰세요. 난이도 ★★★★

1 인상

2 띄어쓰기

3 되풀이하다

4 대표하다

질문을 읽고, 다음 낱말을 넣어 답해 보세요. 난이도 ★★★★

이번 달에 가장 인상 깊었던 경험은 유기견 봉사 활동이었어.
너에게 가장 인상 깊었던 경험은 무엇이니?

경험

사회 어휘

118~119쪽

문장을 따라 쓰며 배운 낱말을 떠올려 보세요. 난이도 ★☆☆☆

1 우리 모두에게는 **동등한** 시간과 기회가 주어진다.

2 **다문화 가족**의 자녀는 서로 다른 문화와 말을 배우면서 자랄 수 있어.

3 옛날에는 **확대 가족**이 많았고 오늘날에는 핵가족이 많다.

4 옛날에는 비가 오지 않으면 하늘에 제사를 지내는 **풍습**이 있었다.

다음 낱말을 넣어 그림에 어울리는 문장을 쓰세요. 난이도 ★★☆☆

* 짧은 문장으로 써도 괜찮아요.

반려동물

다음 낱말을 넣어 자유롭게 문장을 쓰세요.

난이도 ★★★★

1 확대 가족

2 입양

3 혼인

4 동등하다

질문을 읽고, 다음 낱말을 넣어 답해 보세요.

난이도 ★★★★

모둠 발표 숙제를 하는데, 나와 의견이 다른 친구와 갈등을 겪었어.
너도 학교에서 친구와 갈등을 겪은 적이 있니?

갈등

과학 어휘

124~125쪽

문장을 따라 쓰며 배운 낱말을 떠올려 보세요. 난이도 ★★★★

1 강이 시작되는 상류에서는 **침식 작용**이 활발히 일어난다.

2 바닷물의 **퇴적 작용**으로 모래나 고운 흙이 쌓여 모래 해변이 생겼다.

3 지구의 **표면**에서 산, 강, 바다와 같은 다양한 모습을 볼 수 있다.

4 **부식물**은 식물이 잘 자라는 데 도움을 준다.

다음 낱말을 넣어 그림에 어울리는 문장을 쓰세요. 난이도 ★★★★

* 짧은 문장으로 써도 괜찮아요.

갯벌

공부한 날 ________ 월 ________ 일

다음 낱말을 넣어 자유롭게 문장을 쓰세요.

난이도 ★★★★

1 지형

____

2 지표

____

3 상류

____

4 갯벌

____

질문을 읽고, 다음 낱말을 넣어 답해 보세요.

난이도 ★★★★

강이 끝나는 부분을 '하류'라고 하던데, '상류'의 뜻은 무엇인지 알고 있니?

상류

____

____

수학 어휘

130~131쪽

문장을 따라 쓰며 배운 낱말을 떠올려 보세요.

난이도 ★☆☆☆

1 4보다 작은 **자연수**로 1, 2, 3이 있다.

2 **소수** 0.1은 '영 점 일'이라고 읽는다.

3 저 친구는 **분수**에 맞지 않게 돈을 낭비해.

4 **단위 분수**는 분모가 클수록 더 작은 수이다.

다음 낱말을 넣어 그림에 어울리는 문장을 쓰세요.

난이도 ★★☆☆

* 짧은 문장으로 써도 괜찮아요.

분수

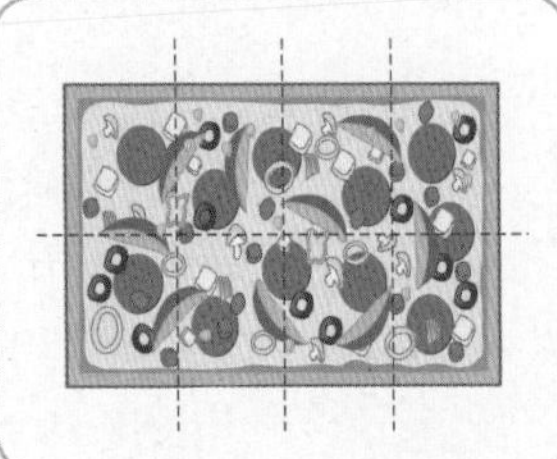

공부한 날 ________ 월 ________ 일

다음 낱말을 넣어 자유롭게 문장을 쓰세요. 난이도 ★★★★

1 분자

2 분모

3 대분수

4 소수

질문을 읽고, 다음 낱말을 넣어 답해 보세요. 난이도 ★★★★

1, 3, 5, 7.6, 10.2 중에서 자연수는 무엇일까?

자연수

학습 도움 어휘

136~137쪽

문장을 따라 쓰며 배운 낱말을 떠올려 보세요.

난이도 ★☆☆☆

1 모래 해변, 갯벌과 같은 바닷가 지형은 오랜 시간에 걸쳐 **이루어진다**.

2 미술가는 강렬한 선과 색으로 자신의 감정을 **나타냈다**.

3 전학 온 친구의 말투를 듣고 성격을 **짐작해** 봤어.

4 고장의 옛이야기로 오늘날 우리 고장의 **유래**를 알 수 있다.

다음 낱말을 넣어 그림에 어울리는 문장을 쓰세요.

난이도 ★★☆☆

* 짧은 문장으로 써도 괜찮아요.

추리

공부한 날 ________ 월 ________ 일

다음 낱말을 넣어 자유롭게 문장을 쓰세요. 난이도 ★★★★

1 까닭

2 충돌

3 이루다

4 나타내다

질문을 읽고, 다음 낱말을 넣어 답해 보세요. 난이도 ★★★★

너희 반에 미국에서 전학 온 친구가 있다고 들었어. 그 친구와 이야기 나눠 봤니?

의사소통

나만의
어휘
활용노트